新潮文庫

項羽と劉邦

中巻

司馬遼太郎著

新潮社版

3261

目次

項羽と劉邦

中巻

張良の登場

この間、劉邦の軍は、秦の根拠地の関中をめざして動いているが、北方の項羽の軍ほどにはめざましくない。

ひとつは、両軍のあいだの士卒の強弱がある。項羽軍は楚人という、原始タイ語を用いる種族でかためている。劉邦軍の名だたる軍師であった張良の晩年、すでに皇帝になっている劉邦が、みずから内乱の鎮定のために東にむかったとき、

楚人ハ剽疾ナリ。願ハクハ楚人ト鋒ヲ争フナカレ。

楚人はすばしこくて強うございます。どうか楚人と直接戦闘をまじえることはお避けあそばすように、と注意したことは有名で、体の小さな楚人が死を怖れずに戦場を

駈けまわるという種族的印象は、張良だけがそう思っているのでなく、この当時の共通のものであった。

この時期、秦に対しては、項羽軍も劉邦軍も、

「楚軍」

ということになっている。しかしきっすいの楚人は項羽軍に圧倒的に多く、劉邦の軍はその点においても雑軍であった。その兵の大部分は、かつての陳勝に従っていた流民と、死んだ項梁に属していた兵で、かれらはそれぞれ主をうしなって散らばっていたのが、食をもとめて劉邦のもとにあつまってきただけともいえなくはない。

「この大将は強いか」

ということが、かれら流動性の高い兵たちの関心のひとつであった。その強さの内容はひどく具体的で、作戦の能力というよりも怪物じみた体躯、さらには膂力、あるいはひと目みて気の弱い者なら腰を抜かすような魁偉な顔つきを持っていることが条件であり、その点、項羽はいかにも兵を魅きつけるのにふさわしかった。

劉邦は抜群の偉丈夫であるという点ではかろうじて士卒たちを安堵させたが、しかし主将みずから鉾をふるって敵陣におどりこむという個人的戦闘力は持っていない。

このため、劉邦軍は、みちみち流民や敗残兵を吸収しつつふくれあがってはいるもの

の、項羽軍のような圧倒的な膨脹力は持たなかった。

が、劉邦軍にも長所がある。

劉邦という人間がつくり出している幕営の空気が、なんともいえずいきいきしていることであった。

「沛公（劉邦）はまれにみる長者だ」

と、たれもがいう。長者とは人を包容し、人のささいな罪や欠点を見ず、その長所や功績をほめてつねに処を得しめ、その人物に接するとなんともいえぬ大きさと温かさを感ずるという存在をいう。この大陸でいうところの徳という説明しがたいものを人格化したのが長者であり、劉邦にはそういうものがあった。

言いかえれば、劉邦の持ち物はそれしかない。

ふつうなら、その血族集団の経済力と人数が核になって勢力ができるのだが、劉邦は沛の片田舎の農家のうまれで、そういう条件をもたなかった。むろんその生家は適度の自作農であるために兄弟もいるし、相応の経済力もあった。しかし劉邦は実父や長兄からごろつきであるとして疎んぜられていたため、生家そのものを乱世に投げ入れて自分の勢力の核にしてゆくことができず、最初から核を血族外にもとめざるをえなかった。
そのことが、むしろ劉邦を劉邦たらしめたといえるであろう。劉邦は元来、私的な家に根を持とうとせず、若いころから世間に根をもち、世間をいわば家として育ち、友人知己のおかげでめしを食い、四十に手がとどくころまでそのようにして過ごしていたということが、この男の対人関係における「徳」を育てる上で大きかったといえる。

劉邦は戦国期にうまれ、その影響をうけ、二十代の半ばを越えてから秦の統一をその目で見た。戦国というのは呼称こそ殺伐（さつばつ）であったが、しかしあらゆる面での社会の成熟のあらわれであるといえる。

日本列島では多数の人口がここに住むことが遅かったため、中国大陸より七、八百年遅れて広域社会をふまえた国家ができ、このために戦国期の成立もはるかに遅れた。しかし歴史年代のへだたりを越えて、相似点が多い。

戦国の現出の先駆的な条件は、古代社会にくらべ、農業生産力が飛躍的にあがり、自作農が圧倒的にふえ、ひとびとは農奴（のうど）的状況から解放され、それをふまえての自立精神ができあがったということを見ねばならない。これによってアジア的な意味での個が成立し、この個の成立からさまざまな思想、発明が、沸くように出てきた。戦国の前時代の春秋期をふくめて諸子百家（しょしひゃっか）がぞくぞくとあらわれ、中国思想史上、後代にもない絢爛（けんらん）とした時代を現出するのも、以上のような土壌に由来する。

戦国から秦の崩壊期までを特徴づける「士」の成立も、右の土壌から出ている。この時代の士は、日本の江戸期のような世禄（せろく）を相続する者をいわない。農民の中から自立して出てくる一種の自由人で、自分の知識と精神が役に立つならば仕え、気に入らねば市井（しせい）にかくれ、あるいは漫遊して遊士になり、ときには有力者に寄食して食客（しょっかく）になったりするが、その生き方は自律的で、自分の徳義でもって進退し、あるいは生死し、かつての時代の奴隷（どれい）的な隷属根性をいっさい持たない。この稿で、筆者はやがて張良という人物に触れてゆきたいのだが、張良もまたかつての戦国における士の気分を濃厚に継いだ者であり、もしくは項羽に身をよせて軍師になっている范増（はんぞう）もまたその出身で、その気分をあふれるほどに代表している者といっていい。

劉邦をもって、士の出身といえるかどうか。

士は知識人である。この点で、劉邦はそうではなかった。また文字としての士は仕という文字がそこから出ているように、人に仕えて力を発揮するものであったが、劉邦は若いころから人に仕えようとはしなかった。田地を多く持ち、多数の農民に支配力を持っている豪族かといえばさきに触れたようにそうではなく、徳と俠（きょう）以外にはどういう力も持っていないという点では、劉邦はやはり遊俠にちかい。

遊俠はその後、世がさだまった時期にすね者として存在するが、戦国からこの時代にかけては、郷村や市井で何がしかの勢力をもつ者は俠の要素をつよく持っていた。

秦の盛時、地方官庁にやとわれた地元出身の吏（り）のなかで、一種の世間的勢力のある者は単なる事務の徒でなく、俠の要素を持ち、地元の仲間たちを保護していた。

本来、中国の農耕社会には王朝など要らないという古代的な無政府主義の気分があり、民衆社会の態様も多分にそうであった。里（り）が、里ごとに里ぐるみ墻（しょう）を築いて自衛し、父老（ふろう）という住民代表を立てて自治しているかぎり、王朝など不要であり、たとえ必要悪として王朝が成立しても、王朝の重圧感を個々の里村に感じさせないというのが、古代以来、理想的な政治――堯舜（ぎょうしゅん）の世――とされてきた。しかし実際上、そういう羽毛のように軽く母親のようにやさしい王朝があったためしがなく、苛斂誅求（かれんちゅうきゅう）が王朝の常態であり、その王朝自体の害というのは、王朝が「賊」としている草匪（そうひ）の害よりはなはだしかった。

農民たちは、王朝の害から、どのようにして身をかわし、あるいはその手傷を軽く済ませるかということで腐心してきた。その腐心の代表が「父老」であり、かれら父老たちが恃むあては、王朝から派遣されてくる「官」ではなく、地元出身の「吏」であった。吏といっても、俠心のある吏でなければならない。たとえば沛の町にいたその種の吏が、劉邦の子分である蕭何であり、曹参であり、あるいは劉邦が好きでたまらない夏侯嬰、または任敖などであった。かれらは後代の吏ではなく、それぞれ私的に面倒を見ている農民団を、集落ぐるみでいくつか持っている任俠の親分という秘めた側面を持っている。

劉邦は、その頂点にいる。

本来、拠って立つべき何も持たなかった劉邦がなぜ大組織をなしたのであろう。さらには項羽軍に劣るとはいえ、それに次ぐ軍隊をころがしつつ、目下西進している秘密は何であるのか。

そのことは、じつにわかりにくい。これについては、しばしば学問的考察の対象にさえなった。

西嶋定生氏の論文「中国古代帝国成立の一考察——漢の高祖とその功臣」(一九四九年・『歴史学研究』一四一号)が、その皮切りといっていい。

これに対し、守屋美都雄氏が「漢の高祖集団の性格について」(一九五二年・『歴史学研究』一五八、九号）で批判し、それぞれ充実した成果を得ている。

この二つの論文についての紹介や賛否は省くが、西嶋氏が、劉邦の初期、その身内の組織についての呼称に目をつけたのは、功績といっていい。

中涓、舎人、卒、客

と、その隷属のぐあいが、そういう呼称で分かたれているということである。

中涓というのは、涓人ともいう。本来、国王につかえ、その身辺に侍して掃除をする役目の者で、あわせて取次もする。

家臣というものは元来、豪族の家内奴隷から出ているが、豪族が力を得ると、その身辺に仕える奴隷も豪族の意思の代弁者（取次）として、外界にむかって大きな権力を得る。以上は中涓の本来的な意味もしくは在り方で、豪族でも富家の出身でもなかった劉邦の場合、彼の身辺で使われている中涓の語の意味や内容はそこから派生した別なもののように筆者には思われる。

舎人も、同様である。

この語は古代の周王室においては官職の名称で、王に近侍し、どうやら財務をあつかったらしい。その後、この語は王室から出て一般に豪家の主人に近侍して庶務に任ずる者をいい、戦国のころには、豪族の台所めしを食っている門下という程度の意味にも用いられた。

卒は、本来、しもべのことである。しかし戦国のころ「卒」とよばれる存在は、豪族に扶持されている士のことを言う。

客もまた士である。しかし豪族に身を寄せている者をいい、ときに豪族自身が先生とよんでその学識、精神、技能を敬せざるをえない存在をいう。

これらの用語は、戦国もしくはそれ以前における王侯のごくうちうちの日常生活を執事する職名から出ているが、しかし劉邦の時代には、劉邦のような任俠の親分の身内の呼称にまでつかわれるようになっていたと見るほうが自然でいい。

なにしろ劉邦は、沛の町とその付近で、四十近くなるまで男伊達を渡世としてごろごろしていたために、かれの俠の組織に入ってくる人数が多く、それらの親疎の程度や職分のあり方で、右のように、むかしからある職名をつけて組織化する必要があった。というよりも、任俠家の身内というものは、劉邦一家だけでなく、一般にこういうものであったかもしれない。

さらにこのことを随想風に考えると、日本の戦国時代の、たとえば三河の徳川家の場合などは、中涓、舎人、卒は、ひっくるめて譜代の家来ということになるであろう。徳川家は、家康より数代前、山三河の松平郷にいたときは、土地が山林で、水田をつくる水流もなく、田地もほとんど持っていなかった。山林で兵を養い、野に降り、何代もにわたって水田地帯に勢力を拡大してゆくのだが、そのときの家の政事は、老中、若年寄という独特の職名の者たちが切り盛りした。その職につく者はみな譜代の者にかぎられ、主人の権力を代行するかわりに食禄は低かった。譜代家も、松平家の勢力が拡大して土地を併呑してゆくにつれて新附の譜代ができ、このため古くから隷属した家の者ほど尊ばれ、安城以来とか、岡崎以来などとよばれたが、最後に家康が天下をとったとき、多くの既成大名を味方につけ、外様大名とした。劉邦軍における客である。徳川家の場合、天下をとりしきるようになっても三河の土豪時代の行政上の職名をそのまま使った。家康自身、死ぬとき、三河以来のしきたりを変えるな、と遺言した。行政上の権力は、古代中国でいう「中涓、舎人、卒」に持たせ、客にあたる外様大名には大封をあたえながら政治には関与させなかった。

家康が、いわば家内奴隷の名残りともいうべき譜代衆を信頼し大切にしたことは以上のことでもわかるが、しかし日本の戦国期の三河の譜代衆の忠誠心というのは主人に対する盲目的な隷属心が結びつきの芯になっている。中国の戦国から秦の崩壊期に存在している劉邦とその身内の関係は、その時代なりに自覚した個人――後代の中国ではこの精神がほろびる――が、侠という相互扶助の精神を糊として結びついているように思える。といって侠が高度な精神というのではなく、王朝がたのむに足りず、むしろ虎狼のような害があるという古代的な慢性不安の社会にあって、下層民が生きてゆくにはたがいに侠を持ち、まもりあう以外にないというところから発生した精神といっていい。

そういう劉邦組織の中涓、舎人、卒たちが、この組織が巨大になるにつれてそれぞれ戦国の諸王国がもっていた官職名――将軍、都尉、騎都尉、左司馬、車司馬、騎司馬、御史、太僕など――を称し、車が旋回するようにこの軍事組織をそれぞれの職分によって旋回させるにいたる。

そのことは、このあたりでとどめる。

張良のことである。

張良、字は子房という。劉邦とその身内たちの出自が揃いもそろっていやしいのに対し、張良ばかりは異例であった。張良はやがて劉邦の「客」になり、軍師に任じ、いくさに弱い劉邦軍の運動を、ともかくも勝利の方角へ形づけてゆくことになる。

張良は、韓の人である。

韓というのは戦国七雄とよばれた国のひとつで、現在の山西省の南東部から河南省の中部にかけての肥沃な中原の一角を占めていた国だが、戦国末期になると、もっとも防衛しにくい国になった。国境線が、一方では不断の膨脹政策をとっている強秦に接し、一方では多分に蛮性をのこした楚に接しているために外交に苦渋が多く、戦いはつねに苦戦であり、これらの宿命的な外圧のために内政の緊張が絶えまなかった。

韓がおかれたこういう環境というのは、国家とは何かという根源的なことを思索する思想的土壌をつくる結果になったともいえる。張良より半世紀ほど前のひとに、この国の王族の中から韓非子（韓非）が出ているのである。

韓非子はいうまでもなく法家思想の大成者であったが、かれの思想とその国家学は韓の内部的現実の中からうまれたといっていい。

韓だけでなく、この大陸の戦国諸国の国家権力は、猥雑とさえいえるほどに多様な諸勢力の利害が辛うじて嚙みあう接点の上に出来ている。韓非子はそれらの動物の内臓のようになまなましい現実を一掃し、法と能力だけで君主権を運営すれば韓もまた亡ぶことがないと考えた。

自然、かれは、儒家を思想上の敵とした。

この当時のこの大陸の世間（その後もそうだが）は、十八、九世紀で成立する近代国家とはむろんちがっている。まず君主のそばに中涓、舎人などの近習がいて、君主を籠絡し、君主権を自分の私的利益の基準で運営している。大臣たちも個々に勢力を持っていてその勢力の利害から物事を判断し、また商工の民（当時は非生産的な遊民とみられていた）はこれらと結託し、私利をはかり、十九世紀以後の感覚でいえば国家ぜんたいが汚職のかたまりのようなものであった。それはそれなりに太古以来の秩序と倫理があり、むしろそうあることが父兄や血族、地縁の長老などに対して礼にかない、孝でもあるということで、この時代の儒教教団はそれを大肯定した上で倫理学をつくりあげていた。

韓非子は、このように血縁、地縁の調整の上に辛うじて成立している君主権ではその働きが小さく、いざというときには命令権も指揮権もすみずみまでとどきにくい、という基本的な疑問の上から、法をもって単純明快に世を治めるという法家の思想を築いた。一方においてかれの思想をいやが上にも透明にする働きをしているのは、哲学的にも政治的にも一種の虚無思想といえる老子の思想であった。老子は政治において無為の道を説いたが、韓非子はいわば老子を政治学に仕立てあげたといえなくはない。が、この思想は、実験室にとどまるという点もある。老子も韓非子も、その思想の絶対の前提として民はあくまでも無智無欲でなければならぬ、というところに置いており、多分に自然物に化ってしまうはずの民は、君主に対し、その存在や統治を重さとして感じない。また重さとして民に感じさせる政治は不可である、とするあたり、思想としてもっとも魅力に富む部分だが、しかし底のない壺のように現実から遊離しているともいえる。

本来、法家の信奉者である秦王政（のちの始皇帝）は、韓非子の『孤憤』『五蠹』といった著作を読んで感動し、

――この著者に会えれば死んでもいい。

とまで昂奮したといわれる。政の気質からみてかれが感じ入った部分は、韓非子流でやれば民が自然物に化ってしまうというあたりと、君主権が諸勢力の調整の上に立つのではなく、人民の個々に直に及ぶというところであったろう。事実、政は、その大臣である法家学者の李斯をつかってある程度まで韓非子の思想を秦帝国において果断に実行した、といえる。もっとも始皇帝は民を自然物と決めつけすぎ、それを容赦なく労役にこきつかい、あげくのはてにその死後、自然物どもが大反乱をおこす結果

をまねいた。

ついでながら韓非子の説は母国の韓では容れられず、かれ自身、秦に使いし、咸陽の宮殿で始皇帝に会った。始皇帝は韓非子を尊敬した。しかしそのあまり、この男を生かしておくことの害を考え、物でも捨てるように殺してしまった。

張良は、韓非子についてのひとびとの記憶が残っている時代、韓にうまれた。

かれの父張平は二代の王に仕えた宰相で、かれの祖父張開地もおなじく宰相として三代の王につかえたから、韓の遺民としては代表的な旧貴族の出身といっていい。張良の父平は、韓の末期の王である悼恵王に仕えた名臣であった。かれは強圧を加えてくる秦に対し、和戦両面で苦心し、その労のあまり死んだ。死後、韓がほろび、その最後の王である安が秦にとらえられ、国名が消滅し、韓の故地は、この大陸を統一した秦帝国の潁川郡になった。紀元前二三〇年である。

韓王国がほろびたとき、張良はまだ弱年であった。このため官に仕えておらず、殺到する秦軍が国土を蹂躙するのを身を固くして眺めていた。このときの張良の秦への憎悪のはげしさは、尋常ではなかった。かれは復讐を誓った。自分の生涯を、復讐という一主題だけでつらぬきとおす苛烈さは、張良の外貌から想像しがたかった。体つきが華奢な上に病弱で、しかも頬が透きとおるように白く、その容貌は女装すればそのまま類のない美少女ができあがってしまうほどだった。

韓が亡んだ直後に張良の弟が死んだ。かれは弱年ながら家長であり、その葬儀を主宰せねばならなかったが、

「その費えを吝しむ」

といって葬らず、家財のことごとくを散じて四方の賓客をもとめた。この場合の客は、刺客であり、秦王ひとりを殺すためのものであった。この時代、ひとびとの感情が多量で、ひとたび知遇に感ずれば自分の命を卵のように地にたたきつけるという底の遊士が多く、張良のこの試みは荒唐なものとはいえなかった。しかし秦王がやがて秦の始皇帝へ成長するにつれてその護衛が厳重になり、とうてい刺客の近づけるものでないことがわかった。

張良は淮陽（河南省）へゆき、師匠に就いて礼を学んだ。

この時代のこの場合、礼というのは儒教でいう礼の体系でなく、貴人に接するときの進退挙措の方法のことで、張良は将来、なにか詐略を構えて始皇帝にみずから近づく場合を考え、身に作法をつけておこうとしたのである。張良は、詐略のことばかりを考えていた。

――どうすれば人を騙せるか。

ということを、渾身頭脳のようなこの若者が、刃物のように自分をとぎすまして考えつづけていたということは、凄愴ともなんとも言いようがない。

「東夷に、大力の男がいます」

ということを、張良に教えた者がいた。

この時代、東夷――東方の蛮地――という土地は、地理的に漠然としている。遼東湾の沿岸あたりかと思われるが、張良ははるかにその地までゆき、倉海君とよばれている酋長に会った。めざす力士も、見た。山のような体を持っていた。張良は倉海君にこの力士を自分に呉れるよう頼み、その頼みが容れられた。

力士は、張良と言語が通じない。しかし骨まで透けて見えるような張良の人柄にはげしく感じ、

「あなたの言いつけなら、何であれ、順う」

という意味のことを、繰りかえし言った。力士は蛮地の夷人ながら、この沸った時代の心を共有しており、気に入った人間のためなら平然と死んでみせるという、その後の時代にはない気分をもっていた。

張良と力士は、何カ月も旅をした。力士はいよいよ張良の人間に吸いこまれるよう

な敬愛をおぼえ、

（この人は、神仙ではないか）

とさえおもうようになった。そう思わせるものが、張良にはあった。

かれは年少のころから老子の思想に憑かれ、自分のなかの世俗的な野望、出世欲、名声欲といったなまぐさいものをすこしずつ消してゆくという自己訓練をかさねてきた。思想でもって自分に言いきかせるだけでなく、道引とよばれる道家の呼吸法を、毎日、長時間やっていた。道引は導引とも書く。一定の方法によって深呼吸をするだけだが、大気を体の中に導き入れ、それによって宇宙に合一し、心を鎮め、諸欲を去るというもので、張良ほど知的な男が、本気でこれをやっていた。老子の教えは、のちの禅家のように悟りという至難なことまでは要求しない。老子は、幼児がもっとも宇宙にちかいとする。このため日常の生活態度は幼児を理想とし、幼児のように柔弱であれ、とするもので、道引をかさねてゆけばやがて自己を幼児に似た透明な状態にまで持ってゆけるのである。

張良はただ秦に復讐するという目的のために、どうすれば人を欺騙できるかという策を、後世の数学者が、ただ一つの答えのために多様な数式を考えだすように練りに練っていたが、この古怪な情熱のために人格があるいは変質するかもしれないところを、別に自己を透明化する思想の行者でありつづけることによって救っていたといえる。ついでながら張良はその早い晩年、道引だけでなくその上に穀類まで断ち、「身を羽毛のように軽くして神仙になるのだ」といっていたが、ついに衰弱して死んだ。これを見ても、張良にはうまれつき物に激しくくるという気質があったことがわかるし、東夷の力士を魅きつけたのも、一種神韻を感じさせる一途さというものからくる何かであったにちがいない。

張良というこの若者はのちに卓越した作戦家の名をうたわれるにいたる。

その能力の半ばは東夷の力士との放浪時代に養われたものにちがいない。始皇帝というただ一人の敵の動静をさぐるために多数の諜者を養い、四方に撒き、雑多な情報をつねにひざもとにあつめていて、ちょうど瓦礫の中から璞をさがしだすように確度の高いものを選びあげた。この時期、始皇帝自身の側近をのぞいては、天下で張良ほど始皇帝の動静を知っていた者はいなかったかもしれない。

始皇帝は天下を統一した（紀元前二二一年）翌年から、その生涯大好きだった巡行をはじめている。天下統一から三年経った年の春、山東方面を巡遊し、途中、博浪沙というところを通過したときに、事故があった。史記『秦始皇本紀』に、このことが簡潔に記載されている。

始皇東游ス。陽武ノ博浪沙中ニ至ツテ、盗ノ驚カストコロトナル。

右の文章でいう盗が、張良と東夷の力士である。

博浪沙は河南省にある。太古以来、黄河は氾濫をくりかえしてきたが、博浪沙の奇景はその痕跡であるといえる。氾濫がひいたあと黄沙がのこり、浪のように起伏して沙漠のような状態をつくり、付近に人家もなかった。

山東をめざしてゆく始皇帝の鹵簿とその護衛は、この沙中の道を通過する。張良はそのことを知り、力士とともに沙丘のかげに潜伏したのである。

力士は張良が鍛冶に造らせた重さ百二十斤（二十七キロ）の大鉄槌に綱を付けたものを持っている。やがて始皇帝の鹵簿が近づいたとき、力士は立ちあがり、全身を露にしてこのハンマーを旋回し、ついに放って遥かに飛ばした。鉄槌はみごとに飛んだが、しかし始皇帝の車にはあたらず、その副車に命中し、車輪をこなごなにくだいた。

「しくじった」

と知ると、張良は逃げた。力士とはかねてうちあわせたとおり、べつべつの方角に逃げ、以後、ついに互いに会うことがなかった。

始皇帝は大いに怒り、天下に令して犯人をもとめたが、張良は名を変え、転々し、ついに下邳（江蘇省）にきてかくれた。

下邳は古代の下邳国の首都である。秦になって下邳県の治所にもなっていて、このあたりでは相当な規模の町といえた。市中に細流が網のように流れ、橋が多い。

ある朝、張良はひどく気分がよかった。散策して橋のほとりにまで至ると、粗末な衣服をきた老人が近づいてきて、わざと履を橋の下におとした。しかも張良をかえりみて「小僧（孺子）」とよび、

「拾って来い」

と、あごでしゃくった。

張良はむっとしたが、しかし復讐と潜伏という二つの課題をもつ以上、人と争ってめだつことは不利であった。その上、この大陸では敬老を重要な徳目とする儒教の発生以前から老人を尊ぶ風が土俗としてありつづけている。張良は思いなおして身を卑くし、老人をみた。瘦せて醜怪な容貌である。表情がまったくなく、口をあけると、数本残っている歯が、なにかの礦物のように黄色かった。

張良が下へ降りて履をひろい、路上にもどって老人にわたそうとすると、

「穿かせろ」

と、老人は片足をあげた。張良はこういう理不尽さに対して心身をやわらかにする心術をもっていた。かれの教祖である老子は、いわば柳枝が風にそよぐような態度をとることを教えているのである。張良が、ごく自然に身をかがめ、老人の片足に履をはかせたのは、道引で得た呼吸というものであろう。

老人は、おそらくこの時代の原始段階の老荘の徒だったにちがいない。老荘は、無為を尚ぶ。張良の身ごなしや表情に、よく訓練された無為を感じとったらしく、満足して去った。

しかしほどなくもどってきて、

「小僧」

と、もう一度、権高にいった。

「物を教えてやる。五日後の早朝にここへ来い」

相手がこういう、いわば陽の態度で出るときは張良はすばやく陰になってひざまずいてしまう。害を避けるにはこれしかなかった。

「はい」

と、頭をたれたのをみて、老人は満足したようにおもわれた。

張良は、命じられたように五日後の早朝、橋畔(きょうはん)までゆくと、すでに老人が待っており、目をむいて一喝(いっかつ)された。

「老人と約束して遅れるとは何事だ」

出なおして来い、といわれ、つぎの五日後の朝、張良は夜中に出かけて橋畔で待った。ほどなく老人がやってきて一個の荷物を張良にわたした。それが、兵法書であったといわれる。以上は司馬遷(しばせん)が、下邳の故老か、張良の子孫かに会って取材した張良伝説の一つである。

この書には、

『太公(たいこう)兵法』

と題されてあったという。

太公とは、釣りで有名な太公望呂尚(たいこうぼうりょしょう)のことである。周の文王(ぶん)に見出(みいだ)された名将で、この時代からみれば気の遠くなるほど古い頃の人物だが、しかし伝承のなかでは十分著名だったらしい。

張良が老人にもらったという『太公兵法』という書物が実在したものなのかどうか、よくわからない。

ちなみに、太公望呂尚の著といわれる『六韜』という兵法書がある。これはこの時代どころか、漢よりずっと以後に太公望に仮託して作られたもので、この張良伝承が事実であるとしても、この兵法書は『六韜』ではない。

「これを読めば、お前は王者の師になれるだろう」

と、老人は橋畔で言った。張良が老人の名や住まいをきこうとすると、老人は、あわてずとも、十三年後にお前はわしに会うはずだ、といった。老人の予言というのは、十三年後にお前は済北の穀城山（山東省）を過ぎる、そのふもとで黄色い石を見ることになる、その黄石がわしだ、ということであった。

事実、張良は十三年後に済北の穀城山麓を過ぎ、黄石を見ることになる。張良はそれを漢都の屋敷に持ちかえって手厚く祀った。かれの死後、遺族はかれの小さな遺骸とともに黄石をもあわせて葬ったとされる。こんにち、張良の墳墓がもしみつかって発掘されれば、黄石の存在の実否もあきらかになるが、あるいはこの黄石譚も、張良自身の詐略かもしれない。

このあと、張良は下邳に居つき、任俠のむれに投じた。他日を期し、自分の勢力をつくっておくためだが、しかし劉邦のように親分になれる器ではなく、むしろ有力な侠徒たちから信頼を得、義兄弟の盟を結んでおこうとした。が、それなりに張良の勢力と侠心の度合がうかがえるのは、あるとき飛びこんできたお尋ね者の楚人をかくまい、命をたすけてやったことがあるという一事でもわかる。

この楚人が、のちにわかるのだが、項羽のおじだった。項羽は、おじたちのなかでも項梁に養われ、のちともに挙兵したが、他にもおじがいた。その一人が項伯というおとなしい男で、項羽が一勢力になってから、楚軍に身を寄せることになる。張良が下邳時代、かくまって命をたすけた旅のお尋ね者とはこの項伯であった。項伯はこの恩を忘れず、のち張良に恩返しすることによって、劉邦までが一命を拾うというひどく劇的な結果の因をつくる。この時代の侠の心、習慣、紐帯を考えると、侠の精神そのものが劇的な因子をもつものだといってよく、一面、張良の生涯をいろどる華やぎそのものも、侠という異常な倫理によるものであったかと思える。

やがて始皇帝の死と陳勝の反乱によって天下は沸くようにみだれた。

陳勝のもとにたちまち浮浪の労役者や流民があつまって大勢力になり、陳王を称するまでになったとき、張良の反応はすばやくなかった。かれの秦に対する復讐の志からいえばすぐさま兵を挙げるべきであったが、流民を吸収するだけの実力がなかった。

辛うじて下邳あたりの若者百余人をあつめることができた。

張良はこの小部隊をひきい、陳勝の旗の下に参ずべく行軍したが、途中、陳勝が秦軍のために敗死したことを知った。さらに陳勝に代わって景駒(けいく)という男が人々に推されて立ったことも知った。

(やむをえぬ。景駒のもとへでもゆくか)

とおもったが、心が湧(わ)きたたなかった。

張良のような男でも、この時期には人並みにはげしく気持を動揺させた。秦を伐(う)つ機会が到来していながら、時の勢いの進展のはやさに、ついてゆけなかった。秦帝国の底は、大釜(おおがま)の底が割れるように抜けてしまっている。陳勝の敗死後、主をうしなった反乱軍が割れた甕(かめ)からこぼれた水のようにしきりに流動する一方、戦国期の旧王国がその故地で復活した。しかし本物の王家の筋なのかどうかわからず、さらには指導者に人を得ていない。

張良は、一時みずから旗をあげようかとも思ったが、すぐ思いとどまった。

(おれは、そういう器ではない)

ということについては、張良は気の毒なほど自分を見抜いている。かれが渇ききっているのは、自分が助言を与えるべき器を見出すことだった。

じつをいえば、張良が出遅れたのは、諸方を駈けまわって人に会いすぎたためでもあったかもしれない。どこそこに流民何百、何千をひきいる首領がいるときけば会いに行ったが、みな虚名だけのろくでなしだった。張良にすれば、ろくでなしでもかまわなかった。ただ張良の意見を聴き、容れてくれればいいのだが、たれもが多少の小才覚でもって頭を糞袋のように詰まらせてしまっていて、ひとの意見をきく容量を持たず、眼前の食糧、人数をほしがるのみであった。

「私は、あなたに兵法を授けたい」

といっても、たれも耳を傾けなかった。

「いま申しあげる兵法は、私の才覚から出たものではない」

という、兵法の神授説を張良が言わざるを得なかったのは、こういう諸方の首領どもとの接触の過程でのことであろう。ひとつには、張良は美青年すぎた。小柄でもあり、なによりも無名だった。どの町に蟠踞している首領どもも、こういう男の言葉に運命を託する気になれなかったのは、一面、当然であった。

やむなく張良は少年をかきあつめ、百余人の一隊をつくって動きはじめたのだが、食わせることができない。結局は陳勝の後釜の景駒のもとにゆくしかなかった。

留という町がある。

春秋のころからつづいている小さな都市で、劉邦の出た沛にちかい。いまの江蘇省沛県の東南にある。この時期、景駒はそこにいた。

張良は留をめざしてゆく途中、沛の圏内を通った。この時期、劉邦はすでに「沛公」とよばれていたが、数千人という小勢力にすぎず、このあたりの小さな秦勢力をしきりに攻伐していた。

(待てよ、劉なにがしという名は、きいたことがある)

張良はその程度の知識しかもっていなかったが、ともかくも使いを出し、面会を申し入れた。

劉邦は気分のいい男で、すぐ会ってくれたばかりか、張良に席をあたえ、その意見を聴いた。

(聴くというのは、こういうことか)

と、張良は聴き手の劉邦を見て、花がひらいてゆくような新鮮さを覚えた。

劉邦はたえず風通しのいい顔つきで張良を見つづけ、長大な体を張良に傾け、この年少の男が言うところを、沁み入るように聴きつづけた。擬態ではなかった。劉邦の場合、小さな我を、うまれる以前にどこかへ忘れてきたようなところがあった。かれ

は、虚心にこの場の張良を見、かつ聴いた。聴くにつれて、

（この男は、ほんものだ）

ということがわかってきた。虚心は人間を聡明にするものであろう。じつのところ、劉邦の取り柄といえば、それしかないと言っていい。張良は語りながら、途方もない大きな器の中に水を注ぎ入れてゆくような快感を持った。

最後に、劉邦は、

「私はつまらぬ男でやンすが、あなたさえよければ客になってくださらぬか」

と、やや田舎くさく、しかし心から頼んだ。

「よろこんで。——」

と、張良は頰を染めて言い、いってから、内心かすかに狼狽した。すでに景駒のもとに、その傘下に入ると申し送ってある。

（景駒など、何あろう）

と、みずからを叱りつけた。俠徒には本来二言はないものだが、しかし眼前に劉邦がいる。この劉邦を天下人にしようという志の前には、景駒への不義理などは些々たるものだとおもった。

劉邦は、張良に対し、身分としては「客」として遇する一方、軍組織においてはと

りあえず廐将という官につけた。廐将というのは旧楚の官名で、直接戦闘に加わる責任を持たないが、将領として最高の軍議に出席できる職である。張良には打ってつけといってよく、初対面で適職をあたえた劉邦の眼力は十分ほめられていい。

この時期は劉邦にとっても初動期で、小さな群盗のぬしといってよく、まだ項梁にも会っていない。

このあと劉邦は薛（山東省）へゆき、項梁と会い、その傘下に入る。やがて項梁が范増の意見により亡楚の王孫——多分にあやしい素姓ながら——をさがし出し、亡楚の最後の王と同称の懐王を名乗らせ、楚を復興したとき、劉邦はその楚の一部将ということになった。

張良は、その一部将の幕僚である。

（沛公も一部将では、どうにもならぬ）

と、そのとき張良はおもった。

元来、劉邦は項梁の傘下に入ったときはせいぜい二、三千の人数を持ちこんだだけなのである。そのあと項梁の好意で多少の人数は貸してもらったが、たかが知れていた。直接支配の人数によって楚軍のなかでの劉邦の地位がきまる以上、やはり大軍を吸引せねばどうにもならなかった。

「すでに楚が再興されました」

と、張良は、劉邦に説いた。

「韓もまた再興さるべきです。再興された韓の勢力を公の指揮下に置けば、公は楚軍のなかで大きな場を占められることになりましょう」

劉邦は、張良が亡韓の宰相の家の出であることを知っている。この男を韓の故地――秦の潁川郡――に放って、韓の王孫を韓王として立てさせ、遺民たちを吸収すれば、大きな戦力を得るのではないかと思った。

「そうか」

劉邦はよろこんだ。

「ただし、そのことは楚として公然とおこなう必要があります」

張良がそういうのは、劉邦がその種の工作をこそやれば、結局は人に洩れ、きらわれて、楚軍のなかでの劉邦の存在がかえって小さくなることを怖れたのである。

「私的におこなえば私軍になってしまいます」

「当然のことだ」

劉邦も、そういう男ではなかった。

劉邦が項梁にこの策を話すと、項梁はよろこび、楚の力をあげてこの工作を公式に応援する、といってくれた。

張良は、韓の故地である潁川郡に潜入した。かれの家はかつて三百人の奉公人をかかえる豪家だっただけに、一家一族の組織力だけでも大きかった。

亡韓の公子で、横陽君成（おうようくんせい）という者が民間にかくれている。張良がこの成をさがし出して劉邦に連絡すると、劉邦はありのままを項梁に告げた。項梁はよろこび、ただちに楚の名をもってこの成を韓王にし、張良を申徒（しんと）（韓の官名で、大臣のこと）に任命した。

張良はこの韓王成（せい）をかついで千余人を得、この小部隊を活潑（かっぱつ）にうごかしつつ旧韓の数城を手に入れた。この一見可憐（かれん）なほどの男が、実際に戦闘を経験するのは、これが最初である。

が、実戦は、さほどにうまくなかった。当初、秦軍の空白地を衝（つ）いたために成功したが、秦の正規軍が態勢をととのえてやってくると、掌（てのひら）から砂をこぼすように、占領した城のことごとくをうしなった。

（張良は、しくじったか）

と、この報告をうけた劉邦は思ったが、しかし張良への信頼はゆるがなかった。む

しろ、

「あの男に、荒仕事させたのは、気の毒だった」

といったほどであった。

一方、張良はこれにこりて方針を転換した。孤立しても戦える才質の指揮官を抜擢（ばってき）して部隊をいくつもの独立した戦闘隊に分割し、ゲリラ戦をするということであった。この大陸の戦史上、確固とした戦略意識を持った上でのゲリラ戦は、この張良の韓土での働きが最初の例ではないかと思われる。

この張良の戦法は、秦軍にとって目の前に火の粉が無数に飛んだようなものであった。奔命（ほんめい）に疲れた。これによって張良は秦軍の多くを潁川郡に足どめした。

このことは、楚軍のなかでの劉邦の評価をも高めた。

が、項梁の死が、情勢を変えた。

当時、常勝将軍ともいえる項梁が定陶（ていとう）城で突如敗死すると、韓王成は後ろ楯（うしろだて）の楚軍が消滅したと思うほどに動転してしまい、張良を遊撃戦の戦場に置き捨てて奔（はし）った。奔ってやがて楚の懐王のもとにあらわれたときは、一種の精神錯乱者のようで、以後、使いものにならず、結局、懐王の幕営で寄食するだけの人になった。

その後、楚軍内部の混乱が項羽が宋義を殺して上将軍になることによって収拾され、項羽が楚軍そのものを代表する時代になる。

——西進して関中（秦の根拠地）にまず入る者を関中王にしよう。

という懐王の発言のもとに楚軍が二手（項羽の主力軍と劉邦の別働軍）にわかれたことは、すでに触れてきた。項羽は主力軍を率いているだけにこの競争には有利であったが、しかし北方に転じて秦の章邯将軍と戦わねばならないことだけが、不利であった。項羽は北方でよく戦い、ついに章邯将軍を降して、ながらくかれの西進の足をとどめてきた足枷を断ち切った。そのぶんだけ項羽は遅れた。

この間、別働して西進している劉邦軍も、かならずしもうまく行っていない。もともと劉邦にとって、懐王がかれを西進軍の総帥に選んでくれたことは、天与の幸運といってよかった。といって懐王とその側近が劉邦に好意をもっていたわけではなかった。それよりも項羽の暴虐さを怖れた。理由はそれだけであった。

——もし項羽を最初に秦地（関中）に入れれば、かつてかれがやったように見境いなく虐殺し、楚に対する天下の輿望をうしなってしまうのではないか。

という疑念があったためである。

——劉邦なら長者の風があり、項羽のような暴虐なことはすまい。

ということで、かれが西進将軍に選ばれたにすぎない。

天与ではあったが、ただ項羽軍にくらべて兵数が軍と称しがたいほどにすくなく、兵の素質からみても雑軍に近かった。西進とは、現在の隴海線ぞいに一路西にむかうことであったが、その前途には秦の堅城が数珠玉のように無数につらなって、その一城でも劉邦軍の手にあまった。ときに卵を城壁に投げつけるほどに、この作戦はむなしかった。それでも劉邦は倦きもせず、途中、陳勝らの敗残兵を吸収しつつ、ときに敗れ、ときに勝った。その戦いの軌跡は酔漢の足どりのように頼りない。

「劉邦は、弱い」

張良も、おもわざるをえなかった。

ただしかれは、この間、劉邦の幕営におらず、韓地にあって遊撃戦で奔走していた。かれの功というのは、せいぜい劉邦の進路を阻む秦兵を一人でも多く自分のほうにひきつけておくということにすぎず、要するに張良が歴史に印象づけたかれらしい働きの段階には、まだ入っていなかった。

ここで筆をとめて、地図をながめてみたい。

「西進して関中へ」

と呼号することによって全軍の士気をたかめつつも、実際には北進したり南進したりしている劉邦軍の動きが、地図をながめていると、影絵のように浮き出てくる。

もともと劉邦軍の出発点は、懐王のいる彭城（いまの江蘇省徐州）であったが、最初から西方へ直進していない。まず、彭城の西北方にある昌邑（山東省金郷県）に魅力を感じ、これを攻めた。ここに秦兵が多く籠り、武器や食糧もゆたかであった。この時期、天寒く、北上して行った項羽軍と同様、楚軍全体が煖をとる薪にもこまっていたころで、反乱の世が始まって以来、秦軍の盛りかえしという状況の変化もあって、反乱軍の胃袋といい、士気といい、もっともうらぶれたときであった。要するに楚軍が勢いに乗って関中をめざしたわけではなく、空景気であっても、そういう運動でも始めねば、反乱そのものが自滅するかもしれないいきざしも出はじめていた。

（昌邑でも陥とさねば、これはどうにもならぬ）

と、劉邦もおもっていた。かれが西北方へ行って昌邑を奪ろうとしたのは、正規軍の戦略ではなく、流賊のそれだった。城よりも食糧と武器、それに寒さをふせぐ衣類がほしかったのである。

ところが、囲んで敗けてしまった。

昌邑の秦兵は城壁をよく守っただけでなく、城門をひらいて打って出ることとさえした。これには劉邦もへきえきした。兵は、蠅のようにちりぢりに逃げた。劉邦自身も、走った。

(やはり、栗——河南省——をやるほうがよかったのだ)

劉邦はべつに定見がなかった。当初、栗もいいと思ったことを、走りながら思い出し、軍勢をまとめてはるかに南下した。

まことにとりとめもない。

栗にやってくると、すでにその城壁を囲んでいる軍があり、さぐってみると、味方だという。さらに人をやって調べると、懐王の手もとから別に発した一軍だという。首領はたれか、ときくと、「剛武侯」というお方だ、ということであった。

(懐王は、いいかげんなことをする)

と、劉邦はおもった。この西進の総帥は自分であるはずだのに、自分の知らない別軍を派遣するとはどういう料簡であろう。

「剛武侯などともっともらしい貴称を貰っていますが、どうせどこかの野盗の親分でしょう。追っぱらってその兵を併せましょう」

と献言する者があって、劉邦は、そうだ、とひざを打った。まったくそのとおりだ、と献策した者が面喰らうほどに度外れた大声を出して賛成した。剛武侯を招くと、よろこんでやってきた。それを逮捕し、鄭重に懐王のもとに送りかえし、その兵四千をあわせた。

「殖えた」

劉邦は、よろこんだ。

が、かれらを食わさねばならない。それには眼前の栗城を攻めてその食にありつくことであったが、雑軍の力では容易に陥ちない。

そのうち、系統の異なる他の流民軍も、栗の豊かさをきいてやってきた。首領は皇欣と言い、魏の将軍を称していた。

劉邦とその幕僚は、素人だけに気が変わりやすい。

「これだけの軍勢ができれば、栗などを攻めているよりも、もう一度北へもどって昌邑を奪ってしまおうじゃないか」

と、煮えかけた鍋をほっぽらかすようにして栗を退き、北進してともどもに昌邑をかこんだ。

が、依然として抜けなかった。

「では、西へゆくか」

と、劉邦とその幕僚たちは、もう気が変わってしまった。

結局、西にむかった。米蔵の中に入りかねている鼠が、外壁のそばにこぼれた米を食いちらしては他の米蔵へ走ってゆくようなぐあいであった。

途中、高陽（河南省）という小さな町を通過した。この町は、流民の勢力圏に入っている。

高陽の町には、

「狂生」

と、町の人々からよばれている人物が住んでいる。狂などというのは、後世、思想家や文人が、みずから現実を超脱する気分をあらわすときに頻用し、いわば姿のいい言葉になったが、この時代、町の人がそうよぶのは、素朴な意味での侮辱語であったにちがいない。

姓名は、酈食其という。酈などというむずかしい漢字は地名と姓だけにつかわれて、文字そのものに意味はない。名が、食其という。食をわざわざイと発音する例はめったになく、人名の場合にまれにそれがあり、この音は後代ほろび、日本の漢音にも現代中国語にも継承されていない。酈食其は、その姓名からしてすでに偏屈者のにおいがあった。

代々高陽の町の人で、家はまずしかった。若いころから書物が好きで、弁才に長じ、たれに対しても、木で鼻をくったような態度で接した。かれの学派は、儒教である。諸子百家の時代から遥かにはへだたらないこの時代にあっては、百家の思想はそれぞれ教団のような形で継承され、孔子を教祖とする儒教の教団も、そのうちのひとつにすぎず、後世のような中国的教養そのものにはなっていない。むしろ儒者は、他人の服装、容儀、行儀にやかましく、いちいち指摘する癖があったから、一般から煙たがられるか、きらわれる傾向があった。

酈食其の職というのは、この小さな町の門番である。礼という宮中儀礼にまで通じていながら、身は一介の門番にすぎないという境涯も、この男を偏屈者にしていたといえるかもしれない。

かれが番をしている門を、さまざまな流民軍が通過してゆく。かれはいちいちその将軍たちを見て、酷評した。西にむかおうとする劉邦が門を通ったとき、

「沛公だけちがう」

と、おどろき、沛公だけが大度量の長者の風があり、ひとの意見を聴きそうだ、といった。ひとの意見を聴くのは劉邦の得意芸であったが、それをひと目で見ぬいたあたり、酈食其が並の人間でなかったということであったろう。

その午後、劉邦は他の町に宿営した。

酈食其は、この沛公に物を教えてやろうと思い、高陽の町の出身者で劉邦の親衛隊の下級士官をつとめている男に橋渡しをたのむべく会いに行った。

「そりゃ、むりだよ」

と、同郷の下級士官は、儒者らしく冠を正し、粗末ながら衣服をきちんと整えている酈食其にいった。沛公の儒者ぎらいというのは鳴りひびいたもので、たとえ謁してもらっても話にもなにもなるまい、とその男はいうのである。

「沛公のために会うのだ」

わしのために会うのではない、それをとどめようとするお前は沛公のために不為を働いていることになる、それでもよいのか、というと、その男はやむなく取り次いだ。

劉邦は、土地の富家を宿舎にしている。一日の行軍が終ったばかりで、

(あとは、めしだ)

という楽しみが、体中にうずいている。この楽天的な男には食欲不振などということがまったくなく、べつに乱世に乗り出さなくても物を食う楽しみだけで生涯退屈なしに送れるというふうなところがあった。婦人への欲望もさかんで、行軍中、気に入った女を数人連れ、身のまわりの世話をさせている。この時代の婦人は男に狎れると口躁がしく、ときにたけだけしくなり、荷厄介なものであったが、劉邦はべつにその

ことをうるさがる風でもなく聴いてやり、ときにそれをよろこぶ様子さえある。

この夕、劉邦は縁に腰をかけ、土間にたらいを置かせて、二人の婦人に左右から足を洗わせていた。

「たれじゃ、今夜の伽は」

劉邦がいうと、二人は顔を見あわせた。決まっていないようであった。

「くじでも引け」

劉邦は、命じた。お前にする、といえば二人の心が軋む。勝手にくじで決めて来い、というのは、いかにも劉邦らしかった。

酈食其は、そこへ入って来た。劉邦は、この高陽の門番が入ってきても足を洗わせることをやめず、

（ああ、先刻、取次ぎのあった男か）

という程度の顔をして、酈食其を見た。

こういう場合、儒礼はうるさかった。劉邦はすでに貴人である。酈食其としてはそれなりの拝跪の礼をとらねばならないのだが、かれはわざと、同列の友人に会った程度の礼をとり、立ったまま両手を前に組みあわせただけだった。酈食其は、劉邦の無礼さに腹をたてているのである。声をはげまして、

「沛公」

と、いった。

「あなたは、無道の秦を誅滅されようとしている。まことでありますな」

「まことだ」

劉邦は、二人の婦のほそい肩を同時に愛撫しつついった。

「私は、あなたよりも年が長けている。しかもあなたに物を教えようともしている。ここに立っている酈食其は高陽の門番でなく、長者です。あなたがどうしても秦を誅滅したいというなら、縁に腰をおろしたまま長者に会うようなことをなさらぬほうがよい」

「アア」

劉邦はあわてて二人の婦から布をとりあげてみずから足を拭き、上へあがってすぐ衣服をととのえた。

あらためて酈食其を案内して上座に据え、自分はさがって身をひくくし、聴く姿勢をとった。

(思ったとおりの男だ)

と、酈食其は満足し、劉邦のために秘策をさずけた。

「このあたりに、陳留という町があるのをご存じでござるか」

「町の名だけは知っている」

「そこに食がある」

と、酈食其はいった。

――陳留には、秦が県下の穀物をあつめて蔵している官倉がある、もしこの町を陥とせば士卒は餓えから救われる、と老儒生は言い、しかも自分は陳留の町の内情に通じている、というのである。さらに、内部からこれを崩壊させる自信がある、とも言い、その方法を説いた。

「これはありがたいことをうかがった」

と、劉邦は、言葉を丁寧にして、酈食其に客になってくれることを頼んだ。酈食其も、そのつもりできている。

以後、劉邦はかれを幕僚の一人にしたが、数日見ているうちにこの人物が、以前からの劉邦の身内たちにはない弁才という能力をもっていることを気づき、他日、外交にあたらせようと思い、会ったばかりといっていい酈食其を「広野君」という貴族的な呼称でよぶことにした。さらにその弟の酈商もまた能力がありげだったから、これを将軍にし、兵をあずけて陳留襲撃を担当させた。酈氏兄弟は大いに働き、陳留を襲撃する一方、工作して守備兵をことごとく降伏させた。劉邦は陳留の降兵をことごとく酈商将軍の指揮下に入れ、穀物は劉邦軍の兵站(へいたん)に積みあげさせた。

木天蓼(またたび)という樹(き)がある。初夏になると白い五弁の花をつけ、晩夏には黄色い実をつける。それを乾燥させたものを火にくすべると、風のまにまにおいがひろがって四方の猫をまねきよせるというが、劉邦の陣営にあらたな食が集積されたという報は四方にひろがり、たちまち流民が百人、千人とあつまってきた。

劉邦は、西進へのみちみち酈食其のような奇才の士をひろい、奇功をたてさせることによって勢力をふくらませた。それら功をたてた者への恩賞は吝(お)しみなくあたえた。寛容さと気前のよさという劉邦の特質は、劉邦一個の能なしを補ってあまりがあり、かんじんのいくさのほうは一向にはかばかしくないのに、この一軍はつねに陽気で、ここにだけ陽が照っているぐあいでもあった。

ついでながら、酈食其が劉邦のために外交の辣腕(らつわん)をふるうのはすこし後のことになる。かれは諸方に使いし、ついに斉(せい)の田広(でんこう)をだました結果になって、大釜(おおがま)で煮殺されるはめになる。乱世の外交家としては、むしろ華やかな最期(さいご)であったともいえる。

張良は、なおも韓地にいる。

かれはこの一局面の遊撃戦を担当しながら、諸方に諜者を出し、情報をあつめ、たれよりも広域情勢にあかるかった。

項羽が北方で秦の章邯将軍をくだし、劉邦軍と競争すべく関中への進撃をはじめたということも、張良はいち早く知った。

(項羽がさきに関中に入れば、沛公などはその下風に立たざるを得まい。沛公が下風に立てる人間ならいいが、あの人には他人に属するような性格も能もない。その上、沛公を押し立てている者たちが沛公をこそと思っている以上、結局、のちのち項羽と争うことになるだろう。項羽と争うためには、沛公はまず勢力の基盤をつくらねばならぬ。そのためには関中の要害、関中の富、関中の兵を手に入れておく必要がある)

と、おもった。張良が『太公兵法』から得たとされる思考法の基礎は、以上の思案が好例といっていい。つねに先の先を考えて手を打ち、手順を作り、基礎を一つずつ築いて、すべての物事を未然に始末をするということであった。張良の一代はつねにそのやり方でとおした。後世、太公望に仮託した『六韜』の基本的な思考法もそうである。

張良がみるところ、劉邦のいくさのやり方は——劉邦だけでなくこの時代のほとんどの将軍がそうだが——要するに行きあたりばったりにすぎない。

春三月、劉邦は勇奮して開封（河南省）をかこんだ。開封そのものは巨城ではないが、しかし開封から西にかけて秦が官倉を置いている重要な都城が多く、このため秦は開封城を最前線として大軍を集結しており、開封以西といえば、山河はことごとく要塞といってよかった。開封の守りも当然ながら固かった。

力攻したが、とうてい抜けそうになかった。

そのことは、逐一、張良の耳に入っている。

（とてもあの人の力ではだめだ）

と、張良は思うようになっていたし、その上、劉邦軍にとってまずい材料が北方にあらわれている。

中原の北方で、亡んだ趙国を再興している流民軍のうち、司馬卬という別働隊の将が、どう思ったのか、南下して関中をめざす気勢を示しているのである。流民軍はたがいに秦を共通の敵として一応は連繫し、さらには反乱諸軍の代表として楚の懐王に敬意を表しているため、趙の司馬卬が関中をめざすとしても、劉邦としては異存をいうことができないばかりか、むしろ友軍の活潑さをよろこばねばならない。しかし司馬卬が関中に入ってしまえば、劉邦は天下に信をつなぐことができなくなる。

（行って、沛公を輔佐しようか）

と、張良はおもったが、韓地での遊撃戦の手を抜くことができず、さらには張良は体が虚弱であるのと多少の関連があるのか、我がすくなく、乗りこんで行ってまでして劉邦の鼻づらを引きまわす気にはなれなかった。

（そもそも）

張良は思っていた。

（沛公は、基本方針がまちがっているのだ）

しかし劉邦がその非をみとめ、一転して張良の意見にしたがう気分になるには、いますこし負け込んでゆかねばなるまい、とも張良は思っている。

そのうち、劉邦軍の様子が、いよいよ怪しくなってきた。

（行こう）

と、張良は決意した。

このため張良は韓地での遊撃軍が難渋しないようにこまかく手当をし、劉邦へは手紙と使者を送り、自分が作戦に参加することを十分に納得させてから、腰をあげた。

張良は、ひそかに韓地の戦場から脱けた。

屈強の者を数人えらんで供とし、驢馬に乗って旅をした。この時代の旅は危険で、たとえ友軍である流民軍に出くわしても、剝がれたり、殺されたりしてしまう。張良は、どの土地を通過するときでも用心ぶかく土地の者を手なずけ、安全に通れるまで動かなかった。

やがて開封の城外に達し、劉邦の陣営をたずねた。

「子房（張良の字）どのか」

と、平素、軽々に身を動かさない劉邦が、犬のように飛び出してきた。この男は自分の客のなかで張良をもっとも好み、張良をそばに置いていれば終日飽きることがないと思っていたが、ともかくも戦場を異にし、相見ないことが久しすぎた。劉邦は張良の手をとるようにして部屋に案内した。

（沛公はこれだからいいのだ）

と、張良もうれしくなった。

関中に入る

劉邦の人間について、

「生まれたままの中国人」

という含蓄に富んだ表現を、古くは内藤湖南博士がつかい、近くは貝塚茂樹博士がつかっている。

中国の長い歴史のなかで無名の農民から身をおこして王朝を建設したのは、劉邦以外にない。他に明の太祖朱元璋があり、おなじく卑賤の出ではあったが、しかし朱元璋の場合、流浪の托鉢僧として多少の文字があり、詩文をつくることができた。劉邦という男はそういう余計なものも持たず、この大陸の土俗のなかからうまれ、土俗という有機質を、育ちのよさや教養で損ねたり失ったりすることなく身につけ、文字どおり裸のまま乱世の世間に出た。

劉邦が、自分に後天的な属性を付加しようとしたのは、かつて触れたように、戦国の魏の貴族でかつ大俠ともいえる信陵君を尊敬してその独特の俠心を学ぼうとしたぐらいのことで、あとはただ土俗人として思考し、ふるまい、平素、外見は百姓おやじのように茫々としていた。

劉邦はただ、

「おのれの能くせざるところは、人にまかせる」

という一事だけで、回転してきた。劉邦は、土俗人ならたれでも持っている利害得失の勘定能力をそなえていたが、しかしそのことは奥に秘めて露にせず、その実体はつねに空気を大きな袋でつつんだように虚であった。ひとの印象では、その虚なる袋は次第に大きくなった。数百の首領として沼沢を駈けまわっているときはその程度の虚であったが、数十万の首領となったいま、一見、際限もないかと思われるほどに大きな虚になっていた。

劉邦とその麾下の諸軍は、関中高原の東辺の低い野を上下しつつときに城市を囲み、ときに野戦し、一勝一敗した。しかしながら、めざすところの関中へは容易に近づくことができなかった。

すでに張良が、劉邦の帷幕にいる。

張良が、かつての韓の地で専念していたゲリラ戦の指揮を他にゆずり、劉邦の帷幕にやってきたときは、劉邦は開封城外にいた。城をかこんではいたが、開封城の壁は固く、その城頭に立って弩を射る秦兵は強く、劉邦の軍はただ野に満ちて長囲するのみでなすところがなかった。ひとつには、流民軍としての劉邦の側は、慢性的に兵器が足りず、精巧な兵器は秦軍がこれを独占していたということもあった。かつて秦の始皇帝が、かれがほろぼした六国がふたたび武装することのないよう天下の兵器を咸陽にあつめてこれを鋳つぶすということをやったが、その効が秦軍に幸いし、劉邦軍をくるしめた。とくに不足しているのは、矢の先端につける重い鏃であった。この時代の鏃はすでに銅のようなやわらかいものではなく、真鍮のような感じの硬い合金で、民間で簡単につくれるようなものではなかった。

「開封など、しばらく置き捨てましょう」

と、張良は言い、劉邦の目を南方にむけさせた。南方のかつての韓の地は小城が多く、抜きやすいばかりか、張良の息のかかった遊撃隊や諜者が無数にいた。張良の策は、これらを使って敵を動揺させる一方、劉邦の主力軍をもって小城をいちいち攻め潰し、その兵器をうばい、攻撃力をしだいに充実させてやがて大敵にあたればいい、

というごく常識的なものであった。劉邦は簡単に賛成した。張良の実力が十分にわかっているわけではなかったが、

（こいつは、ひどく冷たい顔をしている）

という、妙な箇所に劉邦は魅かれつづけていた。張良が冷酷であるということではなかった。張良というこの秀麗な容貌を持った男は、どういう場合でも気分や表情を変えず、その意味ではなにか葉を食みつづけている白い幼虫のようで、倦むことなく敵味方の数量計算や心理の推量、それに地理的あるいは時間的要素などを考えつづけていた。こいつも化けものだ、と劉邦は思った。劉邦の好きなかつての魏の信陵君の食客にも多種類の化けものが居たように、張良だけでなくちかごろ劉邦の幕下にこの手の化けものが多くあつまっている。

（張良にやらせてみよう）

劉邦はひとまずまかせることにした。まかせるとなると劉邦は徹底していて、全軍の指揮権を気前よく張良にあずけてしまった。

この気前のよさに、張良のほうもおどろかざるをえない。かれは本来、机上の兵法家であった。軍事に習熟していたわけではなく、自信もなかった。しかしいきなり指揮権を持たされてしまったことによる責任感と、軍隊という生命を敵と交換しあう集

団の重さが、かれを数日でもって百戦の玄人にもひとしい実質感覚の人に仕立てあげた。

張良は、開封城外から逐次兵力を南下させ、それらを分散させたり集結させたりして、かつての韓の地の小城を、いわば落ち栗を拾うような容易さで抜いて行った。

しかし落ち栗の価値は所詮は落ち栗でしかなく、劉邦幕下の他の将軍には張良が無駄な作業をして時を浪費しているように思えてならなかった。関中に達するのは項羽軍と競争である以上、悠暢な道草はゆるされない。

――張良は開封を置き捨てて南方の野を掠めている。つまりは開封を孤立させようということか。

と、張良に好意的な連中は想像したが、この想像は現実とは適っていない。開封は東西にわたって数珠玉のようにならぶ秦の堅城群の一つとして他の数珠とたがいに連繋しあい、決して孤立するという状況にはならない。

張良は、それを目的としていなかった。大目的はむろん関中に攻め入ることであったが、それへ至るために、まず劉邦軍を強くせねばならぬと張良は思っていた。ひとつには秦の兵器を獲得し、ひとつには弱い城を攻め潰すことによって、戦えば必ず勝つという自信を士卒につけさせることであり、さらにいま一つの目的は、秦軍を城々からおびき出して野外で決戦し、北方の鉅鹿(きょろく)の野で項羽がやってのけたような快勝をおさめ、劉邦軍の評判を敵味方に対して高くすることだった。

(劉邦軍のいままでの動きというのは、ただ敵地で漂っているだけだ)

と、張良は見ている。これでは強勢を誇る項羽軍とのひらきがますます大きくなり、もし秦をほろぼした場合、楚軍全体のなかでの沛公(劉邦)の発言力を弱くしてしまうし、また一方、日常の戦闘もやりにくかった。項羽軍より劉邦軍のほうが弱いとみて秦軍はかえって勢いづき、士気を高め、かさにかかって攻めてくるため、負けずともいい戦いでも利をうしなうことが多かった。

張良のこの落ち栗ひろいは、秦軍を刺激した。秦軍はたまりかねて城々を出、劉邦軍を打撃すべく野戦軍の編成にとりかかった。

楊熊(ようゆう)という秦将が、その総帥(そうすい)に任命された。

(どうもこれは、おれの思惑どおりになってきたようだ)

と、南方で戦っている張良がこの情報を得たとき、そう思った。元来、張良が情報収集というこの地味な作業にそそぎこんでいる金と人は、この当時の常識をはるかに越えたもので、秦人の動静は秦人よりもくわしいということは言えた。

——秦の楊熊将軍は白馬(はくば)(地名)まできて兵の集まるのを待っている。

という情報も得た。白馬とはこんにちの河南省滑県の西方にあった地名で、張良は楊熊の野戦軍が膨れあがらぬうちにこれを撃つべく北上し、諸将それぞれに策をさずけ、陽動、奇襲、包囲をくりかえしてこれに大打撃をあたえた。楊熊はこの意外な敗戦に仰天し、少数の兵をひきいて曲遇（河南省）にのがれたが、張良はあらかじめ楊熊がここにのがれてくるものとみて予備隊を機動させ、さらにこれを破った。秦軍は灰を吹いたように四散してしまい、楊熊は身一つで走り、官倉のある滎陽城に逃げこんだ。

「秦軍が大敗した」

という敗北の報は、秦都咸陽によほど大きな衝撃をあたえたらしい。都下の動揺がいかに大きかったかということは、宦官の趙高に籠絡されて宮殿の奥で逸楽をたのしんでいた二世皇帝胡亥の耳にさえきこえたほどであった。

二世皇帝ははじめて事態の切迫を知った。狼狽と恐怖は、関東（函谷関の東方）の野で敗けた楊熊という一将軍の罪を問うという一点に集中し、

「殺せ」

と、命じた。胡亥が、即位以来、秦帝国の政治についてやったことといえば、この一事ぐらいのものであった。

皇帝の使者は滎陽城に入り、城外の野に楊熊をひき出し、衆人に見物させつつ、罪状を読み、首を刎ねた。

この勝利は劉邦軍を力づけただけでなく、劉邦が張良という男を信頼する基礎になった。たれよりも張良自身、

（いくさというものは、勝つための手だてを慎重にかさねてゆけばかならず勝つものだ）

と、大いに自己の方式を信ずるようになった。

張良はこの戦勝のあと、指揮権を劉邦の手に返上した。大軍総帥としてその座にすわるには物事についてよほど無神経な人間でなければつとまらぬようであり、張良は数カ月で両眼が飛び出るほどに瘦せてしまった。

「私には、むりです」

と、劉邦にいうと、劉邦は顔じゅうに笑いをひろげ、公にすべてをまかせればわしは楽だと思っていたが、将帥の座というのはそれほど心労がともなうか、と言い、

「わしなどは馬上で居眠っているだけだ」

と、いった。張良はこれをきき、

(なるほど、この人の内部はそういう仕組みになっているのか)

あらためて劉邦が大きな空虚であることを思った。張良が将権を代行すると、まずいことが多かった。かれが一個の実質であるため、かれに協力する劉邦の幕下の多彩な才能群ともいうべき諸将は張良の意中をいろいろ忖度することに疲れ、結局はその命を待って動くのみで、みずからの能力と判断でうごかなくなってしまう。とくに後方補給と軍政の名人という点で張良以上である蕭何の場合、この弊がいちじるしかった。張良の作戦が正と奇を織りまぜて複雑になるため、蕭何にすれば補給をどこに送っていいかわからず、結局は悪意でなく怠業状態におち入り、張良がいちいち後方の蕭何へ連絡者を走らせて命令と指示を伝えねばならなくなった。このため張良も疲れ、蕭何も疲れてしまうのである。

これが、劉邦に指揮権がもどると、幕下の者たちは劉邦の空虚をうずめるためにおのおのが判断して劉邦の前後左右でいきいきと動きまわり、ときにその動きが矛盾したり、基本戦略に反したりすることがあっても、全軍に無用の疲労をあたえない。

「私が指揮しますと、二度三度は勝ちをおさめ、それにより士気もあがりますが、やがてはべつの要因で全軍に弛緩があらわれます。それがもとで軍そのものを自潰させることになるかもしれません」

と、張良は自分の欠点を正直にいった。正直はこの作戦家のきわだった特徴というべきものであった。さらには、一面、正直に自分の価値の長短を劉邦に把握させておくことによって、劉邦から怖れられるということを防いだ。ともかくも以上の二、三の勝利作戦のあと、張良は幕僚にもどり、かれの好むところの情報収集に専念した。

劉邦は、本来、ぬけ目のない男で、それがときどき出た。

——関中へ意外な者が一番乗りするおそれがある。

という情報が、北方の趙の別働軍の将である司馬卬の動静とともに伝わったとき、劉邦のやり方はあくどかった。司馬卬は北方からまさに黄河に近づき、関中へ入る勢いを示していた。これに対し、外交で調整する手はあるはずだったが、劉邦は一軍を急行させて平陰という渡河点を占領し、友軍である司馬卬の軍を脅迫しつつ、渡河を武力でおさえこんでしまった。

しかも劉邦の主力はその渡河点からおよそ遠い南方にあり、さらに南下をつづけている。南下が張良の献言によることはいうまでもなかった。劉邦は張良の言をよく容れ、それをあらたな大方針としていた。ついに現在の河南省の西南部の南陽城という郡都（南陽郡三十六県の治所）まで南下し、これを一撃して秦の守将を奔らせた。この勝利によって、南陽城の武器と広大な南陽郡一帯の穀物を一挙に得、兵は大いに飽食し、かつ装備が充実し、旗幟は見ちがえるほどふるった。

（これで、ようやく関中に入れる）

と、劉邦はおもい、軍を部署し、全軍に命じ、関中への西進を開始した。馬は騰り、兵どもの足は歩々ふるった。ときに、夏は過ぎようとしている。

「西進」

ということは、張良はきいていなかった。かれは西進がきまったときに劉邦の幕営におらず、はるか後方にあってしきりに諜報をあつめていた。劉邦の主力軍が西進しはじめたことを知っておどろき、壮夫百人をあつめ、交代で輿をかつがせて劉邦を追った。張良にすれば、さらに南進すべきであった。

（宛を置き捨てては、大害がある）

というのが、張良が顔色を変えるほどの憂慮だった。

秦の南陽郡の大守は、劉邦に南陽城を一撃されると、この城が守備に適しないという理由もあり、すぐさまその南方に奔り、宛県の県城である宛城にもぐりこみ、ここを籠守する気勢を示した。劉邦はそれを見て、かつて張良が開封を置きすてよといったことを思い出し、その理論を宛の場合に適用したのである。

（宛城など、置きすててしまえ）

が、開封と宛とは、条件がちがっていた。以下のような想像がなりたつ。劉邦軍が西進して関中へ入る嶮路にさしかかるころに、当然、嶮路を守る秦の守備軍と衝突するであろう。そのとき後方の宛城の秦軍が奔出して劉邦軍の後方を襲えば、劉邦軍はせまい嶮路で立往生してしまい、全軍谷へ突きおとされて敗滅せざるをえない。西進するのはかまわない。しかし、それにあたって、まず宛を攻めつぶしておく必要があった。

張良が劉邦の車に追いつき、許しを得て車内に入り、その必要を説いた。

「ああ、そうだったか」

このあたり、劉邦の虚における凄味といってよく、自己の意見を古わらじのように捨て、張良が十分に説明を終えないうちにとりあえず全軍に停止を命じた。大軍というものは一度進撃の部署をきめ、それぞれに目標をあたえて発進させると、とどめがたいものとされている。劉邦はそういう点、平然としていた。

「西進は、あとだ。まず宛を攻めるのだ」

と、さきの命令をとり消し、全軍をひるがえして宛城を囲んだ。

宛は遠い昔、楚の領土であったが、戦国のある時期から韓の領土になり、このため城内には、亡韓の宰相の遺児である張良を知る者が多い。とくに張良が劉邦の帷幕にあって亡韓の民たちを綏撫しているということはよく知られている。郡の大守の舎人（家令）をつとめていた陳恢という男もこの事情を仄聞しており、その主人に説き、降伏をすすめ、そのための使者になることを買って出た。

陳恢は宛の城壁の上から軍使であることを示し、やがて梯子で降りて劉邦に会った。陳恢というのは劉邦が一見しただけで気の弱そうなことがわかる小男で、はじめはただ驢馬のように息を吐くのみで、声にならなかった。

「大守の降伏を容れることは、あなたにとって得でございます」

という得失論を陳恢は弁ずるつもりであった。この種の弁論は戦国のころの諸国に充満していた策士や天下を周遊した遊説家たちがさかんに弁じたがために型も方法も出来あがっており、陳恢のような男でも声さえ出れば論理は型どおりに立てることができた。

やがて、陳恢ののどから声が出た。韓の音であった。聴きとりにくいところは、張良が劉邦に通訳した。

「沛公よ、あなたたちの王である楚の懐王が、まっさきに関中の咸陽に入った者を関中王にするという約束をされた旨、きき及んでいます。ところであなたの眼前の宛城は南陽郡でも最大の城で、城壁は高く、兵となるべき住民は多く、食糧が豊富であるだけでなく、これに連なる城市は数十もあります。役人も住民も、たれもがもし降参すれば殺されると思い、必死に防戦しようとしています。これをお攻めになればとても短い日数では陥ちず、結局は足枷になって容易に関中に入れないでしょう」

と、型のように劉邦の弱味を衝くのである。

「私のいうことが間違っていましょうか」

陳恢は反問した。

「あなたのおっしゃるとおりです」

劉邦も、論理上、そう答えざるをえない。

「ひるがえって公のためを考えますに」

という言い方も、型どおりであった。いっそ大守を侯に封じなさい、と恩に着せていう。侯に封じ、このまま宛にとどまらせてこのあたりの守備をさせ、さらには大守の麾下の秦の精鋭の武装兵をことごとく公の麾下に入れ、西進にお使いなさい、公がかかえているいくつもの難題が一挙に解決するだけでなく、このさき公の進撃路を阻んでいる諸城も宛の例をきいてあらそって降伏し、御味方につくことになるでしょう、といった。

(なるほど)

と、劉邦は感心してしまった。

劉邦は本来、一介の土匪にすぎない。反乱に参加して以来、組織的な秦軍の降伏を受けたことがなく、まして秦の郡の大守という、その統治地域のひろさが戦国のころの国王の領土に匹敵するような大官からの降の申し出を受けたことがなかった。ましてこれをかつての封建制の「侯」に封ずるような大それたことをしたことがなく、第一、秦の側からの申し出もなかった。大勢は、たしかに変わった。

(秦人は、弱気になった)

劉邦はおもった。

(張良の白馬の一戦が、このあたりの秦人の戦意をくじいたのだ)

と、おもったが、それ以上に大きかったのは、去年の暮、はるか北方の鉅鹿において秦の大野戦軍が項羽のために大敗を喫したということであろう。次いでこの夏の暑いさかりに秦の野戦活動を一手にささえていた章邯将軍が項羽に降り、楚の雍王の称号をあたえられたことがとくに大きかった。この風評はすでにこの南方にもきこえていて、土地の大守も、数カ月前なら思いもよらなかった投降と転身へ思案を飛躍させているのである。

劉邦はむろんゆるした。城外で大守に会い、この臆病な秦帝国の地方長官に殷侯と称せしめただけでなく、使者に立った陳恢をも行賞し、千戸の邑に封じた。

（秦の壁がくずれはじめた）

という実感が潮のように胸に満ちた。

（ただし、わずかに崩れただけだ）

とも思った。いままで難儀をかさねてきてとうてい秦帝国には勝てぬと思うことがしばしばだっただけに、この新事態をもってすべての情勢を推すのはむりだと一方では思った。劉邦は若いころ、人がいやがるほどに軽妄なところがあったが、年はもう四十を越え、かつは反乱に起ちあがって以来の労苦もあって、毛のすりきれた老猫のように、眼前の小事には躍らなくなっている。

やがて、赤い旌旗をたなびかせた劉邦軍が宛を出発し、西にむかった。

烈日が、兵士たちの甲冑を灼りあげた。劉邦は車に揺られていた。車のなかではこの行儀のわるい男はほとんど半裸のまま寝そべったり、足を水に浸けたりしていた。この大陸の文化は、のち儒教主義になっていよいよ礼教がやかましくなるが、それ以前から裸形を卑しみ、たとえ独居していても裸になることは野蛮人になりさがることだとされていたが、劉邦はこの点、平気だった。ただ幕僚が会いにくるときはあわて

て例の竹の皮の劉氏冠をつけ、衣服で肩をおおって体裁をつくろった。（本当に、関中に入れるかどうか）

と、この行軍中、劉邦はなおも疑問をのこしていた。

関中盆地（陝西省）は、古い世、秦という半未開の王国が興った地方で、秦が帝国になってからも他へ動かず、ここが帝国の策源地になり、咸陽は王都から帝都に昇格して全大陸を支配している。

劉邦たち反乱軍がひしめき沸騰している舞台は関中台地からみれば函谷関の東方であり、いわゆる中原であった。中原とはいうまでもなく古代よりの漢民族の根拠地をさす。こんにちの行政区分でいえば河南省が中心で、その範囲は東を山東省の西部にかぎり、西は関中をふくめる。ただし自然地理としての関中は特殊で、中原からみれば西方の巨大な高台をなし、その北方や西方は騎馬民族の居住空間につながってゆき、羌族（関中の北方の漠野にいる異民族）や匈奴といったような夷狄の笳がきこえてきそうな印象が濃い。

中原から関中の台地へ入る場合、天嶮がそれをさえぎっている。その天嶮の一つに人工の要塞工事が加えられたのが函谷関であった。さらには函谷関に達する前に開封、滎陽、洛陽などの城々がつらなっている。これをいちいち攻めつぶしてようやく函谷関に達しうる。

――函谷関を破ってまっさきに関中に入る者を関中王とする。

と言った楚の懐王の言葉も、逆に函谷関を破ることの難さがことばのイメージのなかに含まれていた。劉邦も当初、東流する黄河の線上を西へむかったのだが、いたるところで大小の城郭に阻まれ、結局は張良の助言を容れて黄河の東西線を遠く去り、宛まで南下してしまったのである。つまりは、函谷関からはるかに遠ざかった。

張良という男の思考力は、たしかに尋常ではない。たれもが関中に入るためには函谷関を経るということにとらわれていたが、張良はこのことからまぬがれていた。関中は「天府の国」といわれながら、「金城千里」といわれるほどに自然の嶮によってふちどられ、外界に対して函谷関だけでなく関門がいくつかあった。それらのうち南方の一関である武関という存在が存外、世間の平素の認識から遠い。

「函谷関にとらわれず、武関から入ればよいではありませんか」

張良は劉邦に説き、容れられた。

なんといっても張良は韓人であり、韓地から関中台地にのぼってゆく間道を知っている。丹川という渓流が関中のほうから亡韓の西辺に流れてきているが、その渓流づたいに登ってゆけば武関の嶮に達するということを当然のこととして張良は知っていたのである。

宛を西にむかって出発した劉邦軍は、張良が助言したその経路をとっている。

（官吏というのは、なんと弱いものだ）

と、劉邦はおもわざるをえない。西進する沿道の諸城は、みな南陽郡の大守にならって降伏してゆくのである。以前の封建制ならばもし劉邦のような外敵が侵入した場合、その地域ごとの王のもとに家臣団が結集してふせぎ、領民までがそれを支援して頑強なものであったが、法家主義のもとに封建を全廃して郡県を置き、官僚をもって行政者とした秦の制度の場合、国家がうまく行っているときの運営には最適だがひとたび帝国が危難におち入ると官僚はわが身を保つのに汲々としその治所を死守しようとはせず、また下僚や人民の側も官僚を主人として忠誠心を発揮するということはない。すくなくともこの段階になって官僚制の弱点があらわれてきた。

関中における中央もそうであった。咸陽の宮廷は皇帝の家臣団で構成されているというよりも、各部署は官と吏で運営されており、忠誠心というえたいの知れぬエネルギーが発現されにくくできていた。秦のこの制度は、始皇帝のようなすぐれた元首が存在する場合、封建制よりもはるかに精妙に作動するもののようであったが、官僚制という大機構を使うすべを知らない二世皇帝胡亥の場合、どうにもならなかった。

劉邦は、簡単に武関をやぶった。

この報はたちまち咸陽に走り、宮廷と城の内外を大混乱におとし入れた。

このころすでに宦官の趙高は丞相となり、官僚機構を一手ににぎっていたが、

(これで秦は亡びる)

ということをたれよりも早く察し、むしろ積極的に滅ぼす側に立つことによって侵入軍の心証をよくしようと考えた。宰相の趙高は中国の宦官史上、最初の宦官悪の代表者とされる。宦官の特性も、典型のように多量にもっている。少年の悪事のように欲しいものを手に入れることについての策謀に熱中するのである。ただその前後をかえりみる政治的感覚に欠けており、それだけにやることはすさまじかった。

ともかくも趙高は、その生涯でもっとも多忙な数日を送ることになった。まず二世皇帝胡亥を殺さねばならない。

理由は二つあった。ひとつはいままで胡亥を政務から遠ざけるために中原の敗況をいっさいひたかくしにしてきたのだが、それが一挙に知れてしまう。これを怖れた。胡亥といえども怒るであろう。当然、趙高を殺そうとするにちがいないが、趙高の側

からすれば殺される前に胡亥を殺す。趙高の思案はつねに即物的で、いまひとつの理由もそれに似ていた。胡亥を殺すことによってその印璽をうばい、それをたねに劉邦と交渉し、関中を二つに割って二人でそれぞれの王になろうと持ちかけるのである。劉邦という一人前の男がそういうおとぎ話の発想のような手に乗るかどうかという種類の思案は、つねに趙高に欠けていた。趙高は若いころみずから陽物を抜いて宦官になったが、胡亥の年少のころの家庭教師だっただけに、学問はあった。しかし結局は安定した感情を持たないためにその発想と行動は権力への欲望にむかってたえず錐のように直線的に旋回した。

この時期、胡亥は、咸陽の宮殿におらず、郊外にいた。数日前、不吉な夢を見たため占夢博士という専門職にそれを占わせたところ、東南の郊外を流れる涇水という川の神が祟っているのだ、という結果が出た。このため身を涇水のほとりの離宮、望夷宮に移し、毎日、川に入ってみそぎをしていた。これによってみそぎが古代日本や南方だけの古俗ではないことがわかる。胡亥もやっているように、古代中国ではごくふつうにおこなわれていた土俗的な行の一つであった。

趙高は、閹楽という男を養子にしていた。秘事のいっさいはこの男とかたらった。趙高の欲望も策略も子供っぽくはあったが、それなりに精密だった。まず「宮廷に賊が入った」として閻楽に吏卒千余人をひきいさせ、賊をとらえるべく望夷宮に突入させた。

趙高は腹心の閻楽が変心せぬようあらかじめその実母を人質にとっておいた。このため閻楽にすれば趙高の意のままにならざるをえなかった。ともかくも閻楽は必死に宮門に入り、それを阻んだ者をすべて射殺した。ついに胡亥の座所に至り、まず二すじの矢を射込んだ。胡亥は激怒し、左右を呼ばわったが、たれ一人出て来なかった。かれらはこの異変が趙高のクーデタであることを察し、胡亥を守るよりも、趙高からうける後難のほうを怖れた。

閻楽が剣をひっさげて座所に乗りこんできたとき胡亥は趙高の反乱であることをようやく知った。ただひとり逃げずに残っている侍者の宦官をかえりみて、このような事態になるまでなぜ教えなかった、と力なく責めた。

その宦官が、お教えしなかったからこそ私の生命がいままで無事だったのでございます、もし申しあげていれば、趙高どのを信ずることのあつい陛下は私をお殺しになったでしょう、といったと『史記』にあるが、事実の有無はともかく、胡亥という皇帝と秦帝国末期の大状況およびこの場の状況の本質をこれほど劇的にえぐりだしたやりとりはなく、事実とすれば、物事が極限に達すればこのような小さなやりとりまでが自然に芸術化されるのかというほかない。

このあと、胡亥が閻楽の前にひき出され、命乞いをしたという情景を『史記』は描写的にえがいている。胡亥は丞相（趙高）に会いたい、と閻楽に懇願した。閻楽は拒絶した。胡亥は泣くように、せめて一郡だけでも貰い、王になりたいのだが、とたのんだが、閻楽は一蹴してしまう。胡亥はさらに哀訴し、「王が望めないなら万戸侯になりたい」ともいい、閻楽がかぶりをふると、ついには妻子とともに黔首（人民）になりたい、とまでたのんだが、閻楽は「丞相が私に命じたのはあなたの死だけだ」といってこれを蹴り、自殺させてしまった。

趙高はそのあと、胡亥の兄の子である子嬰を立て、皇帝とせず、秦王とした。もっとも子嬰は趙高をきらい、王になることを受けず、自邸からも出なかった。さらには即位のために必要な宗廟での儀式に出ることもこばんだ。

趙高は多忙だった。ほぼ同時に劉邦と密約をむすぶべく使者を送った。

劉邦軍は武関をやぶったものの、そのあと無人の野を行ったわけではなかった。いたるところで秦兵の頑強な抵抗に遇った。

秦は、宮廷や大官、あるいは将軍ほど腐敗し、動揺していたが、民衆がもっている秦人としての民族意識はつよかった。その戦意は、劉邦の関中進入でかえって熾んになった。関中こそ秦人の母国だったからであろう。

張良もこれにおどろき、

「秦人も人だと思わざるをえません」

と、ある夜、劉邦に告白した。秦への復讐だけで生きてきた自分としては、本来、嫌悪と憎悪なしに秦人を見ることができなかったが、しかしいまとなってはかれらもまた人であるという平凡な感想をもたざるをえない、というのである。さらに張良は、秦人がその大地を愛することとこれほども甚だしいという事実の上に立って物事を考えねばすべてが崩れるでしょう、ともいった。

張良の作戦は、狡猾になった。

たとえば、武関は突破できたが、それ以上に難所は嶢関という天嶮で、秦はここに幾重にも城壁を築き、鞍部に城門をうがち、重い扉をとざして侵入者をはばんでいる。張良は、この嶢関の守将の出身から性行まで調べあげていた。豪勇だが、出身は士でも農でもない。

「商人野郎（賈豎）の子です」

と、劉邦にいった。春秋から戦国にかけ、さらにこの時代から後代をもふくめて、国家が農本主義である以上、商人は無用有害のものとされ、また商人間に商道徳も発達しておらず、詐欺漢同様に見られているむきがあった。張良もまた侮蔑をこめて「賈豎」と言うのである。さらに、だから利にころびやすい、ぜひ大金をあたえてその戦意を買いとりましょう、とすすめた。

劉邦は悪戦することにこりごりしていたからその言葉にしたがい、口説きおとしの使者として、外交の名人ともいうべき酈食其をやった。守将は大いによろこび、その賄賂を受けただけでなく、

——ともに力をあわせ、咸陽を攻めようではないか。

とまで言い、城門をひらいた。劉邦は人が好く、この秦将を幕下に入れようとしたが、張良がおさえた。

「騙したんです」

相手がいやしい賈豎の子だから騙しても当方の信に傷がつきません、すでにあの男は大金をくらって城門をひらきましたがその士卒はべつでしょう、かれらの多くは関中を守ろうとし、その将に従うはずがありませんから、買いとった城門から突入して秦軍を討つべきです、といった。

(おやおや)

劉邦はおどろかざるをえなかった。

（この男にこんなところがあったのか）

と、品のいい美青年と思っていただけに、あらためて張良の顔を眺めてしまった。さらには、劉邦は張良の策に固定した理論がないことにも目のさめるようなおどろきをおぼえた。かつて南陽大守の降をゆるし、それだけでなく侯に封じ、その兵を劉邦軍に加えたやり方をこの嶢関にも施すのかと劉邦は思っていたのである。そうではなかった。

騙して秦軍の不意を衝くと、かれらは将も士も狼狽し、嶢関を捨てて咸陽の方角にむかって潰走した。劉邦軍は軽騎を繰り出し、それらを先登に追撃し、藍田で捕捉すると、徹底的にこれを破った。

「追撃には、容赦なさいますな」

張良は、劉邦にはげしくいった。

張良にすれば、秦兵のあら肝をこういう戦闘の場で折いておかねばかれらのあなどりを買い、他日かえって抵抗力を強くする、ということであった。

その反面、劉邦に命令を出させ、士卒が秦の人民の財物をかすめたり、生命をそこなったりすることを厳禁した。

——犯す者は斬る。

という軍令は言葉どおりに実行された。罪をおかした兵は軍勢の中央にひき出され、容赦なく斬刑された。この風評はたちまち秦の父老や農民たちのあいだに走り、劉邦軍への恐怖を大いに薄らがせた。

——楚ハ必ズシモ悪ムベキデナイ。

と、父老のなかには、その里や邑の者に言いきかせたりする者も出てきた。士卒はそういう里や邑から出ているために、劉邦軍に対する秦兵の敵愾心が次第に鈍ってきた。そこまで張良は読んでいた。

が、張良はかえって攻撃を激しくした。容赦なく秦軍を撃ち、これをつぎつぎに破った。当初、関中に入った劉邦軍は、兵数がすくなかった。実数は二万ほどでしかなく、張良はさかんに偽の旌旗をたなびかせては擬兵を張り大軍に見せかけた。兵が少数であるため活動を停止すると正体が露われてしまう。張良としては、絶えず進撃し突撃し、敵を破摧することを繰りかえしていなければならなかった。秦兵が郷党の父老のさとしのためにめだって鋭鋒をにぶらせてきても張良はなおもこれを撃ち、追い、殺した。

（張良、ええ加減にやめんか）

と、劉邦はその執拗さが不愉快になったが、張良はかまわずに劉邦の手もとから大小の部隊をむしりとっては、つぎつぎに秦軍にむかわせ、突撃させた。戦場で叩きにたたいて秦人に敗北感を徹底させる以外にかれらの抵抗心をうばう方法がないと張良は見ていた。この関中の戦場における張良ほど、非戦闘員に対しては慰撫を、軍人に対しては打撃をという両面を徹底的に使いわけた軍略家はいなかった。この方法が、後世の範になった。後世、この大陸で革命を成功させようとする多くの者が、この方法をとった。

この間、影のように戦場を彷徨っている者がいた。趙高の密使であった。しばしば捕えられつつ、ついに劉邦の軍営に入った。

――共に両立して関中の王になろう。

と、密使は劉邦に申し入れた。劉邦はふしぎな動物の啼き声でも聴くように密使の顔をながめ、しかしその申し出には答えず、

――おまえ、腹は減っていないか。

と反問し、軍吏にその男をさげわたしてめしを食わせた。劉邦は、もはや政略の段階がすぎ、趙高の出る幕などおわったのだということを知っていた。密使は季節外れの蠅の羽音のように「お返事をききたい」と言い騒いだが、軍吏は「劉将軍はお忙し

すぎるのだ」といってなだめた。やがて趙高が殺されたという報が伝わった。密使は、追い放たれた。

関中の空を、季節外れの黄沙が舞っている。ときに地を奔って野に微塵のような砂を撒き、これに巻きこまれると人も馬も黄色い灰をまぶしたようになった。劉邦の陣営では、黄沙の中の景色のように、事態がよくわからなかった。趙高が、本当に殺されたのか。殺されたとなれば、たれが殺したか。殺した者が重要であった。その下手人が咸陽のぬしになっているはずだが、それは誰なのか。

張良は、懸命に偵知しようとした。

数日して漠北に雨でも降ったのか、黄沙が急に歇んだ。

咸陽からもどった諜者が、

――三世の子嬰が趙高を殺したのです。

と、以下のことを伝えた。趙高は秦の宗廟で子嬰の即位式の用意をしていたが、かんじんの子嬰は自邸を出ず、ただ斎戒をくりかえすのみだった。たまりかねた趙高が肥った腹を袍につつんでみずから子嬰の斎宮にやってきた。子嬰はあらかじめ刺客を伏せておいた。刺客はおどりかかって趙高の厚い背に抱きつき、短剣を突き刺した。が、趙高は虎のような生命力をもっていた。刺されつつも反りかえって咆哮し、刺客をはね飛ばした。子嬰はやむなく自分で長剣をひるがえし、趙高の腹を刺しとおし、さらに他の刺客が趙高に折り重なり、そののどを掻き切って、ようやくこのばけもののような男を死体にすることができた。

子嬰が、秦王になった。

「皇帝」

を称さなかったのは、天下をすでにうしない、旧六国がそれぞれ王を立てている以上、皇帝であることの実がない、としたためであった。この降等は趙高の案であったともいえる。趙高はこの世にうまれてみずからを去勢して宦官になったかわりに皇帝を一人つくり、王を一人つくった。つまるところ権力という白刃を素手でつかんで弄びつづけた。そのたぐいの者が、この大陸でこののち長くつづいてゆく歴史のなかで終りを全うした例はほとんどなく、趙高はその系列の歴史の最初をひらいた男といっていい。

劉邦は関中で戦うこと、一カ月以上におよんだ。つねに勝ってはいたが、しかし、

（いつ咸陽に入れるのか）

と、ときに心細くなった。関中の藍田で潰走する秦兵を追ってこれを打ったときな

ど、その西北方の山のむこうに秦の王都咸陽があるときいた。さらにきくと騎行二日という距離でしかないという。それでも近づけず、敵を追ってふたたび遠くへ去り、最後には咸陽の北方で戦ったりした。

かれがその主力軍をひきいてようやく霸上に達したときは秋も闌けて十月になっていた。

咸陽は、関中の代表的な河川である渭水のほとりにある。その咸陽の東方に、霸（灞）水という渭水の支流が流れている。この霸水はその源を劉邦がかつて戦った藍田谷に発し、北流して咸陽盆地に入り、やがて渭水に流れこむ。劉邦はその霸水の上に達したのだが、当時、霸上はすでにそのまま地名になっていた。まわりはひくい丘陵が波のようにうねり、霸上以外は不毛の地で、あたり一帯を土地の者は白鹿原とよんでいた。

この霸上で、劉邦は秦王子嬰の降使に接した。

「ほんとうけえ。——」

劉邦は、つい若いころの馬鹿声をあげてしまったほどに、あっけない事態であった。天地を覆っていた秦帝国も、最後になるとこの程度の戦いで崩れるのであろうか。このことをいかほど自問しても事態が実感として迫って来なかった。

――子嬰を殺せ。

という意見が、諸将のあいだで噴きあがるように出た。戦場の殺気がのこっているということもあったが、秦はそれほどまでに憎まれていた。

そのための軍議が、路傍の民家でひらかれた。

劉邦には、秦王への憎悪も感傷もない。あるのは利害についての大まかな計算だけだったが、諸将の気が立っているときにそれを早々に口にするわけにもゆかず、大きな顔を上げたまま薄ぼんやりすわっていた。

(張良のやつ)

劉邦には、おかしかった。

(ほおずきのように顔を赤くしている)

子供っぽい、その程度の感想が劉邦の心中を去来しているだけである。

劉邦が可笑(おか)しがったように、張良は赤い顔を俯(ふ)せて無言のままでいた。後頭部が火にあぶられるように熱く、座に堪えられないほどだった。

(殺すべきだ)

と、思っている。劉邦の配下は多士済々(せいせい)だが、何人かをのぞくほかはあぶらぎった栄達欲のかたまりを戦袍(せんぽう)につつんでいるような男ばかりだった。張良は貴族の出ということもあって、そういう欲望をうまれる以前に置き忘れたようなところがある。その情熱は、復讐という奇妙な執念に偏ってしまった。ただその一事を遂げるために年少のころを送り、一度は博浪沙において始皇帝を車ごと砕こうとして失敗し、その後は逃亡と潜伏に歳月を送った。始皇帝こそ殺しぞこねたが、いまその孫の秦王の軍隊をことごとく潰し、その人物が降を乞うところまで漕ぎつけた。一議もなく殺すべきであった。

(殺さねば、いままでの辛苦はなんのためのものであったか)

張良はそう思った。

かれはただ秦への復讐のために劉邦を輔けてきたわけで、栄達のためでも劉邦のためでもなかった。

が、開封城から南下して以来、劉邦の謀将のような仕事をやりはじめると、仕事が張良をすこしずつ変えはじめたような気が、張良自身しないでもない。いわば劉邦を材料にして戦いを構想し、実施し、その結果を見るという仕事は質として純粋に才能というものに属していた。才能は表現をもとめてやまないものであり、張良はそのおもしろさを知ってしまった。となれば、張良はここで身をひいて劉邦をほうり出してしまうわけにゆかず、その仕上げまで見とどけたくなっている。

劉邦をたねにさらに物を表現するとなれば、いまが終りではなかった。項羽がいる。劉邦とはおなじ楚（そ）の将領とはいえ、このまま両雄がならび立つわけがない。いずれは確執（かくしつ）がおこり、どちらかが斃（たお）れるまでそのことが果てるはずがなく、いわばこの関中を制したことは項羽との戦いの出発点になるはずであった。

となれば、秦王子嬰は殺すべきではない。

（子嬰を生かし、秦の父老（ふろう）に安堵（あんど）させ、かれらの信望を得る必要がある）

このさき、劉邦が関中を保てるかどうかはわからないが、原則でいえば保つべきであった。関中という土地そのものが巨大な城廓（じょうかく）で、食糧も豊富であり、ここを拠点とするかぎり天下を得ることも困難ではない。ともかくもこの土地における人気を劉邦は得ておくべきであった。そのためには、子嬰は殺せない。

が、張良はそう発言できるほどに感情が整理されておらず、いたずらに顔を俯（ふ）せて無言でいるのみであった。

「小便をしにゆくぞ」

劉邦は大声で左右に言い、座を立った。立ったのは、退屈気味だったということもある。戸外に出ると、多数の護衛がなにごとかと思って身辺をかこんだが、劉邦は棗（なつめ）の木の方へゆき、おびただしい尿を地にながした。

座にもどると、すでに喋っている者がいた。酈食其で、この能弁家は不殺論だった。

「よかろう」

と、劉邦はその説を採用した。

酈食其のいう不殺の理由というのは、懐王がこの劉邦を関中に派遣されたのは人に対して寛容であるということを買われたからだ、ということであった。かつまた敵王がすでに降伏しているのになおこれを殺そうというのはめでたい行為ではない、ともいった。ひどく大ざっぱな言い方だが、物の道理をつかんでいた。

が、刑殺論者は不満そうだった。敵王というものは厄介なもので、これを生かしておいては将来秦を再興しようとする者たちの核になってしまう。殺して禍根を断たねばあつかいにこまることになるだろう、というのがその趣旨だったが、劉邦はそういうこともわかっている。秦王子嬰はいずれは殺される運命にある、しかしこの劉邦が手をくだして殺すことはない、懐王か項羽にまかせればよいではないか、と思っていた。が、口には出さなかった。

「子房（張良）さん、あなたはどうだ」

と、劉邦は念のためにきいた。

張良は一揖し、お言葉のとおりであると存じます、といったから劉邦は大いによろ

こび、

「子嬰を生かしておく」

と、軍議を閉じた。

翌日、秦王子嬰は霸上にちかい軹道という小さな宿場まできた。降者として白馬に曳かせた白木の車に乗り、宿場につくと車から降りて、劉邦を拝した。くびから胸へ組がかかっており、その先端に白木の箱がぶらさがっていた。箱の中には二世皇帝から相続した璽、符、節が入っている。璽は皇帝の印であり、符は皇帝が使者を出すときに用いる銅製の割符で、節も、その用途は符に似ていた。皇帝が用いる印形化された手形である。この三つが、皇帝が秦帝国の官僚をうごかす絶対権の行使のための道具で、これを敵将にわたすことは自分は皇帝から降りたということの具体的なあかしになる。劉邦はこの三つをうけとったが、私有できるわけのものではなく、はるか彭城（江蘇省徐州）の地にある懐王に送りとどけることにした。

子嬰の身柄は、軍中に置くと士卒がなにをするかわからないため、劉邦は刑吏にあずけた。

劉邦は、そのまま西のかた咸陽にむかった。

（なぜ咸陽城に入るのか。よせばいいのに）

と、張良はおもったが、元来流盗のあがりの劉邦は天下の財宝と天下の美女をあつめる咸陽という都に入らねばなんのために秦をほろぼしたかわからないと思っている。咸陽は秦がまだ王国だったころからの累代の都で、九嵕山の南にあたり、渭水の北岸になる。陽とは、山の南、川の北をいうが、この位置が二つながら（咸）陽であるために咸陽と名づけられた。

王国のころの秦は、風儀として質実であったために咸陽もさほど大きな王都ではなかった。

始皇帝が天下を得るとともに、帝国の首都たらしめるべく旧観を一変させた。始皇帝は中国史上、最初の記念碑趣味を政治の中心にすえた男で、まだ王であったころ、中原の王侯を攻めつぶすごとにその宮殿とそっくりなものを咸陽に建てならべ、南の方渭水の流れに映じさせた。また咸陽の富をいよいよ重くするために天下の富豪十二万戸を強制的にここに移住させ、第館の華美をきそわせた。有名な阿房宮は咸陽とむかいあう渭水の南岸につくったが、この工事はなお未完のまま胡亥の世になり、さらに子嬰におよんだ。劉邦としてはそれらを征服者として見たかったし、できれば住みたかった。

劉邦はついに秦宮に入った。

このときのこの男の昂奮は尋常でなく、調度や財宝にはさほどの関心を示さず、千人といわれる宮女を見て両眼を血走らせてしまった。

「始皇の閨はどこか」

と、廊下を走りだしたときは、両手に宮女二人をひきずっていた。護衛隊長ともいうべき樊噲があとを追った。張良もその樊噲のあとを追い、

「お止めしろ」

と、叫んだ。劉邦の道楽は、色しかなかった。

諸将もまた根は群盗の親分だけに、あらそって府庫に入り、財宝をつかみどりし、ついには争いになったので、互いにとりきめを結び、分配することにした。

このさわぎのなかで、蕭何だけは別の場所にいた。

蕭何は、かつて沛県や泗水郡の現地採用の吏であったときに法令に通じ、行政にあかるかった。乱戦のなかでは兵站と軍政をうけもち、あくまでも文官として終始したが、咸陽に入るとまっすぐに法令や記録類または図書の庫にゆき、そのいっさいをおさえ、運び出させた。

この書類が、のちに劉邦が項羽とのあいだに争覇の戦いをつづけたとき、天下の険

要の地、人口密度のぐあい、どの土地の人民がどの点で疾苦しているかなどということを知る上で大きな力になるが、さらには漢帝国が樹立されるときの行政制度および民治の基礎にもなった。しかしこの場合、

――いずれは劉邦が天下をとる。

と、蕭何はそこまで思っていたかどうか。蕭何という男は軍略における張良に似てその仕事そのものが道楽であり、文書と民治がなによりも好きであった。かれの好みでは咸陽という宝都での宝物というのは行政関係の書類のことであり、その庫を一目見たかったし、見れば倦かず、ついにことごとく接収した。一帝国がほろぶときに公用文書がのこる。その文書そのものが帝国であるということを知った最初の人物は蕭何であるといっていい。

劉邦の護衛隊長である樊噲はなみ外れて膂力があった。

――こんな宮殿にいれば士卒の掠奪が激しくなってわが軍は関中で信をうしない、このために沛公は亡びるぞ。

と、張良にいわれ、躍起になって劉邦に追いすがり、霸上にもどりましょう、戻らねば畏れながら力を用いますぞ、といった。劉邦は性欲について臆面もなかった。ひと前でも女を抱くことができた。すでに宮女の一人を組み敷いていたが、樊噲に背後

からひっぱられ、張良にかがみこまれては、どうにも事を遂げにくかった。張良は、

「樊噲のいうとおりです」

と言い、その理由を説きつづけた。

ついに劉邦は女を放し、霸上にもどった。その後、劉邦は一兵といえども咸陽に入れず、もっぱら霸上を根拠地にした。

鴻門の会

『漢書』食貨志のくだりをながめていると、劉邦が関中に入った翌年のこの地の飢饉のひどさは、想像を絶するほどである。

古来、沃野千里の地といわれていながら、食用穀物がわずか五千石しか穫れず、人が人を食い、餓死する者が人口の半分におよんだ、とある。

中国はすでに秦漢以前から比類ない大文明を築いた。しかし食人の風があった。とくに飢饉や戦乱にあっては子を易えあって食い、あるいは市に商品として人肉が出た。

劉邦が関中に入ったのはその記録的な大飢饉の八カ月前で、しかしながら予兆があった。すでに関中は餓え、家々の糧食の貯えはとぼしかった。

その上、劉邦軍が入りこんでいる。劉邦は全軍を霸上に集結させて咸陽の市街に入れず、いっさいの掠奪を禁じてはいるものの、軍隊はその成立の本質からいって流賊である以上、士卒のはしばしの行為までは取り締まれなかった。さらには軍としての正規の糧食調達があり、それらはすべて関中の農民たちのとぼしい貯えを巻きあげることでまかなわれた。

劉邦はすでに、

「関中王」

としての気分でいる。戦禍と飢饉であえぐ関中にやってきて、にわかに王としてその田園の上にのっかっているのだが、これ以上収奪すれば、農民たちは関外へ逃亡せざるをえず、逃亡されてしまえば王権などあって無いにひとしい。劉邦は元来、思慮がとりとめもないところがあったが、この一点においては、生いたちが農民だっただけにたれよりもよく知っていた。

秦は、法で治めた。その法は煩瑣できびしく、秦政権そのものが罪人の製造機械のようなところがあった。この大陸の住民たちは、自然の循環のままに身をゆだねていることが好きで、元来法という人工の大網のなかで拘束されることを好まなかった。法治というのは、食糧の豊かさと平和を前提とする。兵乱と飢饉というせっぱ詰まったこの状況の中では生存のためについ法を犯さざるをえず、そういうことでいちいち警吏にえりがみを摑まれては生きてゆくことができなかった。劉邦には、この機微がからだでわかった。

かれは関中をおさえた翌月、すべての地方の父老たちをよびあつめ、

「秦の法は、ことごとく撤廃する」

と、宣言した。さらに、

「法は、三章とする。すなわち人を殺す者は死刑、人を傷つける者、あるいは人の物を盗む者は、それぞれ適当な刑に処する。それだけじゃ」

といった。掠奪の禁止と右の秦法の撤廃と法の簡素化ほど劉邦の関中における人気を高めたものはなかった。

この大陸の社会は、巨大な専制権力を成立させるためのすべての条件をもっている。つまりは政治論がなによりも重要な土地であり、おなじ意味で善王を待望する土地でもあった。農民にとって王権の害は、ふつう流賊の害よりははなはだしい。より害のすくない王権を宣言する者が善王であった。その意味では劉邦は注文どおりの王ではなかったか。

劉邦は、そういう呼吸はすべて心得ていた。

「わしは秦の害を取りのぞくためにきたのだ」

ともいった。しかしながら劉邦は後年、帝国を形成してゆくときに「法三章」の約束は捨てた。この大陸で小地域ごとに封建国家があった時代――春秋戦国時代――は法よりも慣習で治めることができたが、天がおおうかぎりの大地を一つに統一して帝国をつくるという途方もない作業をやる場合、その奇跡を最初に演じた秦帝国のやりかたにしたがわねばならぬことが多かったのである。

劉邦はそれよりも以前に、秦の吏員をすべてゆるし、その行政組織をつかって難なく民治の継続に成功した。この点でも、郷村の父老や吏員たちを安堵させた。

ひどく即物的な人気とりもした。

たとえば、劉邦の新政によろこんだ父老たちが、つぎつぎに牛や豚を運んできて献上しようとしたが、劉邦はことわった。ことわるについて、いちいちじかに会い、

「秦の父老よ」

と、ゆっくり言った。

「わが倉庫に積んだ軍糧は多くはないが、しかし士卒は餓えるに至っていない。郷村のほうが餓えているはずだ」

この言葉は電流のように関中のすみずみまでつたわり、郷村をよろこばせた。かれらは、想像以上に軽い王権が劉邦によって成立するかもしれない、と期待した。劉邦

も、その期待に沿った。

父老たちの劉邦への期待は大きくなり、

——もし沛公（劉邦）が秦王（関中王）になってくれなければどうしよう。

というところまで、人気が高まった。

この時期になると、関中の吏員も父老も、楚軍の内情がよく見えるようになっていた。楚の懐王が、関中にいち早く入った者を関中王とする、という約束をしたことも知っていたし、劉邦の競争相手である項羽が楚軍の事実上の主権者であり、項羽は北方の野で章邯と戦ったために関中入りが遅れていることもわかっていた。さらには項羽がゆくゆく関中に入ったあと、諸将が合議して（というより項羽自身が決めて）はじめて劉邦の関中王であることが決定するということもその知識のなかにあった。以上の理由で劉邦の地位がきわめて不安定なものであることも、地元の連中はよく知っていた。

劉邦は、毎日のように、

——あなたさまが関中の王になってくだされば。

という言葉をきかされた。

劉邦は元来がひとのおだてに乗る男であった。そういう性格の男にとってこれほど耳に快い言葉はなく、ふと夢ではないかと左右を見まわすほどだった。ほんの三年前まで生れ故郷の農民からきらわれ、実家の長兄から無視され、嫂から露骨に厄介者あつかいされていた人間が――さらには秦帝国のお尋ね者として沼沢にかくれて流盗を働いていた男が――いまは秦の故地のひとびとから王になってくれと哀訴するようにして頼まれているのである。これが現とおもえるか、と劉邦はときに卓をたたいて自分を怒鳴りあげたいような昂奮をおぼえた。

かれの営中に、物を運んだり、床を掃除したりして庶務をする小男がいた。青ぶくれした小さな顔で、いつも表情がなく、この男をどこで拾ったのか、劉邦はおぼえていない。それどころか、名さえ記憶していなかった。

――あれは、どこの男だったか。

と、後日、劉邦は左右にきくと、きかれた者があきれて、沛の町からずっとついてきた男じゃありませんか、と答えた。沛の町の男だから安心だということで営中の掃除をやらせるようになったのだが、これほど印象の薄い男もめずらしかった。

あるとき、その男が営中の土間にまぎれこんできた豚を追いだしたあと、劉邦にむかって、

「将軍」

と言ったときばかりは、蚤が口をきいたほどに劉邦は驚いた。この男も、栄達したかったのである。なにか献策してそれが妙案なら劉邦がよろこび、人間ぐるみ取り立ててしまうのを掃除しながら見ていたのであろう。

「なんだよ」

「将軍はやはり関中王におなり遊ばすべきだと思います。それを望む声が地に満ちております」

(蚤が、なにを言やがる)

と思ったが、劉邦は自分に献策する者に対してはそれが誰であろうと師として礼遇する習慣をもっていたため、居ずまいだけはただし、

「言いたいことをいってくれ」

と、いった。

「函谷関に兵をやって扉を鎖してしまえば中原の軍勢はここに入ることができませぬ。それでもって関中王におなりになればよいではありませんか」

といったとき、冷静な場合の劉邦なら、この子供っぽい案を大笑いしたにちがいない。しかし体が浮きあがるほどにいい気分でいたときだっただけに、

（ああ、そのとおりかもしれぬ）

と、乗ってしまった。たとえば他家の留守中に入りこみ、門さえ閉ざしてしまえばおれの家だと言うようなもので、愚案ということすらおろかなほどの案であったが、この場の劉邦は浮かれてしまっていた。この男をまねきよせ、

「鯫生」

と、うれしそうに呼んだ。名ではなく、鯫は小魚、つまりはちび公よ、というとっさのあだなである。その案を貰おう、ただしひとには洩らすなよ、といった。洩らすとたいていの者が反対するだろうし、それ以上にはずかしくもある。その程度の理性はむろん劉邦にはあったが、もうこの時期は酔ったような気分になっていたこともたしかであった。

劉邦はすぐさま一将をよび、函谷関を閉じさせるべく急派した。

項羽軍の進撃路は、ほぼ現在の隴海鉄道ぞいといっていい。経路ぞいには黄河が流れ、都城がつらなっており、関中に対する大手門攻撃の進路というべきであった。項羽はいたるところで秦の都城を攻めつぶし、揉むようないきおいで西進した。ついに函谷関に達したのは酷寒の十二月である。懐王の命をうけて劉邦とともに彭城（のち

の徐州）を出発したころからかぞえると一年と三カ月、秦の章邯将軍を降してから三カ月後に、ようやく秦の根拠地の関門にたどりついたのである。

函谷関は、のちべつな場所に移された。

この時代のそれはのちに古関とよばれる位置にあり、まわりは樹木すくなく、岩とも乾泥ともつかぬ黄土層の断崖や隆起でかこまれ、一道がかろうじて通じていた。関所は頑丈に要塞化され、ぜんたいがあたかも函の中にある観がした。

項羽は、異変をこの関所を仰いでから知ったのではない。

その前日、あすこそ函谷関に達するという午後、先鋒軍から伝令があわただしく駈けてきて、劉邦はすでに関中にあり、その兵がかたく函谷関をとざし、城頭に無数の赤い旌旗をたなびかせて外来軍を拒絶している、という旨のことを報じた。

項羽の到着は、劉邦に遅れること二カ月であった。

この期になって関中の異変を知るなど、項羽軍が情報に対していかに鈍感だったかということになるが、逆に、関中という天嶮でもって鎖された地理的特殊性がそれほどにきわだったものであり、関中の情勢が中原にいかに洩れにくいかということが、この一事でも理解できる。

項羽は激怒したが、しかし半ば報告を信じなかった。

（まさか）

という気持があった。項羽が本営を前進させたのは、他人（ひと）のことばよりも自分の目でものを見ることによってはじめて物事を認識するというたちだったからである。この性格はしばしば項羽に利し、ときに致命的なことで項羽に不利をまねいた。函谷関に近づくと道が狭くなり、

「殆不見日（ほとんどひをみず）」

という地形になってゆく。そのわずかな天が夕陽で赤くなったころ、天よりも赤い旌旗のむれが関の城頭にひるがえっているのを項羽はたしかに見た。赤は劉邦軍の色であった。

「あの百姓めが」

項羽は、うめいた。

「破って通るのみですな」

かたわらで、謀将の范増（はんぞう）が、老い錆（さ）びた声でいった。

項羽はこの事態を予想もしていなかった。

かれは農夫あがりの劉邦をばかにしきっていたし、その戦（いく）さ下手と臆病（おくびょう）さについては目の前の冬枯れの小枝の数以上の実例を知っており、あの劉邦が天嶮と秦軍を破っ

て関中に入るなどは夢にも思っていなかったといっていい。

——あんなやつが関中王になるとは。

そんな事態が許されることではなかった。楚（そ）軍は本来、おじの項梁（こうりょう）と自分がつくったものであり、劉邦など、雑然とした小部隊をひきいて途中から陣借りしてきた男ではないか。

憎悪（ぞうお）は劉邦にむけられたが、しかしそれ以上に後方の彭城にいる懐王に対し、殺してその肉を啖（くら）いたいほどのものを感じた。懐王が自分に直線経路をゆるさず、はるか北方の秦軍と戦わせたために遅延した。そういう繰りごとが、この結果を眼前に見て爆（はじ）けるような怒りにかわった。

「当然だ」

と、項羽は范増の攻撃論に賛成し、翌朝、このせまい場所に大小の飛び道具と人数を集中し、火を噴くほどに攻めたてて関門をぶちやぶってしまった。

函谷関は、入ってからのほうがさらに道幅がせまく、わずかに一車を通す程度である。そのひとすじの径（みち）を両側から山壁が人馬を押しつぶすようにして斫（き）り立ち、文字どおり函の中をゆくようであった。

項羽軍は、実数十万という大軍である。函谷関から潼関（とうかん）という関中の咽喉部（いんこうぶ）までふつうなら徒歩一日半の険路だが、人馬がおびただしすぎるために二日半要した。

潼関を出ると、ながい隧道(ずいどう)から出てきたようにはじめて視界がひらけ、西北遠く沃(よく)野(や)がつらなるのを見る。見たとき、士卒たちは見た順次に歓声をあげた。目の前に天(てん)府(ぷ)の地といわれる関中の野がひろがっている。

「劉邦は、覇上(はじょう)に布陣している」

という情報を、范増は得た。

さらにつぎつぎに入ってくる情報は、濃密な劉邦像をつくりあげるのに十分だった。

——劉邦を攻め殺す。

と、范増はその一点に方針をしぼって余念がなかった。項羽は劉邦など秋の戸外に飛ぶ蚊(か)のような男だとおもっているが、范増にとっては逆だった。劉邦はひとの意見をよく聴き、たくみに採択している。あの男の前身が沛(はい)の町の食いつめ者に過ぎなくても、そのふしぎな器量でもって、ときにその能力は項羽に百倍することがあるかもしれない、と范増はおもっていた。

「劉邦はおそろしい男です」

范増は、騎行する項羽に馬を寄せて、言った。

「沛の町にいたとき、あの男はひとがへきえきするほどに女好きで、欲深男だったときいています。しかしいま、関中に在りながら咸陽の金殿玉楼を封印し、秦の宮殿に住む美女たちにも目をくれず、ことさら人気のすくない灞水のほとりの台上に本営を持ち、くそまじめにとり澄ましているというのは、天下を望む大望があるからです」

「おろかなやつだ」

蚊が鳥になろうとしてもできる話ではない、と項羽は鼻を鳴らした。

「一気に攻め、一気に劉邦を殺すべきです」

范増がいった。

(この老人は、くどすぎる)

項羽は、わずらわしくなっている。劉邦ごときを攻め殺す話を、なにも息を荒げて言う必要はあるまい。

「口実は?」

項羽はいった。名分が要る。劉邦はいまのところ友軍の将であって、敵ではないのである。

「口実?」

范増は、しぼりあげた濡れ手拭のような笑いじわをつくってから、口実など作ればよろしい、要は劉邦を殺すことだ、といった。

「第一に、函谷関を兵でかためて、楚の上将であるあなたの入関をこばんだ。これだけでも劉邦は烹殺される理由が十分でしょう」

といった。

さらにその上、別な口実がむこうから飛びこんできた。

この夕、劉邦の陣営から密使を范増のもとによこした者があり、その百姓姿の者をとらえてみると曹無傷という劉邦軍の左司馬であることがわかった。

「項将軍にお味方したい」

と、密使は曹無傷の口上を低い声でのべた。曹は、項羽軍が自軍の五倍もあることを知り、劉邦の運命を見かぎったのである。曹とおなじ心境の者が、当然劉邦軍には多いであろう。曹の密書のなかに、

――劉邦は項将軍をさしおいてすでに関中王の位に即き、咸陽の珍宝をひとり占めにしております。

という意味のことが書かれていた。讒訴の目的は項羽の勝利後、侯にありつきたいということだった。范増はこの密使を陣営にとどめ、項羽に報告し、劉邦はこの罪一つで車裂きにされてもよろしゅうございましょう、といった。

項羽は、劉邦と会おうとはせず、使者も送らず、無言のままその大軍を展開した。

新豊台とよばれている台上の一角に鴻門という高地があるのに目をつけ、ここに本営を据え、十万の大軍を覇上の劉邦軍に対し翼をひろげたように布陣した。布陣が完了したのは、日没前である。劉邦軍との距離はわずか二十キロにすぎなかった。

「明朝、士卒に大飯を食わせろ」

と項羽の言葉どおりの命令が、布陣した夕刻、諸隊に発せられた。大飯を食わせろ、というのはその直後に攻撃前進がはじまるというのが慣例で、諸隊は大いに緊張した。だけでなく、劉邦軍をぶちやぶって咸陽に突入し、つかみどりに財宝を得るという昂奮もあり、兵気は沸きたつようにさかんだった。元来、項羽は掠奪を禁じなかった。これを禁じれば士気が大いに沈滞するということを知っていたのである。

夜に入ると、項羽軍の軍容はいよいよ華やかになった。数万の篝火が地のつづくかぎりかがやき、空の雲気をあかあかと焦がした。

劉邦は、肝をちぢめてしまった。項羽軍が函谷関を破って関中に入って以来、劉邦は一瞬も気がやすまったことがない。本来なら劉邦自身が函谷関まで出むかえにゆくべきところであったが、不覚にも逆に門をとざし、弓矢をまじえてしまった。

(なんという熾んな篝火だ)

いままで運がよすぎた。どうやら年貢のおさめどきがきた、と歯の根の合わぬ思いでその光景を見た。遁げ出そうかと思った。身一つで遁げるというのは劉邦の得意芸であったが、それ以外にこの窮地を脱けだす方法はない。

劉邦は張良を思いだした。

関中が治まってから、あの戦争屋の張良は不要になった。このあたりが劉邦の癖であった。必要とあれば本心から相手に熱を入れ、その足を舐めろといわれれば懸命に舐めてしまうような態度を示すのだが、必要でなくなるとあっさり忘れてしまうのである。冷淡とか功利的とかご都合主義とかいうことではなかった。劉邦の性格におけるこの機微は説明しがたく、あるいは陽気さを帯びつつ欠けたもの、もしくは一種の無邪気さというべきものだった。この無邪気さがあるためにたれもが劉邦のその面をゆるした。

しかし張良自身は、劉邦のそういう面を好まない。その冷淡さから自分の神経が無形の被害をうけそうになると、敏感に察し、

(この男にとって自分は必要でなくなったのだ)

と、みずからに言いきかせ、影のようにしずかに身を退き、劉邦の帷幕に近づかなくなった。

しかしいまは再び劉邦が張良を欲している。

日没後、劉邦は火がついたようにして張良をさがさせた。すぐには見つからなかった。

張良は、形式上、韓王の兵をあずかるというかたちで、自分に直属する百人ほどの部下をもっていた。その部下たちはみな亡韓の遺民の子弟たちで、かれらは他の流民や流盗あがりの諸隊とは異なり、兵にむかないほどにおとなしく、主として張良のために諜報（ちょうほう）のしごとに任じていた。静かな部隊ではあったが、しかし張良を見ること神に対するようであり、張良がくだす命令のためなら死を顧（かえり）みなかったため、荒くれた他の諸隊よりむしろ戦場では強かった。

かれらは、張良を懸命に守っていた。劉邦の使いがきたときも、

「すぐには申しあげられません」

と、居所を教えなかったほどであった。自分たちは張良に仕えているのであってその上の劉邦とは直接の縁はないという明晰（めいせき）な論理をもった態度であった。さらには本当に劉邦の使者かどうか、そういうことさえ一度は疑ってみるという態度でもあった。

張良は、近侍（きんじ）する数人にだけ居所を明かしている小屋の中にいた。小屋の外を護衛兵に固めさせながら、ひとりの初老の男に会っていた。

男は半白のちぢれ毛を無造作にまきあげて巾でおおい、胡人のように落ちくぼんだ眼窩をもち、その底から小さすぎる目が、偏執狂のように光っていた。無口で、ときどき返事のかわりに笑う。笑うと、人変わりするほどに清潔な感じがしたのは、歯が齢不相応に皓いせいでもあった。

項羽のおじである。

項羽には、かれの育ての親であり、ともに兵をあげた故項梁がいたが、しかし本来亡楚の名族で血縁が多かったため、嫡庶とりまぜて伯父、仲父、叔父、季父が幾人かおり、いとこも多かった。それらの何人かが挙兵後、傘下に加わっていた。張良と密会している男は、項羽の亡父の末弟であった。項羽の陣中では、

「項伯」

とよばれていた。名は纏である。字は別にあったのだが、ひとびとが伯々とよぶために――季のおじを伯とよぶのは変ではあるが――面倒になってそれを自分の字とした。たしかに物にこだわる性格があったが、一面、そういう無造作さももっていた。ともかくも痩せたその体つきの全体の印象としては、小さな鉄槌で釘を打ちこむような激しさと単純さと歯切れのよさとを感じさせた。

項伯は、不良少年のあがりだった。

楚が亡び、元来、項家の一族が秦ににらまれていたために一族が四散し、項伯も各地を転々として流浪せざるをえなかったから、尋常な半生を送れるはずもなかった。人を殺したこともあった。

かつての戦国の名家の子で、秦の世になって流亡した、という点では張良の前半生も似ている。張良は博浪沙で始皇帝を搏撃しそこね、遁走して流浪し、名を変えて下邳に住み、そこで俠客のような暮らしをしていたという点でも、項伯に似ていた。あるとき、殺人の罪で追捕されていた項伯は下邳に入り、人の紹介で張良を頼った。

「命に代えても、あなたを守りましょう」

と張良は約束した。

張良にとって項伯は親しいというほどの仲ではなかった。これをかくまうことは利害によるものでも情誼によるものでもなかった。

——自分には俠というものがある。

という自他への証しというべきものであった。それだけに、この行為ははげしかった。

俠という。

この倫理は、男伊達、世話好きといったようなものではなく、のちの日本にも欧州にも類似した精神が見当らない。立場はちがうが、質としては、十六世紀のイエズス会の殉教精神にはげしさだけは似ている。

戦国という乱世は、すでにのべたように、古代的な商品経済の隆盛時代でもあり、活潑な思想の時代でもあった。さまざまな要素が入りまじって、中国史上、類がないほどのあざやかさで個人を成立させた。その後、このあざやかさがおそろしいほどの勢いで褪色するのだが、ともかくも戦国から秦にかけて、王朝はたのむに足りず、むしろ秦時、絶対権力が餓虎のように人を害ってきたため、個人がたがいに横に結んで守りあわざるをえなかった。

いったん結べば、すべての保身、利害の計算をすてて互いに相手を守りあうという俠の精神が作動した。俠には理屈がなく、それそのものが目的だった。中国にあってはその俠の精神と習俗ばかりはさまざまに形や質を変えて後世まで伝えられ、この大陸の精神史における別趣の塩分となっている。

ともかくも張良はべつの友人から項伯の保護をたのまれた。繰りかえしいうようだが、項伯が気に入ったためにそうしたということではなかった。いわば無打算の俠心といってよく、俠の本質もそこにあった。

しかし保護してから項伯が好きになり、項伯への保護に熱意がくわわった。

その後、世が乱れ、項伯は項梁軍に従い、その死後、おいの項羽軍の一将として戦場を転々した。

張良が劉邦軍のなかにいるということもほのかにきいていたが、下邳以後、たがいに隔ることが遠く、音信もなかった。

項羽軍が関中に殺到して新豊台に布陣したとき、項伯は、明朝、自軍が覇上の劉邦軍を総攻撃することを知り、

(張良の俠に酬ゆべきときがきた)

とおもった。

(このままでは張良が死ぬ)

と、項伯は判断した。あとは、いっさいへの顧慮がない。項伯もまた俠の証しをせねばならない。かれは、夜、軍営を脱し、駈けた。一騎だけで駈けとおし、張良の陣地に走りこんで、ひそかに会ったのである。

「私と一緒に逃げよう」

と、項伯は多くを言わず、そのことばを繰りかえした。いう必要がないほどに劉邦軍の敗北はわかりきっていたし、張良が敗死することも自明であった。逃げよう、と項伯はいう。逃げて項羽軍に身を寄せよとはいわなかった。張良がそういう男でない

ことは知っていたし、自分自身も裏切りをすすめたくはなかった。項伯自身、項羽に内緒で敵と接触している以上、これについて事態がこじれれば身分をすてて張良と一緒に逃げる、というところまで思い切っており、そういう思い切りもまた俠という精神に属する。

「あす、総攻撃か」

張良にとって、この情報の衝撃のほうが大きかった。逃げる、逃げぬについては、張良ははっきりと立場をのべた。

「自分は韓を復興しようと思い、韓王を立て、それに仕えている。その再興のために劉邦に身を寄せている以上、逃げることは不義である。ともかくもあなたが教えてくれた明朝の総攻撃を劉邦に告げたい。かまわないか」

「かまわない」

項伯はいった。この場ではただ俠をのみ遂げるという項伯の錐のようにするどい目的からいえば他のことはすべて余事であった。それが項羽軍の機密を洩らすという結果にはなるが、そういうことは、張良への恩返しという個人の大事からみれば塵芥ほどに小っぽけな雑事にすぎない。

「では、あなたは証人として沛公（劉邦）の陣営まで同行してくれるか」

「かまわないとも」

同行することが、どういう意味をもち、どんな結果になるかは、項伯の知ったことではない。

すぐさま両人は騎走して劉邦の本営に到った。まず項伯を別室で待たせ、劉邦に謁し、あす項羽軍が総攻撃を仕掛けてくる、と伝えた。

劉邦は、口を開けてしまった。

体中の筋肉が弛んでしまったようで、下あごが上へあがらなかった。

「あす、か」

項羽という男の自分への怒りがまさかそこまで苛烈であるとは思わなかった。

「いったい、たれが函谷関に兵を送るという策をたてたのです」

「鯫生だ」

つまらん野郎だ、というのみで、さすがにいつもこの部屋を掃除する男だ、とははずかしくて言わなかった。張良は劉邦の顔をみて、この人は物が欲しいとなると、子供のようになる、おそらく当人自身が兵を出したのだろうと察した。

「函谷関をとざして項羽を挑発した以上は、戦って勝てるという自信がおありだったわけですな」

張良は劉邦のそういうところがきらいではなく、皮肉でなくそう言った。さらに、いかがです、いまも勝てるおつもりですか、ときくと、劉邦は身も世もないといった風情で、

「とても」

と、声が小さくなった。頼む、とも言った。なにかこの窮状からのがれるてだてはないか。

張良にも、策などはない。ここに及んでは項伯にすがり、かれに和平の仲介人になってもらうしかなかった。劉邦は項伯という名をきき、驚いてしまった。卿とどういう関係がある、と息をはずませてきいてきた。張良は、昔の一件をいった。

（救われた）

と、劉邦は思った。項伯が、むかし張良にかけられた恩に対し、これまでして酬いようとする人物なら、自分にもなにかの役に立ってくれるだろう。ただし項伯の俠は、張良で行き止まりである。その点、劉邦もわかっている。このため自分もその俠の仲間に加えてもらおうと思い、とっさに儀式を思いついた。劉邦は本来任俠道の出であるために、その種の儀式はよく知っている。

「子房（張良）よ、教えてくれ、項伯どのはあなたより齢上か」

「上です」

「私よりも？」

この大陸では、年齢の秩序は儒教の普及以前から厳乎としてある。

「若く見えますが、実際には五十に近いかと思います」

「すると、私より兄だ。わが兄者ということになる」

劉邦は項伯の意志にかかわりなく、しゃにむに義兄弟の契りを結びたがった。義兄弟の契りを結べば、義は血よりも、それが義であるがためにつよい。項伯は死を賭してでも劉邦を守ってくれるにちがいないと思った。

張良は別室にもどり、沛公に会ってくれ、と項伯にたのんだ。さすがに項伯はそれだけはかんべんして貰いたい、といったが、張良が、

「それだけが、いまの私を救ってくれる唯一の道だ」

といったために腰をあげざるをえなかった。

劉邦はすっかり衣服をあらためていた。

項伯が部屋に入ってまずおどろいたことに、初対面の劉邦がはるかに下座で拝礼し、次いで膝をもってにじり進んで項伯の手をとり、上座にすわらせ、兄として礼遇した

ことだった。儀式はすでにはじまっていた。

やがて大杯（たいはい）が運ばれてきた。

(義兄弟になるということか)

項伯はやっと気づき、念のために張良のほうを見た。張良は恋をする少女が目でもって相手に情意を訴えるように、項伯に対し無言で頼む、と訴えた。項伯は押しきられた。やがて張良は侍立（じりつ）の席から立ちあがって、両人のために酒を注ぎ、媒介（なかだち）の役をつとめた。項伯はその杯を干した。

(これで、劉邦と義兄弟になってしまった)

思いもかけぬ事態の変化というべきであった。項羽軍の一将が、総攻撃の前夜に敵将と義兄弟になってしまうなどは、どういうことであろう。が、項伯は全体のことなど深く考えない男で、ひどく透（す）きとおった表情をしてさらに数杯の酒を劉邦とともに干し、たがいに杯の底を見せあって微笑しあい、その所作ごとに、たがいの寿を祝った。

あとは、弟として劉邦は自分の本意をのべた。

「弟（てい）は、項将軍から誤解をうけております」

自分はたまたまさきに関中（かんちゅう）に入ったが、この地を占有するつもりではなく、項羽殿の入るのをひたすらに待ち、その命に従おうと思っていた。秦の官物を私有しなかったのもそのためであった、といった。さらに項将軍に献上すべく吏民の戸籍を記録し、府庫を封印し、自分自身もなかを見ていない。次いで函谷関に警備の兵を出したのは流賊が入るのをふせぐがためであった、と言い、

「それらのことがことごとく裏目に出て思わぬ誤解をうけるもとになりましたこと、これではこの劉邦は死んでも死にきれませぬ」

と、いった。

(これは、わしに命乞いをせよということだ)

項伯はおもった。項伯も、劉邦の言葉がそのとおりであるかどうか疑わしく思っている。しかし義兄弟の契りを結んだ以上、事情の説明の裏側の真否などどうでもよく、要は頼まれたということしかない。要するにこの義弟は自分のこの言葉を項羽に伝えてくれということであろう。

「心得た」

項伯はいった。

「私は、今夜、帰陣して羽(項羽)どのに伝えてみる。しかし羽の性格からみて、あなた自身が羽の前に出、あなた自身の口から出る言葉をききたがるだろう。明朝、で

きるだけ早く鴻門(こうもん)の本営へ来られよ」

項伯が二十キロを駈けて鴻門の本営にもどったときはすでに夜が更(ふ)けている。項羽はすでに眠っていた。

項伯は近侍の者にたのみ、むりやりにおこさせた。項羽は目をさましたが、体には眠りがつづいていて、機嫌がわるかった。

「たれが、何の用だ」

と、どなったが、相手が項伯であるときくと沈黙し、やがておきあがって衣服を着かえた。項羽は粗暴とされているが、血族の長者に対しては別人のように行儀がよかった。この点あわれなほどに良家のしつけの名残りを思わせた。

項伯は帳外にある。寒気で凍った顔をしばらくこすってから帳内に入り、次いでおいの寝所に入った。まずいきさつを話し、劉邦のことばを伝えた。

「おじ上は、劉邦に会われたのですか」

項羽は、おどろいた。が、おじの行動についてはすこしの批判もしなかった。

項羽は、この単純で行動的なおじが好きだったし、またおじが持っている倫理観も、自分の気質のある部分につよく響くものがあって気に入っていた。項羽のこういう気性の小気味よさは、劉邦にはなかった。しかしいかに項羽でもこのおじに高等政略をやってもらおうとはおもっていなかった。

「おじ上、もう決まってしまったことです」

総攻撃について、項羽は不機嫌な声でそう言った。夜中、こんな話をきくだけでも、范増(はんぞう)は怒るのではないか。

「誤りは、どういう場合でも正(ただ)すべきです」

項伯は、倫理に関してしかいわない。

「私は誤っているでしょうか」

と、項羽はいよいよ不機嫌な顔をした。

「誤っておられます。よくお聞きあれ。沛公(はいこう)がいちはやく関中に入ったればこそわれわれはやすやすとこの秦の故地に入ることができたのです。劉邦に邪心はなく、大功のみがあります。それを撃つというのは、義に背(そむ)きましょう」

「義に――?」

項羽の顔におどろきがはじけた。義というのはのちの世で倫理項目に入るのだが、この時代では生きて跳ねかえるように新鮮な感覚語で、項羽のように市井(しせい)の無頼の暮らしを送ってきた人間にとって、平素義に反することもやっていながら、面とむかって義に背くといわれると思考の数式を最初にもどしてしまうほどの力を持っていた。ましてこの種の感覚のなかで生きてきた項伯がいうのである。

項羽は戸惑っただけに、いよいよ不機嫌になってきて、

「では、おじ上は、どうせよとおっしゃるのです」

と、いった。項伯が、答えた。あす劉邦がやってくる、その言い分をまずきいてやってもらえまいか、それだけのことです、というと、項羽は救われたように、

「そうしましょう。戦(いく)さはいつでもできることだ」

といった。項羽は、そういうぐあいの男だった。かれにとって、気分のいい景色がつぎつぎに前方に展(ひら)けてくればいいだけとさえいえる。項羽にとって、不愉快な景色、あるいはかれの想念になんの景色も映じて来ないという話し方、または話の内容ほどきらいなものはなかった。

項羽は、すぐさま范増をよんだ。項伯が去るのと范増が入ってくるのと、ちょうど入れちがいだった。范増は、いやな予感がした。

「亜父(あほ)」

項羽は、めずらしく微笑してよんだ。

かつて居巣(きょそう)の町で時勢についての評論ばかりしていたこの七十の老爺(ろうや)を、項羽は死

んだ叔父項梁からひきついで使っていたが、項羽とは思考の系列がちがうため、当初、この男のいうことが小うるさくていやだった。しかしその後、范増の計略がことごとく中るのに驚き、自分の唯一の参謀として尊重し、ついには父に亜ぐ者、という敬称まで項羽は用いるようになっている。血族秩序というものが倫理体系の基本であるというのは、この大陸ではその後にやってくる儒教時代以前からすでにそうであった。このため交友のもっとも強烈なかたちを義兄弟とよび、また長者に対する最高の敬意をこめたよび方を亜父と称した。もっとも亜父ということば自体は、項羽が范増をよんだ場合以外に、あまり見あたらない。

「こういう仕儀になってしまった」

項羽は、項伯がやってきた一件を告げた。

（やはり亜父などと言いつつも、実のおじの言葉のほうを重く用いるのか）

と、范増は思ったが、しかし項羽の性格について誰よりもあかるいこの老人は、べつの見方も持っていた。項羽がときに閃光のように方針を変えることがある。その動機は功利的な計算によるものでなく、項羽自身が感ずる美的な衝動によるものであるということだった。

たとえばかつてあれほど項羽を苦しめた秦の章邯将軍が、ひとたび剣を脱して項羽の前に身を投げ、降を乞うと、項羽の中から多量の愛情があふれ出てしまった。その生命の安全を保証するばかりか、章邯自身がとまどうほどに優遇してしまう。そのくせ章邯の旧部下二十万の場合、項羽はかれらが楚軍に不満をもつときいただけで、もっとも残忍な方法で大量虐殺してしまうのである。項羽にも、愛情や惻隠の情があった。むしろひとよりもその量は多量であった。しかしそれは項羽自身が対象を美——あわれ——と感じねば、蓋をとざしたように流露しなかった。項羽が美と感ずるのは、陽の洩れる板戸のすきまほどに幅がせまかった。かれ自身の自尊心が十分に昂揚できる条件下において相手がひとすじに項羽の慈悲にすがろうとしている場合のみであった。といって、この男は愚者ではなかった。ひとの阿諛にはうごかなかったから、この間の項羽の性格の機微はまことに微妙というほかない。

「おっしゃることは、わかっています」

范増は、わざとうなずいてやった。

「ただ大王の」

と、范増は——他の者もそうだが——そういう敬称を用いている。

「将器が大きすぎて、劉邦の本質がお目の中に入らぬというのが私の憾みです」

たしかに項羽は、劉邦への評価が小さく、いくさに弱い臆病者という程度でしか見ていない。将器が大きいと范増がいったのは多少の修辞でもある。自尊心が強すぎる者は他人がよく見えない、という程度のことを、范増はそのようにいったにすぎない。范増はむしろ劉邦のほうをおそるべき者と見ているということはすでにのべた。それ以上に、劉邦という男の幸運さが異常だと思っていた。王は天授のものだと信じているこの大陸の形而上学では、この種の幸運は天の作用だとされている。范増も劉邦に対し、気味のわるい予感であったが、それを感じていた。

——だから殺すべきだ。

と范増は思うし、この場になっても、別な表現で項羽に説いた。幸い、この陣営に劉邦がやってくる。剣士を伏せておき、機を見て誅殺し、

「——禍根を」

と、范増はそこに劉邦のやわらかい咽喉があり、ここに剣があるように、

「断つべきです」

と、言いきった。

項羽は、うなずかざるを得なかった。

翌朝、劉邦は馬車で覇上を出た。

車内で陪乗する者は小男の張良であり、馭者台の横にすわっているのは、樊噲であった。樊噲は岩のような肉体を上等の甲冑でつつんでいた。樊噲は、

（きょう、おれは死ぬだろう）

と、覚悟していた。あきらめと、それ以上に積極的なはげしさが樊噲の五体にみなぎっていた。樊噲は人間として不必要すぎるほどに強靱な筋骨と生きてゆくうえで邪魔になるほどの感激性を持ちあわせて成人してしまった。ただ体が大きいわりには欲望がすくなく、沛の町で狗肉売りをしていたときも、変に無欲だった。淋しがりでもあった。劉邦を知ったときから劉邦について歩きたがり、劉邦のそばにさえいれば多量に持っているその淋しさの感情がまぎれるらしく、ついには劉邦がいないとこの世で生きてゆく気もしなくなるほどにまでなった。

（きょう、わしは死ぬのだ）

かれは、くりかえしつぶやいた。

樊噲に栄達欲などはなかった。劉邦が死ねば自分も死ぬし、劉邦に死をまぬがれさせるためなら自分は千度死んでもいいと思っていた。

劉邦の馬車に前後している人数は、百騎あまりにすぎない。

それらを指揮している者は、沛の県庁の馭者だった夏侯嬰、靳彊らであった。かれ

らもまた大なり小なり樊噲に似たような感情をもって劉邦に結びついていた。かれらにこういう感情をおこさせる劉邦というのは、やはりとくべつな人間であるかもしれず、逆にかれらが異常なのかもしれなかった。

劉邦は車中でその長い上体を揺れさせている。

霸上の丘から本道に出た。左へゆけば咸陽だが、劉邦らは右へとった。道ははるかに潼関、函谷関に通じているが、めざす鴻門はむろんそれよりもずっと手前である。馬車の前方の右側に冬でも青く、それだけで奇跡のような感じがする驪山の丘が高く盛りあがっており、あとはその青い一点をひきたたせるように一面の黄土地帯がひろがっていた。馬車が驪山の北麓をかすめて過ぎたとき、劉邦はすこしめまいがした。

「ゆうべは、ねむれなかった」

と、劉邦は肩を落とし、張良にいった。血の気のない顔が、頸からぶらさがったようにして揺れている。

（正直な男だ）

張良は思った。あるいは劉邦が劉邦であるのは、自分の弱味についての正直さということであるかもしれなかった。

「あれに、始皇帝の陵が見えます」

張良が、劉邦の気をまぎらわせようとおもって、指をあげた。

「見える」

劉邦は、うなずいた。あの陵墓の賦役(ふえき)から逃げた自分がついに秦をくつがえした。その自分が、いま屠所(としょ)に曳(ひ)かれるように項羽の陣営にむかっている。それらのことを地下の始皇帝はどう思っているであろう。

(秦をほろぼしたのは、はたしておれだろうか)

劉邦はごくあっさりと、

(おれではない)

と、思っていた。この男は、こういう点での自分をよく知っていた。かえりみると始皇帝の死後、大小の流民がしだいに数を増して行き、ついにはその一方の大親分として自分が存在するようになったが、しかし項羽の吸収力のほうが巨大で、人数の点では比較にならなかった。しかもその項羽が河北で秦の主力軍をひきつけておいてくれたおかげで、自分は河南(かなん)へ南下し、関中にその南方の搦手(からめて)(武関)から入ることができた。功の九割までは項羽に帰せられるべきだということは劉邦もよくわかっていたし、関中にまず入った自分を項羽が怒っている気持も、当方から手を拍(う)って尤(もっと)もだと声をあげてやりたいほどにわかっている。もともと劉邦という人間のある部分にはその種のことがよくわかる聡明な感覚があった。

ただ、いま車にゆられている劉邦は、自分の肉体から魂魄が半ば離れはじめているような感じもする。

（なにか、挙兵以来、宙に浮いてここまできたようだ）

越し方をおもうと、煮えたぎった油の上に浮游しているなにかのようにしか自分が感ぜられず、つかの間にこういうはめいになってしまったような感じがしないでもない。

（川波が奔るままに浮かんできたような）

と、魂魄がおもったのか、劉邦がおもったのか。そのあげくのはてが死であり、それが、眼前にせまっている。

——踊らされてしまった。

とも思った。数万、数十万の人間どもに劉邦はかつぎあげられてその人津波の走るがままに宙をとんでここまできたようでもあった。踊らされたといえば、楚の懐王におどらされたということもあるであろう。懐王は項氏によって立てられた王にすぎず何の実体もない。武力もなく、家来もなく、項氏がその気になれば縊り殺すこともできた。懐王とその側近はそれを知っており、何を仕出かすかわからない項羽を懼れ、そのためにわざと項羽を北方の秦軍にあたらせ、小部隊の劉邦を指名して西進させた。

関中に早く入る者を関中の王とするということを懐王が宣言したのは、懐王自身の恐怖心理がつくりだした方針だった。劉邦に功をたてさせることによって項羽の毒を制しようとしたことはまぎれもないことであったし、そういうことを思うと、劉邦とは何であったか、懐王の傀儡にすぎなかったのではないか。

劉邦は、死への怖れのなかでそう思っている。

（かといって、いままでおれが踏んできた道以外に、死をまぬがれる方法があったか）

唯一つある。

いまとなればその選択は遅いが、早くから項羽の忠良な一将に甘んじておくという方法だった。

（しかしそれは）

と、劉邦はみずからの無能をかえりみて苦笑する思いだった。麾下の部将というのは能力が要る。臆病でいくさ下手で身動きがにぶく、ろくに文字も知らない劉邦が、項羽の追いつかう一将になれるはずがなかった。

劉邦は、われながら自分がふしぎな存在だとおもった。かれ自身のもとに流民があつまってしまったのである。かれこそ食わせてくれるという噂が四方にひろまり、二乗、三乗というふうに流民がふえにふえた。多くは蕭何（しょうか）の功績であったが、それらを劉邦がともかくも食わせたことは、まぎれもない。そういう流民のための食わせる象徴のようなものが劉邦であったし、このために項羽とも対立した。項羽にとっては、劉邦が関中に早く入ろうが入るまいが、抹殺（まっさつ）すべき存在だった。

劉邦は、それらが、よくわかっている。

「張子房（ちょうしぼう）」

劉邦は、力なく張良にいった。

「わしは沛の町でごろついているだけの一生でよかったかもしれない」

「——それは」

張良は、なぐさめるべき言葉をさがした。やがて気の毒そうに劉邦を見て、

「天命でしょう」

と、いった。そういうしかなかった。張良は劉邦について抜け道を考えてみたが、どう思案をめぐらしても項羽に殺されるべき存在だった。

天命であればこそ、ときに抗（あらが）い、ときに泣き、ときに屈し、ときに戦って、もがきながら項羽に立ちむかってゆく以外になく、このたびはなりふりかまわずに項羽に哀訴すべきであった。自分がいかに忠良であるかを述べ、なりふりかまわず号泣しても

いいから相手の惻隠の情に訴え、その情を動かすしかありません、と張良はいった。

黄土台地の上にある鴻門の地形は、黄土という粉状土壌が水蝕作用によって無数に陥没し、陥没しぞこねた部分が低い城壁のように複雑な壁をつくり、巨大な天魔の爪でひっかきまわしたように迷走している。項羽の本営はそれらの壁をそのまま利用できる一角にあり、この点、自然が項羽のためにわざわざ野戦用の城をつくって彼を待っていたような地形を呈していた。

秦都咸陽から潼関、函谷関へ通ずる官道は、この錯綜した泥土の地形を切りひらいてつくられており、やがては次第に坂になってゆく。

すでに、軍門がつくられていた。

劉邦は車をとめさせた。樊噲以下を軍門外に待たせ、張良ひとりをともなって軍門に入った。そのまま幔幕の中へ案内された。

劉邦は、入口に近い下座をえらび、膝を屈して頭を垂れた。

やがて項羽が多数の幕僚を従えて入ってくるや、たかだかと剣を鳴らして劉邦をのぞみ、さらに近づき、相手の平伏する頭のさきで立ちはだかった。ついで、咆えるようにして罵倒した。項羽はこの勢いをもってみずからの手で劉邦を斬るつもりだった。

「劉邦、お前には無数の罪がある。……とりわけ」

函谷関で防戦したこと、咸陽にあっては秦の子嬰の始末（ゆるしたこと）を上将たるわしに上申することなく独断でやったこと、さらには勝手に秦の法を変え劉邦の法を布いたこと、この三つにつき言いひらきができるか、と項羽はどなった。

劉邦は這いつくばっている。項羽の鞜のさきを舐めるようにして顔を垂れ、声をふるわせながら、そのいちいちの本意を言い、すべては大王（項羽）のために、さらには大王に関中をひきわたすためにやったことで、この劉邦めにどういう他意がございましょう、と申しひらきした。

（こんな男だったのか）

と、項羽は劉邦の哀訴する姿をみて、一時に気勢が殺がれてしまった。

劉邦はさらに床に顔をこすりつけながら、自分は大王のために力をつくして攻め、ようやく秦をやぶりましたが、このように大王に思わぬ疑心を持たせたことは劉邦の不徳とはいいながら、おそらく小人の中傷があったのでございましょう、というと、項羽は潮が退いてゆくようにしずかになり、

「中傷？」

劉邦のことばをすなおにうけてしまった。

「中傷したのは、曹無傷という男だ」

と、劉邦麾下の裏切り者の名まで明かした。明かすということは、項羽の感情が劉邦への好意に一転したことともいえるかもしれない。

(左司馬の曹無傷か)

劉邦の奇妙さは、その男に憎しみなしにおもったことであった。中傷というより、実情ではないか。

ふたたび項羽の声が落ちてきた。

「でなければ」

と、いう。密告がなければ、という意味である。

「——わしが公を」

疑うはずがない、と項羽はいった。その声が遠ざかってゆくのを、劉邦は床を舐めながら、全身で感じた。物はいったん去ったが、安堵はできなかった。ただ劉邦はわずかに頭をあげようとした。

「沛公よ」

項羽がふたたびいったため、劉邦は音が鳴るほどに頭で床を叩いた。

「疾う、席につかれよ」

項羽の声が、やさしくなった。そのとき、項伯があらわれて、劉邦の手をとった。酒宴の支度がされた。

酒宴では、項羽は東面した。おじの項伯を陪席させておなじく東面させたのは、劉邦との縁を項伯がとりもったことによるものであった。項伯が項羽陣営の次席的な要人であるというわけではない。項伯をそこに陪席させたということが、項羽の劉邦への感情の好転とうけとれないことはなかった。

亜父范増が、項羽陣営の最重要人物であった。かれは痩身をひそひそと移し、南面してすわった。劉邦には北面の席があたえられている。自然、范増とむかいあうようになった。この位置は、位置だけですでに劇的であったといっていい。

張良は劉邦がつれてきた唯一の陪席者であった。かれは貴婦人が微風に吹かれて夕涼みでもしているようなしずかな表情で、あたえられた西面の席にすわっていた。

それらの中央の大きな空間は、酒肴を運んで動きまわるひとびとでうずを巻くようにいそがしかった。

関中の民は、餓えている。

しかしここだけは別世界のように豊富な肉があった。招宴というのは戦国以前からこの大陸における最高の儀式であり、神を抜いて人間だけが相互によろこびあう宗教行事のようなものであった。あらゆる料理もまた権力者の招宴を媒介として発達した。

范増は少食なのか、老いているせいなのか、やわらかいものを二、三きれ口に運んだきりで、あまり箸を動かさない。

項羽は、大いに食い、小石のような歯で盛んに咀嚼した。

この男の大きな体に詰めこまれた重い筋肉を養うためには、なみたいていの摂取量では間にあわないようであった。大いに飲みもした。目の前の多種類の酒器が、みるみるからになった。

劉邦も、その欲望のつよさに比例するように生来の大啖いであったが、この日はただ皿の上に箸を游がせていることのほうが多い。

(ばかなやつだ)

范増は、腹が立った。劉邦に対してではない。

范増はすでに項羽が、気組みをくじかれたことにいらだっていた。劉邦が、もし威儀を正し、自尊心を保ちつつやってくれれば、項羽の剣は劉邦を斬るべく騰ったであろう。項羽は抗う相手や昂然と頭を持ちあげている相手には火のような猛気を発するが、劉邦は入ってきた早々に五体を地に投げて哀を乞うた。項羽は、拍子をうしなってしまった。

（狡猾な劉邦は、項羽の気性を知っている。出鼻をくじいたのだ）

范増は、そのことも予想していた。

第二段として、酒宴で殺しなされ、と項羽に献策してある。いまが好機だ、というときに自分は腰の玦（玉でつくったドーナツ形の装身具。一部分、欠けている）を鳴らす、それが合図です、すかさずに大王は幔幕のそとの剣士に命じられよ、と言いふくめてあった。


やがて范増は、好機だと見た。玦を何度も鳴らした。

が、項羽は大きな口へさかんに肉を運ぶのみで無視した。この日の料理に豚の肩肉があり、項羽の好物だった。といって項羽は自分の下あごの咀嚼運動のために耳目がかすんでいたわけではなく、もはや殺す気がなくなっていた。かれは劉邦の弁疏を信じたわけではなく、第一、弁疏の内容などろくにきいていなかったし、憶えてもいない。項羽は本来、視覚的印象で左右された。すでに劉邦を見た。その体全体が、寒夜の病犬のようになってしまっている劉邦にその本質を項羽なりに見てしまい、こんな憐れなやつをおれが殺せるかと思った。その思いがつづき、宴席で北面している劉邦の姿を見ても印象がすこしも変わらない。むしろ范増が合図をする玦の音がわずらわしかった。

范増は、たまりかねた。

（項羽はばかだ。あいつは平素、ほんの粟粒のような、しかしなにかの拍子に野放図にそれがひろがって項羽の人格そのものになってしまうあの奇妙な気質のために自分自身の墓穴を掘るのだ。否、すでに掘ってしまったのだ）

と、ここで大声で叫びたかった。その衝動が范増に席を立たせた。幔幕のそとに出ると、人をさがした。

「荘、荘」

と、闇にむかって、犬をよぶようなひそやかな声を立てた。

すぐ見つかった。

護衛隊長格の項荘であった。項羽のいとこのひとりで、将帥にはむかないが、機敏で力があり、項羽の身辺をまもる男としては最適といえた。范増がこの若者を気に入っていたのは、項羽以上に自分の志がわかってくれていることだった。范増はすでに老いてこの俗世になんの野望もなかったが、ただ自分が考えぬいて一つずつ手を打つ策を一個の遊戯と見、それを芸としてみごとに仕上げてみたいという欲望だけがあった。この構想の素材はいうまでもなく項羽である。この場合、きょうの会のように素材自身が勝手に芸をしてくれては范増ははなはだこまるのである。その間のすべてを項荘は知っており、かつ范増も安心して、今朝、この項荘にだけは秘策をさずけておいた。

——百策ことごとく水泡に帰すれば、あとは尊公の一剣に頼る以外にない。

余興に剣舞を見せてそのすきに劉邦を刺せ、ということだった。項荘は剣技に長じていたが、それ以上に剣の舞がうまかった。

——尊公が殺るなら、大王（項羽）もゆるす。

他の者なら項羽はどんな反応を示すかわからないが、いとこであるということでむしろ他の者に尊公の勇を誇ってくれるだろう、と范増は言いふくめた。

項荘は宴席に入り、中央にむかってすべるように進み出た。項羽のいとこであるというので、この出現は劉邦からみても異様ではなかった。

「沛公の寿をことほぐために、ひとさし剣の舞を舞いましょう」

と、項荘は優雅にあいさつし、剣をぬいた。

劉邦はもう息を出し入れしているのが精一杯だった。やがて項荘は白刃をゆるやかに動かして舞いはじめた。視線はときに他へ転ずるが、節目ごとにするどく劉邦へ注がれた。

このとき杯を置いて立ちあがったのが、銹びた鉄の面のような顔をした項伯だった。

「舞手が一人では、剣の舞になるまい」

と言い、するすると中央を半ばまわって剣を抜き、項荘に合わせて舞いはじめた。おいの項荘が突進しようとする気配を見せると、おじの項伯はたくみに劉邦の前に立ってかばった。

(が、いつまでかばいきれるか)

張良は、おもった。

(もはや、何の策もない。あとは、樊噲の勇気にたよるのみだ)

張良は思い、中座した。

いそぎ軍門まで出ると、門外を塞ぐようにして樊噲が左肘に盾をかかえ、立ちはだかっていた。張良は事の急迫を告げ、

「卿の死ぬときがきた」

といった。きくと同時に、樊噲の巨大な肉体が門内へ突入した。項羽の護衛兵が阻もうとしたが、盾で押しとばし、幔幕の中に入ったとき、たれもがそこに雷電が落ちたような感じをうけた。樊噲は立ちはだかったまま正面の項羽をにらみすえ、

「自分は大王を尊敬してきました。しかしそれは間違いだった」

と轟くような声をあげた。生来訥弁の男だったが、人変わりしたように言葉がつぎつぎと噴きあげ、大王は沛公の大王への誠実がなぜわからないのか、その忠良にむくいるに誅殺をもってするなら天下の人心は大王から離れるだろう、という意味のことを叫びに叫んだ。項羽の反応は異様だった。大いにひざを打ち、名は何というか、と朗らかな声できいた。

「たれか、この者のために座と肉をあたえよ」

といったのは、よほど気に入ったからであろう。項羽は、陰気にうずくまっている劉邦や張良を見てこの宴に飽きてきたところだっただけに、この意外な役者が炸裂するようにして空気を一変させてくれたことをよろこんだ。その上、項羽は自分自身がそうであるようにこういう種類の男が好きであった。好きだが、この種の勇者は鬼と同様、めったに見かけることがない。であるのに、樊噲が項羽のふるえるほど好きなその典型をみごとに演じてくれたのである。

「壮士だ。これこそ壮士だ」

おれはいま壮士をたしかに見ている、という言葉をくりかえした。壮士という言葉ははるかな後年、日本語のなかに入ったとき、志士を気どりつつじつは打算で動き、小利にころび、平素政治上の壮語をして実際は恐喝でもって衣食している徒をさすようになったが、この時代は戦慄するほどに新鮮なことばとされた。戦国期をへた社会が、きわめて稀少な一典型として生んだ精神で、わずかな義と俠のために即座に自分の生命を断つ若者のことをいう。

張良は、この綱渡りが半ば以上過ぎたとおもった。智も略もなにもかもが及ばなくなったとき、世の論理からまったく外れた非条理のしろもの――項伯と言い、樊噲といい――を大地にたたきつけて閃光を発しさせる以外に手がない。そうすれば、あるいは劉邦はたすかるかもしれなかった。

樊噲のために宴席に混乱がおこっている。これを機に劉邦は席を外した。たれもが厠へ立つのかと思った。

が、劉邦は遁走してしまった。

あとは、張良がとりつくろった。

かれは劉邦からあずかった贈り物――項羽には白璧一対、范増には玉斗（さかずき）一対――をさしだし、優雅に作法しつつ辞去した。そのあと、客の帰った宴席で、范増ひとりが形相を変えて立っていた。やがて剣を抜き、贈られた玉斗をたたきわり、

「小僧（項羽）」

と、すでに席にいない項羽をののしった。世は劉邦のものになるだろう、連中（項羽の血族・幹部）はやがてはことごとく劉邦の虜（とりこ）になる、思いかえせば、小僧は所詮（しょせん）は小僧にすぎなかったのだ、といった。

漢中へ

項羽は、ひきつづき関中にある。

その陣中に、淮陰（江蘇省）の人韓信という背の高い男がいた。

その存在は無名というにちかく、後年、韓信自身が、この当時をかえりみて、

——わしは項王に仕えていたとき、位は郎中（近侍役）にすぎず、しごとといえば執戟（ほこを執って身辺を護衛する職）にすぎなかった。

といったことがある。要するに数多い親衛部隊のなかの下級将校にすぎなかった。浮浪人あがりの韓信がともかくもその仕事に採用されたのは能力というよりもめだつほどに体が大きかったということであろう。

項羽が劉邦をおさえこんで関中の主人公になったあと、かれの十万の軍隊はひとり

ひとりが猛獣に化したように秦都咸陽へひしめきすすんだ。

「宝の山だ。みなほしいままにふるまえ」

項羽は、掠奪をゆるした。

咸陽の旧宮殿から阿房宮とよばれる新宮殿、さらには渭水のほとりの他の殿舎、親王や大官の第館、また秦の始皇帝が全土から強制的にあつめた富商の邸宅など、すべてがかれらのえじきになった。兵は掠奪だけがたのしみなのだ、ということを項羽はよく知っていた。かれらが百戦の苦に堪えてここまでやってきたのは、その目で咸陽の美を見、その両腕にかかえられるだけの財宝をうばい、できれば後宮へ駈けこんで美女を犯したいという一心からであった。

韓信も、その怒濤のような掠奪者のむれにもまれつつ咸陽に入り、有名な阿房宮にもまぎれこんだ。なにしろ将軍級の人物が、掠奪のむれの中に入って、すべてをわがものにすべく狂ったように手下を指揮していた。かれらがどんどん美女をかつぎだしてはその将に献じようとすると、他の将の兵が横あいからそれを奪ったりした。

(これが有名な大広間か)

韓信が兵にもまれつつ入ると、真冬というのに、かつて始皇帝が廷臣一万人を収容すべくつくったこの大広間の大空間が、欲望の熱気で煮えたぎっていた。大広間に林立する無数の柱は金箔でつつまれていたが、奪るものがなくなった兵たちが柱によじのぼってその金箔まで掻きとっていた。

韓信は、すでに驪山の始皇帝陵があばかれつつあることも知っていた。始皇帝が地上の富以上の財宝をその地下におさめさせたといわれるだけに、項羽軍の半ばはこの人工の丘陵に殺到し、鍬をふるってそれをあばくことに熱中していた。ただし、すべてが掠奪されたわけでなく、かれらが奪いのこした一部が二千年後に、人民国家の考古学者の手で発掘されることになる。

やがて項羽は、阿房宮その他に柴を積み、火をかけさせた。

渭水の水まで煮えさせるほどのその猛炎のなかを、韓信は風上を縫ってはほっつき歩いた。この男は、一種の怠け者といえるかもしれなかった。掠奪まで怠け、一品も奪らず、一女も犯さなかった。

韓信の道徳がそうさせたのではなかった。韓信の場合、もともと道徳という観念が少量しかその精神のなかにない。

（さきに咸陽に入った劉邦は、なぜこの盛大な祭礼をやらなかったか）

と、考えた。韓信にすれば軍隊ほどおもしろいものはない。戦勝後の掠奪強姦はその祭礼ぐらいにしか考えておらず、むしろ士気をたかめるために有効だとさえおもっていた。

(劉邦の兵力が弱小だったからだ)

韓信の目は、冷酷なほど物の実相を見ていた。劉邦にとっておそれは、あとから来る項羽の大軍であった。さきに掠奪すれば項羽とその諸将からうらまれることを怖れた。このためあわれにも咸陽に兵を入れず、府庫を封印し、宮廷の男女の生命財産を保証したのだろう、と韓信はおもった。かれは歩卒に毛の生えた程度の兵士にすぎなかったが、対等以上の水位から劉邦の心事を忖度した。賢らぶった者は、

「劉邦には天下に望みがある。関中の人心をつなぎとめるために兵の乱暴を封じたのだ」

と、わけ知り顔にいうが、韓信の感覚ではそうは思えなかった。

(やつが項羽の立場とその強大さをもっていればおなじことをやったろう。要は兵力の大小のみだ)

と、考えた。韓信には複雑な部分もある。しかしこういう場合、なたで割ったように大ぶりに考える男であった。したがって政治感覚の繊細さということでは欠けていた。

かれの故郷の淮陰はこんにち清江市とよばれる。付近に淮河が流れ、沼沢が多く、付近の肥沃な野は米作がさかんで、その豊かさが淮陰を都市化させた。とくに秦がこの町を郡都にしてから商業もさかえ、人口が大いにふえた。

かれはこの繁華な町の陋巷でうまれ、貧のなかで成人した。そういう境涯である以上、商いを習うか、役所勤めでもすべきであったが、そのどちらもせずに、遊民になった。つまりは知りあいの家にころがりこんでは食いつぶし、そのつど信用までうしなったが、しかしつぎつぎに知る辺を作っては居候になった。

この間に、逸話が多い。淮河のほとりで布を晒している老婆がこの遊び人が餓えているのを見かね、犬にでもあたえるようにしてめしを食わせた。数十日も食わせた。日が経ち、晒し仕事が終るころ、韓信が老婆に礼をいい、いつか恩を返したい、というと、老婆は大きな口をたたくもんじゃないよ、私ゃあんたが餓じがっているからめしをあたえただけで、礼など貰おうとは思わないよ、とののしるように言った。

韓信はののしられるにふさわしかった。大きな体をぼろでつつみ、いつも腰に長剣を鳴らしてほっつき歩いていた。あるとき気のあらい肉屋が韓信をからかって、その長剣でおれを刺してみろ、刺せなきゃおれの股をくぐれ、と衆人の前でおどしあげた。

このとき韓信はおとなしく這って股をくぐった。市中のひとびとは韓信を臆病者だといってさげすんだが、後年、韓信が名将の名をほしいままにしてから、ひとびとはこれをかれの大勇の証拠だというふうに美談にした。しかし韓信の痛いばかりの本質の一つにその臆病さがあったのではないか。

後年のかれは敵を読む場合、つねにあらゆる材料を自分の極端な臆病さで濾過することによって考え、判断し、さらには味方の防禦を性格のその部分によって完全なものにした。

ただかれの性格には大きな矛盾が、平然と同居している。一方では勇気を必要とする緊張感を好み、この疼くような緊張へのあこがれがかれ自身に自分こそ軍事的天才だと思わせ、さらには遊民時代、長剣をがちゃつかせて歩くというスタイルを作らせた。賭博の才もあった。賭博を前にするとき、水のように冷静になったが、しかし変わっているのは、負けるというかんが働けば決して張らないことであった。張らないことによるどんな不名誉でも忍んだ。そのことは忍耐という美徳でよぶよりも厚顔というべきもので、右の挿話の場合も、雄大な筋骨の若者を前にしたとき、とても勝てないと思い、面の皮を厚くし、犬のように這い、相手の股をくぐったということにすぎない。ただくぐるとき、韓信特有の異様な冷静さと厚顔さが、その精神と身動きをゆったりと保たせ、見物の中の一部のひとびとを感歎させた。むろんこの場合かれの後年の軍事能力に結びつく打算も働いていた。相手には背後に徒党がひかえている。こういう連中と喧嘩をすれば命をおとすか、淮陰の町に居られなくなるという平凡な打算である。さらには股をくぐりながら、かれのもっとも好む緊張の快感があったであろう。くぐることは、賭博をしないという賭博であり、同時に臆病という甘酸っぱい液体の中に自分の全身を浸け、一面でそれとは矛盾した一種の浮力の感覚をたのしんでいるという意味での緊張であった。

この男が、秦への反乱の最初である陳勝の暴発がひろがったとき、そこへ身を投じなかったのは、ふしぎなくらいである。ひとつは陳勝の反乱がひろがってゆく地帯よりもやや南に淮陰があり、すぐ駈けつけられなかったということもあったろう。しかしそれ以上に、淮陰より南方の長江の南で成立した項梁軍のほうにこの男が魅力を感じたということもあった。陳勝のひろがりは堤を切った洪水のようにさかんであったが、しかし流民団の寄りあつまりであるというところに韓信の好みにあわないところがあった。項梁のひきいる軍も似たようなものではあったが、項梁という知的な親玉がひきいるためにまだ古来の正規軍に近いという体がとられていた。正規なものを好むというあたりに韓信の長所と弱点があったともいえる。

かれの軍事能力は、漂泊中の空想のなかで育った。

——おれに十万の軍を持たせれば。

と空想するとき、この卓越した想像力をもつ脳の中に起伏した山河がひろがり、十万の軍が韓信ごのみに部署され、ときに精密にときに粗放に進退し、同時にかれが想像力によって現実以上に現実感をもってつくられた敵軍と音をたてて戦うのである。戦えばかならず勝つ。韓信はつねにこの想像のなかにいた。

この男に欠けているのは、人との関係を旺盛(おうせい)に微妙に魅力をもってむすんでゆくという感覚だった。このために、漂泊中も遊侠(ゆうきょう)の仲間には入らなかった。これにひきかえ劉邦は遊侠の徒で、人と人とをつなぐかれなりの大きな組織をもっていた。この組織の中に流民を吸収して膨(ふく)れあがった男であったが、韓信は流民をひきつけることができず、ましてその親方になる性格も能力もなかった。

かれの性格と才能の場合、既成の軍隊に雇われざるをえなかった。それにはより姿のととのった項梁軍に魅力を感じ、項梁が淮河をわたったとき、その軍に投じたのである。流民団をひきいて合流するという形でなかったために——いわば個人的な就職であったために——その処遇は卑(ひく)かった。

項梁が戦死した。ひきつづき韓信は、項羽に仕えた。韓信がたとえ百人であっても流民団の長であれば項羽もあるいは謀将の范増も多少はその視野に入れたにちがいない。項羽も范増も、この点、ぬかった。かれらは韓信の雄大な肉体的特徴を知るぐらいで、肉体の内部までは関心をもたなかった。

人才に対する鈍感さは、逆にいえば項羽軍の特徴でもあった。勇は項羽ひとりで十分であり、智は范増ひとりで十分であると思いこんでいる項羽軍首脳にとっては、器才のある者をつねにさがさねばならぬという必要など頭から認めていなかった。韓信はさかんに自薦の運動はした。しかし項羽や范増からすれば、この淮陰の男はその大きな図体をつかってせいぜい護衛の下級士官をつとめていればいいというのが大体の認識だった。

韓信は、鬱屈した。

無名の韓信が、咸陽の町を歩いている。風がつよかった。項羽軍が放った火は、幾団もの炎になり、その尖が北へ奔るかと思えば、西へ襲いかかった。あるいは冲天をめざし竜のように旋動しつつ馳せのぼったりした。

このなかにあって韓信は炎と遊んでいるようにあちこちを縫い歩いていた。ときに火煙が韓信に襲いかかったが、そのつどけもののような敏捷さで逃げた。しかし概して閑々と歩いており、火のまわりにいながら炎がやって来ない方角を風に先んじて見つけた。頭をつかっているというわけではなく、皮膚から爪のさきまで含めた全身の感覚でごく自然にそのように動けるらしかった。

いつのまにか宮殿や官衙の街から遠ざかり、富商の屋敷町の一角にまぎれこんだ。ここでも、各所に火があがっており、火がまわると掠奪兵たちはねずみのむれのように去った。

(おれも、なにか奪ってやろうか)

と思ったが、韓信はなにを奪りたいということもない。ただ料理の上手な奴僕でもいればそれに鍋をかつがせてときに旨いものを食いたい、と思い、そう思いつつある屋敷のなかに入りこむと、塀一つで隣家がすでに燃えあがっており、走って寝室の一つに入った。すぐ高床があった。床に手をふれると、内部の炕(オンドル)はすでに冷えていた。床の下の炕の中で、なにか気配がした。

(――人だ)

と思ったときは、韓信は数歩とびのいていた。自分には害意がないということを示すためにまず自分は淮陰の人間である、名を韓信と言い、項羽の郎中である、と名乗り、もしあなたさえよければ自分の僕になってもらえまいか。「兵たちに殺されるよりましじゃないか」とまではいわなかったが、韓信のまろやかな音声とその誘いには無害な印象があり、相手には十分通じたはずだった。

炕のなかから煤だらけになって這い出てきたのは、女である。

(女か)

韓信は一方で失望し、一方では女でもいい、とあきらめた。しかしよくみると、十六、七のむすめで、細い切れ長の目が白く光っている。韓信は相手の容貌から羌族の血をひいているらしい、と思った。が、元来、秦のこの関中という地は羌人の草原に近いために歴史的に交渉や混血がしげく、関中人(秦人)はどこか羌人に似ている者が多い。羌人とは、チベット系であろうか。

(煤をぬぐえば、あるいは女のなかの玉であるかもしれない)

と思ったが、韓信はことさらに心を動かさない。韓信は自分がたてた目的に拘束されるたちで、たとえ女であれ、当初の考えどおり下僕にしたい。

「この家のどこかに褐がないか」

というと、女はさとりが早く、どこかへ走り去ると、やがて下男の着るようなぬのこに粗い毛衣をまとってきた。痩せて背が高いために少年に見られなくもなく、すくなくともこの状況下で街路を歩くには少年の人体にしたほうが安全だった。

女は、口をきかない。啞かもしれないと思ったが、韓信がきくと、点頭したりかぶりを振ったりする。それによると女はこの屋敷の娘か姪のようで、なにかの事情で逃げのこったらしい。韓信はそういう育ちであることに頓着せず、女に大きな鍋を背負わせた。

「光よ」

と、よんでみた。いったんよんだ名を、この女の呼び名にした。

「いつでもいやになれば逃げろ。しかしわしについているかぎり、保護してやる」

項羽はなおも鴻門の陣営にあり、西方の天を焦がす咸陽の火を見ながら、戦後措置に没頭していた。

ただし項羽がやっているのは措置といえるほど思慮ぶかいことだったかどうか。かれがまずやったことといえば、劉邦が保護していた秦の降王子嬰を軍陣の庭にひきだし、衆人のなかでその首を刎ねたことと秦都咸陽を焼きはらったことであった。項羽にすればこれで秦帝国そのものを抹殺したことになる。

（そういうことは、子供のやることだ）

さほどに政治感覚があるわけでもない韓信でさえそう思った。痛快ではあっても、項羽が秦という統一帝国を継承するには関中の要害と肥沃さが必要であり、とすれば関中の人心を得ねばならず、さらには天下の行政網をしめくくるための役所が必要だった。項羽がせっかく手に入れたそれらのすべてを灰にしてしまうとはどういう料簡なのであろう。

この間、項羽はむろん評定をひらいてはいる。そのとき一人がすすみ出て、関中に首都を設けられよ、と説いた。

その者は、いう。

「戦国のころの秦がなぜ強かったか、ただひとつ、関中に拠っていたからでございます。他の国々がいかに連合しても関中の要害に入ることができず、逆に秦はほしいままに関中から兵をくりだすことができ、いかに大軍をくりだしても関中の沃野はその食糧を十分にまかなうことができました。始皇帝が天下を獲たのも関中を根拠地にしていたればこそでございます。大王はこれにならい、関中にあって天下を支配なさるべきでございましょう」

その者がいったことはべつに卓説というほどのものではなく、たれもがそう考える常識にすぎなかった。しかし項羽だけは常識にしたがわなかった。

といって項羽に独自の政治地理論があるわけではない。

──故郷の楚に帰りたい。

という異常すぎるほどに強い情感だけがかれを支配していた。かれは転戦してついに内陸部の西方の棚ともいうべき関中盆地にまで至ったが、旧楚の呉中（蘇州）を出たのがひどく昔のように思えてきている。江南で稲を育てることによって独自の文化をつくってきた楚人は、中原や関中とちがい、米を主食としてきた。項羽は久しく米を食わず、米のめしを想うだけでも骨が鳴るほどに故郷が恋しくなるのである。

（関中など、都にできるか）

と思う感覚のなかに、関中の風景が沂水、淮水あるいは長江の下流とちがっているということもあった。ひどく乾いている上に、木々や草の緑までが温暖多雨な楚の地とちがい酷薄なほどに淡っぽく感じられる。要するになにもかもが項羽の感覚にそぐわず、この感情のはげしい男にとってはともかくも関中を去って大小の河川や沼沢の多い土地にかえりたかった。

といって、帰るべき土地としては故郷の江南は天下に対して南にかたよりすぎる。彭城（徐州）でいい。彭城は旧楚の西方の都市であり、項羽の望郷の思いを十分に充足させる町といっていい。

もっとも、彭城は臨時の楚都で、ぬしとして懐王が宮殿をかまえている。しかし秦が亡んだ以上、項羽の価値観のなかでは、懐王は無用にちかい存在にまでなった。項羽自身が彭城に帰りたいとなれば、懐王をどこかへ動座させねばならない。

「いっておくが、わしはこの関中にとどまる気はない」

と、項羽が宣言するようにいったとき、満座が項羽の意中を察しかね、激しく動揺した。百城千堡を攻めつぶした諸将にすれば、何のために苦労して関中をめざしたかわからない。

「では、どこに都をおさだめになるのでございましょう」

と、ひとりの男がとび出し、昂奮のあまり叫んだ。

「彭城だ」

項羽はいった。

「彭城でわしは西楚の王になる」

このことばは、さらに一同をおどろかした。

関中王になってこそ地政上、諸王の盟主になりうるのではないか。項羽は、玉をつかみながらみずからそれを捨てたにもひとしい。かれがここで卒然と立国を宣言した

「西楚」とは、現在の省名でいえば安徽省の一部、江蘇省、浙江省といったふうな旧

楚の版図の大部分であろう。米作地帯を主として北部に一部麦作地帯をもち夏は高温多湿で物成りはわるくないが、この時代の防衛思想からいえばとりとめもない広闊の地で守ることがむずかしい。

「その理由は？」

飛びだした男は、項羽にせまった。

項羽はその男の無礼さに腹が煮えかえっていたが、理由を問われた以上、なにか気のきいたせりふを吐かざるを得なかった。

「譬えていえば——わかるか——わしは天下を得た。富貴を得て故郷へ帰らないというのは——聞け——夜、錦を着て歩くようなものだ」

といったとき、その男は項羽がその名声のわりにはあまりにも稚いことにおどろき、肩を落として席にもどりながら、楚人は猿だと世間ではいうが、よくいったものだ、とつぶやいた。ついには声をたてて笑い、猿が冠をかぶっているようなものだ、とその男が言いおわったとき、項羽は逆上した。項羽ならずともそうであったろう。戦国とそれにともなう古代商品経済の沸騰期を経たばかりのこの時代は、社会がひとびとの個性に寛容だった。棘のある者も半狂いの者も自由にのしあるくことができた中国史上最後の時代といってよかったが、それにしてもこういう男はめずらしかったといっていい。

項羽はすぐさま庭に大釜を運び出させ、その男をほうりこませた。男は煮殺されてしまったが、息がとまるまで項羽を嗤うことをやめなかった。

項羽は、論功行賞を発表した。

かれにとって頭痛のたねだったのは、飾り物の懐王の処遇だった。

——あれは本当に旧楚の王家の血筋をひいているのか。

と、かつて項羽は范増にきいてみた。もともと「楚王」をかつぐことを范増が亡き項梁に進言し、范増がどこかで羊飼いをしていたというあの人物をつれてきたのである。范増は策士だけに実際はただの男に王冠をかぶらせたのかもしれず、そういうことをしかねない老人だった。范増はこのときの項羽の質問の本旨には答えず、

「王というものは、ひとびとが推戴すれば王なのです」

と、簡潔にいっただけだった。

秦を倒すまでは、旧楚の人民を結集させるために、これこそ旧楚の王孫である、という者を王として推戴しその勅命によって項羽以下の諸将が動くということは必要だったが、すでに秦が亡んだ以上、この飾りものが必要であるかどうか。百戦に功があ

った自分こそ帝位につくべきではないか、という気持が項羽にあった。しかしすぐさまにはどうこうはできなかった。

「義帝」

という称号を懐王にたてまつった。義は、正しさのために自然の人情を超える倫理姿勢をいう。この語感には、後世、「外から仮りたもの」という意味が加わってゆく。この当時から、すでに「実行上むりはありながら」という意味も詞のなかにまじっていた。しかし言葉の建前としての意味は、あくまでも正しさ、ということである。但しその正しさは個人の倫理感覚による判断というより衆人がともどもに認めるというたぐいのもので、この時代のこの場合の語感としては「衆ノ尊戴スル所ハ義ト曰フ」というほどの意味であった。

その点、義帝とはうまく命名した。

しかも、帝である。

帝号を称したはじめはいうまでもなく始皇帝だが、王の上にあって大地のつづくかぎりを支配する唯一人をいう。

項羽としては、懐王の処遇と同様、かれなりに頭をつかったのは劉邦の処遇だった。

「亜父（范増）、あなたのお考えはどうですか」

と問い、范増が献言すると、ひざを打って賛同した。

劉邦の運命はきまった。

劉邦には巴蜀と漢中（関中ではない）をあわせた地をあたえ、そこの王に封ずるという。

僻地である。項羽にとってもその地が西南方の大山脈のどのあたりの蔭になり、どういう文化をもつ人間どもが棲み、それへ至るには関中からどの道を辿ればいいのか、見当もつかない。ともかくも中原のひとびとにとって、日常的な地理感覚の外にあった。

巴も蜀も漢もいうまでもなく地域名である。

巴の古字はミミズのような虫のかたちからきている。中原のひとびとがこういう文字をその地域にあたえたというだけでも、異族の棲むような僻地という感じがあった。蜀も虫という文字が入っており、虫同然の人間がすむという感じでみられていた。こんにちになってしまえば事情が異なる。巴は四川省重慶地方であり、蜀は同じく成都地方で、このあたりがひらけた中国史のある段階からは巴蜀といえばいまの四川省をさすようになった。ただしこんにちでもこのあたりは少数民族が多い。

漢中（漢）も、はなはだ鄙びる。いまでいえば陝西省南鄭のあたりの地域で、巴蜀とはちがい、関中から遠くはないとはいえ、途中の道の嶮岨であることは言語に絶する。

つまりは、劉邦は約束の関中を外され、漢中王になることになる。関と漢は日本ではおなじ音になってしまっているが、この時代まったく相違し、現在でも関はｋｕａｎであり、漢はｈａｎで、音としても通じるところがない。

「巴蜀・漢中というのはどういう処だ」

と項羽が問うと、范増は笑って、どういう処もなにも、劉邦がそこへ軍勢をつれてゆくだけでも過半は途中で逃げてしまうでしょう、といった。

「兵どもが逃げるか」

項羽は、笑いだした。兵がみな逃げて劉邦ひとりがのこっている想像の景色が、項羽のおかしみの感覚を刺激したのである。

「ひどいところか」

「なんといっても、秦のころ、流刑人を送った土地です。どんな悪人でも漢中や巴蜀に送られるときくと慄えあがったといいますから」

「すると、劉邦は容易に出て来れまいな」

「かれは彼の地で死ぬでしょう」

と、項羽はきいた。

范増はいった。かれの持説は劉邦を殺さねばあとに悔いがあるということであったが、劉邦というあの項羽の競争者を、大地そのものが巨大な牢屋といった土地に閉じこめてしまえば殺したも同然であると考えた。

問題は、宝石にもひとしい地というべき関中をたれにあたえるかである。范増にすれば、項羽がその諫言者を煮殺したほどにこの大陸制覇の要地をきらっている以上、強いてはすすめない。その代案として関中を三分し、亡秦の降将あがりである章邯とその旧同僚の司馬欣ならびに董翳にあたえ、それぞれ王にすることを献言した。章邯を雍王とし、司馬欣を塞王とし、董翳を翟王とする、というこの范増の案は、

——秦人（関中の民）を治めるには秦人がよろしゅうござろう。

という理由によるものであった。項羽も賛成した。

これらの論功行賞は、決定されるごとに発表される。

韓信がこれをきいたとき、

（范増はすぐれた策士だが、しかし広い天下を料理して帝国を興すような器才の男ではない）

と、おもった。

もっとも韓信にもその種の才があるわけではない。この男は、火の中の咸陽でひろった女の表情やさまざまの反応から、関中の秦人の感情を知ったのである。

女は、料理もうまく、骨惜しみもせず、奴婢としてじつに役に立った。

「羌よ、お前は富貴の家に育ったわりには、身も心も働くようにできている」

と感心していうと、女は激しくかぶりを振った。質問を重ねてみると、女はなんとあの家の奴婢の子だったという。主人の一族や使用人たちが咸陽を逃げる途中で過半が殺され、彼女は重病の母を看取るために屋敷にのこった。その母も、あの掠奪さわぎの最中に死に、遺体を庭に埋め、自分は炕の中にかくれていたところへ韓信があらわれたということらしい。

「奴婢だったのか。奴婢ですでにお前のように気品があるのか」

韓信はいった。

「咸陽はさすがに永いあいだの秦都だっただけある」

古い王都というのは奴婢の階級でさえどこか気品がある、と感心したのである。

「おれも、淮陰の町では士であると自称していたが、実際は奴僕にも劣るくらしをしていた」

と笑い、どういうつもりか、その夜から女に夜の伽をさせた。そのことは奴婢を軽んじたからということではなさそうだった。むしろ自分と似たような境涯の女に情欲を感ずる性的な感覚が韓信にあったのかもしれず、あるいは単にこの羌人に似て頬骨の高い女が好きになっただけのことかもしれない。

唖かと思われるほどに無口なこの女が、関中の土地を章邯ら三人が三分してそれぞれ王になるという話を韓信からきいたとき、

「秦人はみな、哭く」

と、はげしくかぶりをふった。

治まるはずがない、と狂ったようにいう。項羽がかつて新安（河南省）で秦の降兵二十万を阬にしたが、関中にはそれらの兵の両親や妻子、血縁、友人が無数にいる。かれらが、わずか二カ月前のそのことを忘れるはずがなく、生き残った者が将軍の章邯とそれに次ぐ司馬欣、董翳の三人だけであることも知っていた。たださえこの三人に関中の恨みが集中しているのに、この三人が栄達して関中を三分して王になるなど、亡秦の遺民のゆるせるところではなかった。

「かの三人の肉を啖いたい」

と、女はいう。

「沛公（劉邦）を慕う気持はいよいよ昂まるでしょう」

地をたたくようなはげしさでいった。

（そういうものか）

韓信は咸陽にきてまだ一旬も経っておらず、関中の人心には疎かったが、いまの言葉は女の唇から出たというよりも、大地がわずかに裂けて地霊が物を言ったような気味のわるさと重さを感じた。

（范増は、誤ったわい）

と、おもった。同時に、

（劉邦はやがてもどってくるのではないか）

とも思った。范増の策では、劉邦を巴蜀・漢中にとじこめ、漢中への出入口であるこの関中に番人として章邯らを置き、万一劉邦が出てくる場合にこれを叩かせるつもりであるらしいが、関中の人心が章邯らから離れてしまっている以上、もし劉邦がその気になって工作すれば人民が蜂起し、章邯らはこの地に居れなくなるにちがいない。劉邦はきっと帰ってくる。

項羽の論功行賞は、つぎつぎに発表された。

結局、項羽や劉邦をふくめて十八人の王をつくった。秦の法治主義、中央集権制および王侯に代わるに官僚をもってするという新政はいっさいくつがえされ、かつての戦国の封建制にもどった。項羽も范増もそれが最良の新秩序とはおもっていなかったが、各地の流民団の親方が、みずから旧国の王を称するか、王孫をさがし出してきてそれを奉戴して兵をあつめるかそのどちらかのやり方をもって秦をくつがえしたため、当然、かれらの当初からの希望と期待に添わざるをえなかった。たとえば西魏王、河南王、韓王、殷王、代王、常山王、九江王、衡山王、臨江王、遼東王、燕王、膠東王、斉王、済北王といったふうな王がにわかづくりでできあがった。侯もつくられた。たれが侯になったかなどはいちいち挙げられないほどに数が多かった。

この論功行賞は、項羽と三人の関中王以外、王侯になった者も、なりそこねた者も、すべてが不満だった。

項羽は、功績の評価基準が単純すぎた。たとえばかかげになって流民を組織した者や、その名声によって流民を吸引した者、あるいは妙策をたてて勝利にみちびいた者といったふうなたぐいは、みな外された。項羽が功としてみとめたものはみな第一線ではなばなしく戦った勇将たちで、後方にありながらその者が居たがために諸人の信がつながれたというたぐいの功績というものは項羽は一顧もしなかった。

たとえば、義帝である。

「義帝などに封地は要らぬ」

と項羽が最初いったのも、この風変わりな――あるいは子供っぽい――基準による。義帝はなるほど一度も手を砕いて戦わなかった。が、范増は婉曲にその非をさとした。うかつに正面から反対すれば范増といえども煮殺されかねない。

「もう土地はない。しかし亜父がそこまで言うなら、義帝に南方の地をあたえよう」

項羽にはその魂の巨大さを感じさせる面もある。が、その大きすぎる魂の容積のなかにはひとよりも数倍もある子供っぽさも同居し、それがときにかれを勇敢にさせ、ときにかれになみはずれて清らかな感情を表出させた。しかし子供が持っている功利性と残酷さが出てくるときには、たれもが制御できなかった。

項羽は、義帝に郴を呉れてやるといった。郴というのはこんにちの地理でいえば長沙の南方数百キロの山地で、いまなお山岳少数民族の雑居地である。この当時、犬を祖先であるとし、焼畑をもって暮らしをたてる瑤族が郴にもっとも多く、また自分の領域をまもることにかけては部族が全滅してもいとわない苗族、あるいは古くから水稲耕作を知りつつ他と同化せず、頑固に古代タイ語をつかい、ときに赤石蛮とよばれたりした侗族などがいる。

要するに、蛮地であった。

義帝はやむなくそこへゆくべく彭城を去った。

項羽は、この義帝の始末については、すぐ後悔した。

——生かしておけば、あとあと面倒なことになるのではないか。

と思い、兵を送って義帝のあとを追わせ、長江のほとりでこれを殺してしまった。

劉邦とその軍勢も、哀れだった。

かれは三万の軍をひきい、西南方によこたわる山嶮にむかった。

劉邦軍が出発する直前、韓信は項羽を見かぎり、無断で鴻門の陣営を脱出した。そこは微賤の身だった。この男が居ようと消えようと一軍に何の変化もない。

「項羽を見限ってやった」

と、韓信が女にいったとき、女の固い表情がみるみる溶けるようにして笑顔にかわった。

もっとも見かぎったといっても、韓信は項羽が天下をうしなうなどと予想したわけではなかった。むしろ逆で、項羽の存在そのものが天下として大膨脹してしまった以上、そこから脱け出すことは、韓信自身が失落したにひとしい。

しかしこの男は、仕事をしたかった。もし自分のこの器才が試されることなく世を終るようなことがあっては死んでも塚穴から黒い煙が立つのではないかと執拗に思いつづけ、その執拗さがそのまま項羽や范増への憎悪になった。もっとも項羽や范増にすれば、視野からはるかに遠い微役の男がそれほど自分を憎んでいるなど、気づきもしていない。

「漢王のもとにゆかれるのですね」

と、女はいった。

漢中とは、そこを流れている漢水という河の名から出た地名らしいが、その地域は単に漢ともよばれることのほうが多かった。あらたに漢中王になった劉邦に対し、ひとびとは漢王とよんだ。この故秦の流刑地の呼称が、後代、この大陸のすべてに対する呼称になり、またこの大陸で共通の文化をもつ民族に対する呼称として二十世紀にいたってもなおよばれるようになろうとは、この当時、韓信もその女も、あるいは劉邦自身、もしくはその謀臣の張良でさえ夢にも予想できなかった。

しかし韓信には、

（すくなくとも漢は関中を回復できるのではないか）

という予想だけは確固としてあった。項羽は遠く彭城へ去る。関中には章邯ら三人の不人気な王だけが秦人の海のなかにのこされる。韓信は女を通じて関中の人心がいかに劉邦になびいているかをつぶさに知ったために、他日、劉邦がここにもどりさえすれば人民が歓呼して迎え、章邯らを打ち砕くのにわけはあるまい、と思った。韓信の見るところ、劉邦が関中というこの大陸の豊かな棚にさえ居れば、あとは利あれば中原に出戦し、不利ならば関中にしりぞき、楚（項羽）を相手にどういう絵も描いてゆけるだろう。

（しかしかといって漢の劉邦の勢力は小さく、楚の項羽の勢力は比類を絶して大きい。その上、劉邦は臆病で、かれ自身いくさの仕方もおぼつかないようだ。漢と楚がたたかい続ける場合、十に一つも劉邦に勝目はない。しかし負けぬ工夫というのがあるのではないか）

韓信が劉邦に賭けた理由はその程度のものだった。ただし条件があった。劉邦がこのおれの器才を認めさえすればかれの運がひらけるのではないか、ということである。韓信にはこういう、ばかばかしいほどのうぬぼれがあった。

巴蜀・漢中へおちてゆく漢軍の前途を、多くの人々が見かぎった。このため韓信の就職運動はいたって容易だった。同郷人の何人かをつてにし、上へ上へと紹介をたぐって行ってもらい、ついに最高幹部の一人に会った。それが蕭何だった。

（蕭何か）

と、韓信は失望した。蕭何が漢軍の軍務から補給、占領地の行政にいたるまですべてを総攬していることは韓信も知っていたが、なにしろ文官ではないか、ひとたび蕭何の系列に入ってしまえば、軍吏をやるしかしかたがないのではないか。

韓信が蕭何に会ったのは、漢軍が関中平野を西南にすすみはじめた二日目の夜営地においてであった。すでに冬が終ろうとしていたが、しかし春の気配はなく、はるかに漠北につながってゆく星空が、凍りついた黄土の野に無数の細い光りを降らせていた。

蕭何の宿舎は、黄土をねりあげて壁をつくった二棟の民家だった。

そのまわりの家々には諸隊の兵士もいたが、多くは軍夫で、野にも道にも糧秣を満載した車が無数にしかも整然とならべられていた。いかにもその方面の名人である蕭何がそれらの物資の中にいるといった感じで、一軍の豊かさと秩序を思わせた。

韓信が入ってゆくと、蕭何が灯火の下で木簡を削ってはなにかを書き入れている。

（蕭何とは、おもったより貧相な男だ）

韓信は、蓆のすみに両膝を折り、灯のあたりを観察した。韓信のきくところ、この乱世のなかで劉邦のような役立たずの男をかつぎあげてこれだけの勢力にしたのは蕭何だというが、豪傑というようなにおいはまったくなく、見たところ、前身である県の役人とすこしもかわらない。

やがて蕭何は燭台を持って立ちあがり、みずから韓信のそばへやってきた。ひそひそとした歩き方で、目の前にすわるといっそう嵩が小さくなった。

「韓信さんは、淮陰のおうまれだそうですな」

声は小さかったが、くぐもったようなまるい音質で、この声だけでも人づきあいの永持ちする男ではないか、と韓信におもわせた。

どういうわけか、この蕭何はひとを多弁にしてしまうようだった。蕭何自身はなにもしゃべらず、話のあいまに感心したり、ふかくうなずいたり、あるいは小首をかしげて微笑するだけで、平素雄弁家でもない韓信が心の中にある鬱懐のすべてを語ってしまった。

韓信の語るところは、項羽とその首脳部への不満ばかりである。むろん自分が用いられないということについての私憤が基にあるのだが、韓信の心のどこかを濾過するとその項羽観がみごとな客観性を帯び、論理にすこしのあいまいさもなかった。

「ははあ、楚王（項羽）とはそういう御人ですか」

蕭何も、項羽はよく知っている。しかしこの感心の仕方はとぼけているのではなく、韓信の言葉が現出してゆく項羽像が、蕭何の眼力ではかつてうかがうことができなかった内面を露呈しているようで、しかも奇妙な見方ではなく、聴いていて蕭何もうなずけるのである。

最後に、蕭何は、あなたは漢王の徳を慕ってこの陣に投じられたが、どういうことをしたいのか、たとえば千里に使いすることとか、それとも戦場で兵を進退させることか、あるいは戟をふるって一軍の先駆をなすことか、ときくと、韓信は、

「私に全軍の進退をさせてもらえればありがたい」

と、途方もないことをいったため、蕭何は偶然だったのかどうか、めまいがしてしばらく頭を垂れていた。項羽軍の一介の下級将校だった男が、はじめて会った蕭何に劉邦軍の全指揮権を私にわたせ、というのである。返答のできるようなことでなく、蕭何はどういう態度をとっていいのかさえ迷った。

本来、追っ払う以外に手がなかったろうが、蕭何は、「失礼した」私にはめまいの癖がある、と正直に言い、

「そのご希望については、いずれ上（劉邦）へ申しあげましょう。それまでのあいだ、もしよければ、私の手伝いをしてくれませんか」

と、いった。蕭何のいったことは韓信に対する返答にはならなかったが、しかし韓信としてはここで蕭何に追いかえされてはあすの朝飯のあてもなくなってしまう。とりあえず、その蕭何のことばに対してうなずいた。が、このときはすでに無口でやや陰鬱な平素の韓信の表情にもどっていた。

(ここでも、私はうかばれぬかもしれない)

と、おもった。

その夜、韓信は下僕の体に扮した女をつれて星空の下を遠くまであるいた。女の縁者の農家へ彼女を送ってゆくためで、途中、金目のものをすべて女にあたえた。もう会えないかもしれない。

「おまえは、婢ではあるまい」

女は立ちどまった。全身がこまかくふるえていることが、夜目にもわかった。あの屋敷の何番目かの息子の嫁だったのではないか、と韓信はこの女と接しているうちに想像するようになったが、しかし韓信自身、こわくてその想像を口にすることはできなかった。女が自殺するかもしれない。秦は戦国の昔から悖徳に対してはおそるべき社会だった。道徳はすべて法に組み入れられ、もし女が不貞をはたらけば情状などいっさい顧慮されず、衆人の前で残忍な刑に処せられた。秦の法はいったん劉邦が廃止したが項羽がその廃止を無効にしたからなお継続している。秦の法の残忍さのために秦の女が不貞について懼れることは餓えた虎を見るよりはなはだしかった。

「亭主が、おまえを置きざりにして逃げてしまったのか」

「いいえ、逃げたのは舅たちです」

女は、小さな声でいった。

「亭主は？」

「章邯に徴兵されて関東（函谷関より東方・中原のこと）へ行きました」

「いま、どこにいる」

「新安（河南省）の阬の中にいます」

といったとき、女はのめるようにして折りくずれてしまった。

ユーラシア大陸の屋根をなすのはヒマラヤ山脈と崑崙山脈をふくめた地球の巨大な皺だが、それらの山の勢いが東方へ押しよせて中国大陸に入るときやや衰えをみせる。それでもなお岷山山脈の高峻をつくり、さらに萎えて陝西方面をおびやかし、秦嶺山脈として天にそびえ、さらに大巴山脈となって、ひとびとの攀じるのをこばんでいる。

いずれも崑崙、ヒマラヤの余波といっていい。

劉邦とその漢軍が関中盆地をすぎて海抜三千メートルの暗黄色の山々を越える道は、わずかにふたつしかない。褒谷道と陳倉道であった。ただし道路といえるような通路ではなかった。

「秦ノ桟道」

と、中原のひとびとが遠い国の神話でも聞くようにして伝えている道で、下は千丈の谷という岩壁の中腹に丸太の支柱をつくり、その上に丸太を置きならべて作った桟なのである。桟は、わずかに人をひとり通すのみであった。また巴蜀へいたるに大巴山脈を越えねばならず、ここに、後世、唐の李白がうたった「蜀道の難きは青天に上るよりも難し」という蜀ノ桟道がある。

これらを越え、渡ってゆく漢軍のひとりひとりの行路のつらさは、後世の登山家の比ではなかったであろう。乗馬や輓馬、あるいは車は関中の一定の場に置きすて、荷は士卒が背負い、軍夫もまた背負った。桟は山を繞り、ときに雲が足もとを流れ、日に何人かは士卒がはるかな谷底へ悲鳴をのこしながら落ちた。

士卒の多くは、黄河、淮河、あるいは長江に沿ったおだやかな自然を故郷としているだけに、死人の肌のような色をした山谷を見るだけでもおびえた。さらにそれを繞ってゆくうちに前途への希望が萎え、この魔界のような自然を越えてなにがあるというのかと思うと、ひとびとの足は進まなくなった。何日か経つと、逃亡者が多くなった。みな集団で逃げた。日が経つにつれ、将たちまでが逃げはじめた。将が逃亡しようというと、配下は救われたように歓声をあげて従った。このままでは漢軍の何割かが漢中盆地にたどりつくまでに消えてしまうのではないか。

劉邦にもっとも忠実な護衛隊長の樊噲でさえ、

――わしらが懸命に戦ってきたのは、ひたすら故郷へ帰るたのしみがあったればこそだ。生きてふたたび泗水のながれを見ることができないようなこんな蛮地をさまよっているくらいなら、いっそ死んだほうがましだ。

と、泣いた。

なかでも新参の韓信の気持は、どうにもならない。天下軍である楚軍からわざわざ鞍替えしてきたというのに、なんとうらぶれた軍に入ってしまったことか。そのうえ、韓信はかれの希望が容れられたどころか、蕭何によって命ぜられたのは、連敖という本営の雑役係だった。連敖は百人もいたろう。ある宿営地で、韓信はそれらのうちの十数人の仲間と共謀し、本営の行李から酒と肴をぬすみ出し、車座になって大さわぎした。酒がほしかったのではなく自暴自棄になってしまっていた。

当然、韓信は仲間たちとともに軍法に触れ、首を刎ねられることになった。処刑はこの大陸の慣行によって衆をあつめて見物させる。劉邦自身が、むろん検分する。

（あいつが、劉邦か）

韓信は、縛られながら、劉邦を見た。いままで職務上、何度か劉邦の顔を見てきたが、きょうほど間の抜けた顔に見えたことがない。韓信は自分の運命がこうも自分の志とちがい、かつ漢中へ行って生涯、田舎の下っ端役人でおわるくらいならここで死んだほうがましだと思いさだめていた。その点、かれはふしぎなほどに生命への執着心のすくない男だった。

死刑囚の韓信の目の前を、夏侯嬰が歩いている。

かつて沛の町の馬車の馭者だった夏侯嬰は、商売柄なのかどうか、車戦の指揮がたくみだった。何度も戦いを勝利にみちびいてきたが、しかし本音は軍隊指揮をあまり好まず、ひまさえあれば劉邦の馭者をつとめた。劉邦は項羽から巴蜀・漢中の王に封ぜられたとき、王としての形式をととのえるためその配下にふんだんに爵をあたえた。劉邦一個の護衛者である樊噲も舞陽侯と称せられ、おなじしごとをしていたように、馭者の夏侯嬰も滕公と称せられながら、馭者台で相変わらずむちを空に鳴らしていた。もっともこの難行軍では馬車がつかえないため、樊噲と交代で劉邦をときに背負ったりした。

このためつねに劉邦のそばにいた。

この韓信らの処刑のときは、夏侯嬰は他行していた。用を終えて戻ってくると劉邦が軍法を犯した者の処刑の検分をしている。すでに十三人が首を刎ねられ、つぎは韓信というときに、夏侯嬰はひとめ見て、

(こいつは尋常の人間ではない)

とおもい、劉邦のもとに駈け寄り、

——主上よ。あなたは天下をお望みにならないのですか。

と、ささやいた。この点、劉邦というのは配下にとってじつに話しやすい男だった。主上、あなたには目がないのか、あの男の面魂をみるとゆくゆくどういう御役にも立つ男です、といったので劉邦はあわてて処刑役人を制し、韓信の縄を解かせた。それだけでなく劉邦は韓信を別室によび、かれの戦略戦術についての話をきき、理解できたのかどうかはべつとして、大声をだして感心した。その感心のしるしなのか、韓信を治粟都尉という官につけた。軍糧や軍用銭をあずかり出し入れする役職で、兵站の一将校といっていい。韓信はよろこばず、むしろ悲しんだ。

「これなら首を刎ねられていたほうがましだった」

と、連敖のころの同僚たちにいった。同僚たちは韓信を半ば狂人だとおもっていたから、声をあわせて大笑いした。こいつは命びろいをした上に出世をした。それでなお不足をいっているというのは脳のぐあいがおかしいのであろう。

当の韓信は、自分を影のような人間だとおもっている。

さほどに生存欲はなく、まして出世欲などはない。といって厭世家ではなく、ただひたすらに自分の脳裏に湧いては消える無数の戦局をほんものの大地と生命群を藉りることによって実現してみたいということだけが、この世で果たしたい希望であった。想像の上の戦局では韓信はつねに勝った。これを実際にやってみないかぎり想像は湧きつづけるばかりであり、湧くということはとめようがなく、すてておけばあたまが割れてしまうのではないかとさえ思っている。

行軍中の治粟都尉の実際のしごとというのは、まことにくだらない。軍夫の親方で、重い荷をかついで桟道をわたってゆく軍夫たちを督励するだけだった。毎朝、起きると軍夫の数をかぞえねばならない。かれらはこの苛酷な労働にたえかね、夜陰、食糧を持ったまま逃げた。

——おれのほうが逃げだしたいくらいだ。

韓信は、毎朝、陰鬱な顔で人数をかぞえた。

この兵站の仕事をするようになってから、その方面の最高責任者である蕭何（しょうか）との接触がしげくなった。

（なぜこんなつまらない男を劉邦は大切にあつかっているのだろう）

と、韓信がおもうほど、蕭何は平凡な吏僚という印象から多くはこえていない感じだった、このあたり、韓信より劉邦のほうが、高い場所に窓のあいた人間といっていいであろう。蕭何に関し、韓信に見えないなにごとかを劉邦は見ているようであり、そういうことよりもときに幼児が親をたよりにするようにして蕭何をあつかい、この態度は一貫して変わらなかった。蕭何はつねに後方にいて戦争をしたことは一度もなかった。軍事がすべてというこの段階の劉邦と漢軍にとって蕭何の存在はむしろ異例で、それ以上にそういう蕭何を大切にしている劉邦の態度は、韓信にはわかりにくかった。

蕭何は、劉邦が巴蜀・漢中を得て漢王を称するようになったとき、丞相（じょうしょう）に任ぜられた。丞相というのは文官としての最高官であったが、やっている仕事といえばあいかわらず補給と軍旅の宿（しゅく）割り、あるいはあらたに漢の領地になった巴蜀・漢中に先遣隊を出して行政の基礎がためをするといったことばかりであった。

あるとき、急坂（きゅうはん）というよりも地の底へそのまま吸いこまれてゆきそうな坂の上で、韓信は軍夫たちと一緒に思案していた。人間が荷を背負っておりれば、荷で上(あが)っている重心が人間をかっさらって谷底へ連れて行ってしまうことはまちがいなかった。

そこへ蕭何が通りかかった。丞相といわれるほどの男であったが、容儀はつねに軽く、食糧を持った男二人と走り使いの者一人をつれているだけだった。蕭何は韓信の肩をたたき、

「信(しん)さん。あなたは天才かもしれないが、いくさというのは、本来これだよ」

と笑って、急坂を難なく降りて行った。身ごなしが、鳥を追っている猟師のように軽かった。

このあたりが、蕭何の気くばりというものだった。

この男は全軍の様子をその神経のなかにおさめて軍夫のはしばしにいたるまでそのぐあいを見つづけているようであった。いくさきちがいといえる韓信を治粟都尉という兵站の一隊長にすべく劉邦に献言したのも、蕭何であった。戦いの基本は補給であり、いくら兵の進退に長じた将軍でも補給を思考の主要要素に入れなければしろうとにすぎず、しろうとの戦(いく)さ上手に戦争をやらせるととんでもない惨禍(さんか)を味方に蒙(こうむ)らせてしまうことを蕭何はあらゆる人間と局面を見てきてよく知っていた。韓信を治粟都尉にしたのも蕭何の気くばりの一つであったといっていい。

蕭何の気くばりは、むろん劉邦をも、目にみえぬ繭をつくるようにしてくるんでいた。この難行軍に音をあげ、前途についても絶望してしまったのは、劉邦自身だった。かれは遊び人あがりだけに体力や根気がなく、

「もうだめだ」

と、何度も悲鳴をあげた。いっそ関中にもどって項羽と戦う、と自暴をおこしたとき、蕭何はすばやく張良に目くばせした。張良の聡明なことば以外、劉邦をなだめる方法がないことを蕭何は知っていた。

「主上よ、これはほんの一局面にすぎないのです」

と、張良は言い、ただそのひとことで劉邦の気持はしずまった。

ついでながらこの長征における張良の気働きというのは非常なものであった。かれは劉邦を漢中に送ってから自分はひきかえすつもりでいた。かれ自身の主人である韓王成は項羽によって旧韓の地のほんの狭い領地をあたえられ、陽翟（河南省禹県）に都することを命ぜられた。張良はその家老として面倒を見るため陽翟へゆかねばならない。

あと数日で漢中盆地に着くという晴れた朝、劉邦が高所から後続する部隊をふりか

えると、歯の欠けた櫛のようにそらぞらしくなっている。やがて報告者が駈けてきて、某も逃げた、某と某の陣営も空になっている、などと報じた。ほどなく将たちがごっそりと逃げてしまったという報告が本営に入った。

「なんということだ」

劉邦は頭をかかえた。残っているめぼしい連中といえば沛以来の周勃、夏侯嬰、幼なじみの盧綰、獄吏あがりの曹参……とかぞえているうちに信じがたい報が入った。

——蕭何も逃げた。

と、いう。

劉邦は目の前がまっくらになった。もともと劉邦は危機について鈍感な男で、どういう不利な報が入っても昆虫が仮死を装うようにしばらく薄ぼんやりし、まさか、とつぶやいて左右を見まわすのが癖だったが、この場合だけはそうではなかった。体も疲れきっており、さらには漢中が近い。そこへ入りこめば地の涯の暗い穴倉に落ちこんだも同様抜けられないと思っているその地が近づくにつれ、気が滅入って体のうごきもにぶく、それに毎日、下痢がつづいた。劉邦自身でさえそうであるのに、蕭何だけがべつの心と体を備えているはずがなく、考えてみると逃げるのも当然だと思った。

(それにしても逃げるならおれを置いて逃げることはないじゃないか)

劉邦は、蕭何の不人情をうらめしく思った。

「追え。蕭何をつかまえろ」

劉邦は本営の表へとび出し、両手をふりまわして叫んだ。蕭何が居なければ劉邦の軍など融けてしまう。すくなくともただの流賊のむれと化してしまう。かれは戦っては敗ける名人だったが、敗北については人並み程度の恐怖しか持たなかった。しかしこのときばかりは、おそろしかった。

やがて蕭何がもどってきたとき、劉邦は飛びあがってどなった。が、すぐ笑いだし、ひるがえってさらに怒り、ほとんど度をうしなった。蕭何はなだめるように、

「逃げたんじゃないんです。逃げた人間を追っていたんです」

といった。劉邦はいよいよ疑い、たれを追っかけたんだ、とどなった。

「韓信です」

といったとき、劉邦は粉をかぶったように蕭何への疑いでまみれた。指折って数えるとすでに十数人の将軍が逃げている。そのうちのたれに対しても蕭何は追わなかったのに、たかが治粟都尉の韓信を追うなど、やはり逃亡の口実ではないか。

劉邦はそういってなじった。

「上（しょう）よ」

蕭何は劉邦をすわらせ、ああいう将軍たちなど束になって逃げても惜しくはないのです、韓信はちがいます、あなたがもし巴蜀（はしょく）・漢中の一地方勢力として満足なさるなら韓信は不必要ですが、はるか中原（ちゅうげん）の地に出て楚と天下の覇（は）をお争いになるなら韓信は必要です、といった。

劉邦は、鎮静した。

「韓信とは、そういう男か」

「しかし、上よ」

蕭何はいった。

「韓信について上はまだ十分に認識しておられない。思いきった登用をなさらねばあの男はまた逃げるでしょう」

「うむ」

劉邦の顔色は冴（さ）えない。この男にとって蕭何だけが惜しく、韓信などどうでもよかった。

「それでは、卿（あなた）の顔を立て、思いきって信（しん）を将軍にしよう」

「いやいや、ただの将軍程度では信はとどまりますまい」

蕭何は市の商人が値をつりあげるようにいった。劉邦も思わず、

「では、大将にしよう」

と、いってしまった。大将とは諸将を統帥する職である。ここにいたって、

「幸甚。――」

と、蕭何は当時の俗語で答えた。甚だ幸いなり、とは最大級の感謝と満足をこめたことばであろう。

劉邦は、手を拍って鶏でもよぶように室外の連敖どもをよんだ。韓信をつれて来させて今日からお前は大将だ、と告げようとしたのである。

「それだからこまるんです」

蕭何があわてて押しとどめ、あなたはそういうぐあいで、人に対し無礼で傲慢で、大将たる者を任命するのに子供に物でもくれてやるようなやり方をなさいます、私ども沛のころからの人間ならそれでもいいのですが、他からきた才能のある者は、才能があればあるほど辟易して逃げます、と言い、

「よき日をえらび、主上みずからが斎戒して身を潔め、場所をえらび、壇を設け、百官を堵列させて韓信を任命なさるように」

と、いった。劉邦はそのとおりにした。漢中に入ってから劉邦がとりおこなった最大の儀式は、韓信の任命式であった。

彭城の大潰乱

韓信の人物は、外見から察しがたい。

たとえば竜且という軍事の専門家が、後年、韓信の敵将として決戦場で見えたときも、

「敵は、韓信か」

と、その名をあざ笑って左右にいった。

「あの男ならおれはむかしから知っている。ただ与しやすいだけの人物だ」

与しやすい、とはこの場合、戦いの相手にしやすいという単純すぎるほどの批評である。さらに竜且は、おれは以前から韓信の臆病なことを知っていた、あいつはすぐ逃げるんだ、ともいった。竜且は楚の出身で、項羽軍のなかで終始し、その将軍になった男である。かれは項羽軍の無名の下級将校だった時代の韓信を見知っていた。そ

の男のむかしを知っているということがその男のすべてを知っているということに錯覚しやすい。竜且もそうだった。結局、韓信に大敗してしまった。

軍事の才能は、養成も教育も利かない。ただ偶然、何者かに宿るのみである。才能としてはもっとも稀有で、もっとも特殊なものであり、何者にそれが宿っているか、たとえば竜且のようにむかし韓信と昵んだ同僚でもわからない。

その韓信が、任命式の壇上にいる。

劉邦からいまより漢の大将に任命すると言われ、その儀式に幾万の士卒が参列した。たれもが壇上の韓信を見て名将であるとはおもわなかった。蕭何のみがおもったというのはむしろ異常といっていい。蕭何は生涯、きらびやかな場に出ず、めだつ行動を避け、自分の功績を語らず、ひたすらに劉邦の裏方である姿勢と位置をまもりつづけたが、韓信の中に名将の器才を見出したという一事だけでも尋常な男ではない。

劉邦自身、蕭何にいわれて韓信を大将にしたが、その任命式の主人をつとめながらもなぜ韓信でなければならないのか、よくわからなかった。

儀式がおわると、劉邦その人が主人になり、韓信をまねいて小さな酒宴をひらいた。陪席する者は無口な蕭何とそれ以上に寡黙な夏侯嬰である。

戦国期の社会で中国なりの個とその尊厳が確立していたことはすでに触れた。その後の中国史ではこの風が衰弱してゆく。個の尊厳は、ただし士の場合だけである。士とは当人がそう自覚したときにすでに士であり、決められた身分ではない。ともかくも劉邦の時代は戦国の風がなおいきいきと息づいており、劉邦は漢王として韓信を大将に任命したとはいえ、自分に隷属した子分であるとはおもっておらず、礼の上ではあくまでも士という独立の人格と自尊心を持った相手として遇した。無作法で知られた劉邦でさえそうであった。

「将軍よ」

劉邦は、鄭重に、韓信に対して教えを乞う姿勢をとった。私はあなたについては蕭何がやかましく推薦したから将軍にしたのだが、しかし私は十分にはあなたを知らない、この私にどういうことを教えてくれるのか、といった。

韓信もまた過不足なく礼を用いた。まず自分を将軍にしてくれた漢王に対し、辞儀を厚くして感謝した。

あとは、問答である。論理も修辞も古代社会としては高度に発達しているために、韓信は自分の考えをのべるのに不自由はない。中国史におけるその後の儒教時代では臣がその主に対して質問を仕掛けるということはなかったが、この時代はその点でも両者は対話者として自由な関係にあった。

「いま東にむかい、大王が天下の権をあらそおうとされる相手は、誰でありましょう」

韓信は、わかりきったことから――この時代の入説者の論法だが――問うた。

「項羽じゃ」

劉邦は、にがにがしげに答えた。といって劉邦は自分の返答に半ば本気ではなかった。項羽は天下そのものであり、劉邦は地のはてのような土地の一軍閥にすぎず、そういう点からいえば、当の項羽がきけば大笑いするのではないか。

韓信はうなずいた。やがて、その何かが漲るようにして張りだしたまるい前額部の下で、両眼が、夜を迎えた鹿のように青く光りはじめた。

（こんな目の男だったのか）

と、劉邦だけでなく、韓信と親しい蕭何でさえおもった。鋭くもなくぶきみでもないが、ただひたすらに青い淵のように透きとおっている感じで、なにを考えているのか、見当もつかない。

韓信自身、いま一種の忘我のなかにいる。

相手に対するひるみとか遠慮、思いやり、あるいは愛情、尊敬といった対人的な感情やしぐさが、韓信の内部から蒸発するように消えてゆくのである。この男は、しばしばこうで、物を考えたり論じたりするときに自分が失せてゆき、感情が変に純化してゆくらしい。ひょっとするとなにか特別な精神体質をもっているのかもしれなかった。

「大王よ、大王と項王の人物を秤にかけられよ。まず、勇悍である点、仁強である点において。――」

この二つを基準に両者の重さを秤れ、という。勇悍とは勇敢という以上の積極的な精神能力で、具体的には戦場におけるたけだけしさを指す。仁強とは仁以上の倫理感情である。配下に対して心優しいというだけではなく、荒っぽくて狂おしいばかりの愛情を示すことをさす。勇悍と仁強は一見矛盾したものだが、ときに相剋する性格が一ツ人格の容器に入っている場合、理想的な王ができあがる。この時代はすくなくとも王の資格はそのように考えられていた。

ただこの韓信の質問は無礼というほかない。蕭何でさえ韓信を制止しようとして腰を浮かしかけたほどであったが、劉邦は韓信のその異様な両眼に魅入られたのか、大まじめに考えはじめた。やがて、

「わしは項羽に及ばぬ」

と、いった。韓信は冷やかに、

「私もそう思います」

うなずき、次いで、

「私は項王に仕えた経験がありますから、その勇悍はよく知っております。かの人はひとたび怒りを発して衆をどなりちらすと、千人の勇者もひれ伏して顔を上げる者はありませぬ。それほどに勇悍ですが、ただ有能な将軍たちに物をまかせるという性格をもっておりません。とすればかれの勇悍は将の勇悍でなく、匹夫の勇悍ということになります」

「……………」

劉邦は無言ながらほっとした。かれはあの岩石も吹き飛ばすような項羽の怒気を鴻門の会で全身に浴びているだけに項羽という名をきくだけで慄えが走るような気もする。韓信はそれを匹夫の勇だといってくれたのである。

「そうか、あれは匹夫の勇か」

劉邦は、なにか呪縛から解き放たれたような気がした。

「項羽は、仁強については、どうだ」

「あの人の仁強というのは、これは微妙なもので、接した者でなければわかりません。敵に対しては猛虎のようでも、その士卒に話しかけるときの優しさというのは、どう表現していいか。士卒たちは遠く家郷を離れ、戦いの場で命をさらし、遠征して楽しみなく、苦しみのみが多いのです。つねに仁に餓えています。それも一軍の将の仁に餓えています。項王のあの言葉づかいの優しさと思いやりの深さを感じたとき、かれらは冬野のけものたちがあたたかい日向(ひなた)に出たような思いがするのです。このときばかりは項王のために死のうとたれもが思います。楚人は本来、そういう感激を持っています」

「項羽の仁強は、配下の将軍たちに対してもそうか」

「変わりません。たれかが病気にかかると、涙をながして枕頭(ちんとう)に立ち、自分の食物を分けてやったりします」

(そうだったのか)

劉邦は、項羽の勇悍しか知らない。勇悍のあまり、降伏した敵兵を何十万も平気で生きうめにしたりする。怒れば配下をどなる。ただそういう男かと思っていたが、反面、味方への愛情のつよさがそこまでであるとは思わなかった。配下の病気で苦しむのを見て涙をこぼすなど、劉邦の感情にはそういう部分がなかった。項羽の感情にあっては、この世のひとびとは自分の味方であるか敵であるか、どちらかで、中間というものがなかった。敵をあくまでも憎み、味方をあくまでも愛するために、論功行賞も露骨に愛憎でもっておこなった。中間というあいまいな感情が項羽にはないようであった。しかし劉邦がおのれをふりかえってみると、平凡な人間という以外に何の感想もない。敵や自分を裏切った者をそれほどに憎めないかわりに、かつて配下に対し熱情的な愛を注いだこともない。

（おれは、つまらぬ男だな）

と、劉邦はわれながら、自分がおかしかった。

韓信の両眼が、そういう劉邦を見すかすように見つめている。

「おわかりになりましたか」

「わかった。わしはとうてい項羽にはおよばぬのだ」

と、真顔でいった。

韓信は、ここで劉邦に感心すべきであったろう。もし項羽にこのようなことを言えばふたことも言わぬまに煮殺されるにちがいない。が、韓信には人間のこういう部分に感激したりする感受性が、もともと無いにひとしかった。この点、たとえば張良とは基本的にちがっていた。韓信は劉邦を物の言いやすい人物と見ており、そう見た以上、そういう劉邦観が単に記号になり、記号の上にあらたな思考をつみあげるのみであった。記号に感激するばかもないではないか。

「ただし項王がもっておられる仁強というのは」

　と、韓信はいった。

「婦人の仁です」

　といったとき、劉邦はおどろき、蕭何も夏侯嬰も、目をそばだてた。

「項王はあれほど配下の将軍を愛しながら、いざかれらの功績に対して封土や爵位をあたえる場合、ためらい、吝み、どうせさずけねばならぬ印を手中から離さず、こすりにこすって、すりへってしまうほどです。仁ではあっても物をおしむこと甚だしい。それは婦人の仁というべきです」

（そういう点は、わしはまぬがれている）

　と、劉邦はおもった。

「でありますから、項王の悍強も、結局はもろいでしょう」

「項羽は、もろいか」

　劉邦は救われたようにいった。

「とは、参りませぬ」

「いま脆いと将軍は言ったではないか」

「相手によってはもろいといっただけです」

「相手とはたれのことだ」

劉邦が、せきこんだ。

「大王のことです」

韓信は、蔓にぶらさがった瓜をながめる農夫のような無表情さで、劉邦を見つめた。

「大王よ」

韓信はいった。

「大王は要するに項王と反対のことをなさればよいのです。天下に武に長けた者があればどんどん任用されよ。功をたてれば惜しみなく天下の城邑をおあたえなされ。さすれば、項王の悍強はついにみずから折れざるをえません」

さらに韓信は、項羽がとりかえしのつかぬ失敗をしたことを四つあげた。ひとつは関中の沃野と要害をすててはるか東へ走り、大敵をふせぎがたい彭城（徐州）を根拠地にしたことである。次いで最初にかつぎあげた義帝に論功行賞を相談せず、自分を敬し、自分が愛した者ばかりに大きな封爵をあたえ、功があっても項王に疎遠だった者に何も与えなかったか、与えるものを薄くしたことである。これによって新規の王侯どもは項王の威をおそれてその盟下には入っているものの、そのじついつ離反するかわからない。第三は、戦野のいたるところで虐殺暴行のかぎりをつくしたことであった。このため人心は項王から離れている、と韓信はいった。第四番目は、義帝を江南のはるか南に流罪同然にして追放したことである、といった（この時期、義帝が項羽に殺されたことは、情報として入っていない）。

「大王よ」

と、韓信はいった。

「大王の配下はこのような僻陬にきて、東方の故郷を狂わんばかりに懐しんでおります。かれらをひきい、義によって項羽を討つと天下に標榜して関中をめざされれば、兵はよろこび、その勢いあたるべからず、天下に充満する不満の心はみな大王に味方しましょう」

と、いった。

さらに韓信はくりかえし、秦の故地（関中）をまず攻められよ、といった。かならず成功します、とも言い、関中の人心が新王の章邯らから離れている事実をあげた。言いおわってしばらく息を入れ、次いで関中へ入るための作戦計画をのべた。

この間、劉邦は正座したり膝をくずしたりした。韓信も大柄だが、劉邦にはかなわない。とくに劉邦は胴がおろちのように長く、上体がゆらゆらしていて、ときに滑稽な感じもした。顔の下半分が漆黒のひげでおおわれているために外貌から賢愚が窺いにくい。ひげの中に、たえず濡れている唇が隠顕した。両眼は聡明という印象から遠く、その厚い唇はいかにも欲深そうだった。最初、韓信は、

（こういう男が天下をとれるだろうか）

と、不安におもった。ただ劉邦は微笑うとひどく可愛い顔になった。

可愛いといっても、美男とも子供っぽさともちがっていた。韓信のみるところ、愛すべき愚者という感じだった。もっとも痴愚という意味での愚者でなく、自分をいつでもほうり出して実体はぼんやりしているという感じで、いわば大きな袋のようであった。置きっぱなしの袋は形も定まらず、また袋自身の思考などはなく、ただ容量があるだけだったが、棟梁になる場合、賢者よりはるかにまさっているのではあるまいか。賢者は自分のすぐれた思考力がそのまま限界になるが、袋ならばその賢者を中へほうりこんで用いることができる。

（劉邦という男は、袋というべきか、粘土のかたまりというべきか）

韓信は、話すうちに劉邦という男がひどく新鮮にみえてきた。当初、どろがあいまいに人の形らしい格好をなしてすわっているような印象でもあったが、韓信が話しおわったときどろがいきなり人になった。劉邦は右こぶしを挙げ、よろこびのあまりかたわらの小机を打った。

——将軍よ、わしはあなたを得ることが晩すぎた。

と叫んだ。劉邦はどうやら韓信によってはじめて自分を知ったようでもある。すくなくともあらたな自分をつくる方向を得、さらにはあすから行動すべきすべての方針と日程まで手に入れた。この点貴族の出の張良は遠慮ぶかすぎた。韓信は元来うしなうものが何一つない庶人の出で、言葉は率直、露骨であり、また物事を冷酷なほどに正確に見る能力と習性を身につけていた。劉邦が張良によって自分を発見せず、韓信によって発見したのは、同階級出身の韓信のことばのほうがおなじ感覚の劉邦に対し電磁力を帯びたようにいきいきとしていたせいであるかもしれなかった。

劉邦軍——漢軍——は進発した。

ときに初秋で、山岳の日中は岩を灼くようにあつく、夜は冬のような寒気が谿々から吹きあげ、星空を凍らせた。

すでに漢軍は漢中に入るに際し、みずから行路を断ち、桟道を焼き、ふたたび関中に出る意志のないことを示した。このことは、中原にいる項羽を安心させた。さらに項羽が、劉邦ふせぎのために関中に封じて王とした亡秦の将章邯をも安堵させた。

「劉邦は漢中にもぐりこんで、かの地で老死するつもりでいる」

と、章邯はひとにも語った。

秦の末期に常勝将軍の名をほしいままにした章邯でさえ劉邦をそのように判断したのは、かれが秦人だけに地理を知りぬいているためであった。関中とのあいだに天に上るよりも難いという絶巓がかさなり、道はなかった。天をつらぬくような断崖に桟という棚が掛けられ、わずかに片足を置かせ、ついで他の足を前に踏み出すというみちがついているにすぎず、その桟道は漢軍が漢中に入るとき、背後から項羽軍に襲われぬようみずからが焼きはらってしまっている。劉邦が鳥にでもならないかぎり、外界へ出ることはできなかった。

が、劉邦は韓信を得ていた。

韓信は関中へ進入するにあたって、まず桟道の再建工事からやりはじめたのである。軍隊としては未曽有の大工事だった。

「東へ帰るのだ」

と、兵たちをはげまし、木を伐らせ、背負って岩場にのぼらせ、岩を穿って支柱を斜めにし、その上に桟を作らせた。地崩レ山摧ケテ壮士死ス、というのは後世、李白が蜀道の難きを詠んだ詩句だが、木ノ実がころがり落ちるようにむなしく地の底のような谷に落ちてゆく兵も多かった。

兵たちはたとえ故郷でなくても、人間の世界に帰りたかった。そのために苦痛をいとわず、昼夜働いた。韓信はふしぎなことにどこにでもいた。何人の韓信がいるのかとひとびとがいぶかるほどにこの男はどの工事現場にも出没して、兵たちをはげました。この男は、たしかに将軍に必要な仁強の性格をもっていた。この難工事のなかで、兵たちと韓信のあいだに愛情のきずなができ、この男と一緒に故郷へ帰るのだという思いがたれの胸にも灯のようにともった。

関中は、通常、地名として秦とよばれる。

項羽が三分して亡秦の将だった三人の王（章邯、司馬欣、董翳）にあたえたためこの地域名は三秦とよばれるようになっている。

三秦のうち、章邯の封土は秦の旧都咸陽より西方すべてで、その首都は項羽の命で廃丘（陝西省興平）に置かれている。咸陽のすぐ南で、田舎町にすぎない。

章邯の版図の西方に宝鶏という町があった。

むかし秦の文公がこのあたりに狩猟をして、ふしぎな石を獲た。石は流星のようにかがやき、雄鶏のように鳴いたというから、天から落下した隕石であったろうか。文公は神異を感じ、一祠を建ててこれをまつった。祠は宝鶏祠とか陳宝祠とよばれ、やがて町の名になった。

この宝鶏のそばに、黄土層の大地が大きく穿たれて官用の穀物を収蔵したあなぐらがある。陳倉という。渭水に沿っている。渭水は西方の隴西を源として東流し、陳倉をへて咸陽にいたる。かつて咸陽の大人口の食物を貯蔵していたのがこの陳倉であり、いまも章邯の首都廃丘の食糧はここでたくわえられている。

その陳倉をうばうべく漢軍が出現したときいたとき章邯はうそだろうと思った。

「降って涌いたわけではあるまい」

と、急報者をどなった。

こういう場合、どなるなど、かつてのこの男らしくなかった。

章邯は、秦の末期、機動軍をひきいて各地の一揆とたたかっているころはつねに温容を保ち、声色がおだやかであったが、ちかごろは人変わりしたように顔もけわしくなり、不意に笑い、理由なく怒ったりした。

ただしこのときの怒りには理由があった。突如、漢軍があらわれるなどありえなかった。が、宝鶏や陳倉の守備隊の耳目は、漢軍に包囲されるまでなにも聞かず、何も見なかった。

この漢軍にとっての奇跡は、韓信の戦略によるものだった。韓信は特別工作隊を組織し、あらかじめ宝鶏付近に潜入させ、農民たちと十分に語りあわさせ、すべての農民を味方にひき入れてしまっていたのである。

どの農民も、漢軍の出現を官に届け出なかった。かれらはそれほどに章邯を憎み、一方、かつて関中を占領して一物も掠奪しなかった劉邦とその軍隊をなつかしみ、一日も早く劉邦が漢中から出てきて関中をおさめることを、旱天のとき雨をひたすらに待つかのようにして待っていた。関中の農民がすべて劉邦に味方したということは、劉邦の戦いにとって戦略以前の大政略をなしていた。このやり方は後世のどの時代の革命軍にもひきつがれるようになった。

このあと、韓信の大軍がひそかに関中平野に入った。要するに降って涌いたのである。その軍はたちまち野を洪水のようにひたし、宝鶏、陳倉をうばった。

章邯はすぐさま兵を陳倉に出したが、章邯軍の経路、動向を、土地々々の農民が韓信に報らせた。韓信は穽をつくり、子うさぎを捕るようにこれをとらえ、破った。章邯はいらだち、みずから兵をひきいて西進した。しかし一戦でやぶれ、敗走し、好時という町にしりぞき、ついで廃丘に逃げこんだが、韓信が付近の河川を切って水攻めにし、廃丘を孤立させ、そのはてに章邯を自殺させた。かつてあれほどの将才をうたわれた章邯にしてはもろすぎるほどの最期だった。この間、漢軍の別働軍が司馬欣を櫟陽に攻め、また董翳を高奴に攻め、それぞれほろぼした。かれらはほろびるというよりも溶けるように消えた。最後には兵たちは王をすてて逃げた。

関中のひとびとは、歓呼して劉邦をむかえた。

この地は連年の不作と掠奪で荒廃し、秦の旧都咸陽も項羽軍の放火によって灰になってしまっていた。このため劉邦はとりあえず司馬欣のいた櫟陽を首都にした。

櫟陽はいまの西安（かつての長安）の東北方の高陵付近にあった小さな都市で、さきに司馬欣が急造した宮殿や庁舎があった。

この臨時の首都へ関中のあらゆる町や村から父老があつまってきて劉邦の戦勝を祝い、口々に関中の王になってくれることを望んだ。劉邦は儀礼として辞退した。が、再三の懇望という儀礼をうけ、やむなく、という型でもってこれをうけた。農民が推戴した王というものであり、いかにも百姓一揆の首領あがりらしい王ができあがった。一方、民政家の蕭何は、いそがしかった。かれはかつて咸陽入城のときに押収した秦の行政に関する書類を点検し、亡秦の吏員を採用し、一方、土地々々の父老から実情をきき、良政を布くことに専念した。

蕭何ほどの民政家は中国史上まれというべきであったであろう。かれは後世の民政家のたれよりも権限が大きく、たれよりも無私で、たれよりも上から掣肘されることがなかった。劉邦は蕭何にまかせきっていた。まかせられてもこの男は私的勢力をつくることがなく、私腹もこやさなかった。

劉邦は、国名を創った。

「漢」

と、よんだ。漢中王であったときその地域呼称にすぎなかった漢を、そのまま関中にまで持ってきたのである。

「この関中の地を永世に漢の根拠地にするためには、社稷をつくるべきでしょう」

と蕭何が献言した。劉邦は、言われてみて気づいた。かつては王だけでなく、諸侯でさえその領土の中心に社稷をもっていた。

「国をつくるとなると、いろいろわずらわしいことがあるのう」

劉邦は言いながらうれしそうだった。

社はもともとやしろでなく、神そのものをさした。とくにその国土を象徴する守護神のことで、小さくは村里にもあり、大きくは国土にも「社」という神がまつられる。稷もまた神である。五穀の神である。社という字義と同様、神をもさし、同時にその祠をもさす。土地神と農業神をまつって国家の宗廟とする古代中国の思想または風習はその後の中国では変質し、衰弱したが、以下はついでながら上代日本にそのまま輸入された。伊勢神宮は古代権力が多分に人工的につくった廟所だが、まず日の神がまつられた。次いで後代、いつのほどか同格の農業神があわせてまつられた。それが、稷である。やがて内宮・外宮を律令国家の社稷とした。律令日本は仏教を輸入しただけでなく、国家の社稷も輸入したといっていい。

さらについでながら、この時代の中国の里は二十五戸の集落とされていた。里ごとに氏神として社があることはすでにのべた。里における社には、建物がある。

しかし王国そのものの社稷には、建物がない。

杜という神聖空間があるだけである。

その杜の中に特別な空間を設け、そこに神が棲むとする（まわりは鬱然たる樹林であり、建物といえば神主が住む家や祭祀のための屋があるにすぎない）。ただ空間のみをあがめるというのは、日本の原始神道にもある。もっとも上代中国の場合、天の陽気（日光や風雨）と地の陰気（霜や露）をそこでうけるため、という陰陽説による神学的説明がある点、日本の原始神道と異なる。

亡秦にも、遠い諸侯時代からひきついだ社稷があった。

その王国がほろびれば新王国の建設者は前王朝の社稷の樹々を伐りたおし、杜を消滅させてしまう。社稷をほろぼすというのはそこから出ている。

劉邦は亡秦の社稷を廃止した。といって破壊するのではなく、いままでの神聖空間に屋根つきの建物をつくり、天の陽気を受けさせないようにした。亡国の社稷に対する古くからの処分法であった。建物の北側に一つだけ窓をあけさせた。地の陰気がこもらぬよう、そこから抜けてゆかせるためであり、これも、「ほろぼす」ということの処分法の一つであった。

項羽がやった論功行賞の失敗は、日とともに深刻な結果をひろげはじめた。

本来、項羽軍——楚軍——は各国の自称の王やその任命による出来星の侯たちのあつまりで、項羽は秦がほろびたときにそれらの多くを王や侯にしなかった。項羽の気にいりの者をあらたに王侯にし、かつての自称王についてはかれらを他地域に移した。あるいは王侯から格下げにした。ときに、韓王に対してそうであったようにこれを殺したりした。

かれの論功行賞は、混乱と反乱、あるいは項羽への見限りのみをまねいたといっていい。

たとえば、斉——山東半島とその根元一帯——の場合をいえば、項羽はこの地を肉のように切りきざんでしまった。

戦国の斉の王家は、田氏である。むろん、この王家は秦にほろぼされた。そのあと、秦末の大反乱時代のどさくさにまぎれ、旧斉の王族のひとりである田儋が自立して斉王を称したが、秦の将軍章邯に攻め殺された。が、まだ田姓の者が多くいた。旧王族の田栄と田横がそれぞれ将軍として国外に出ていたが、田儋が死んだとき、田仮という者が王になったため、田栄は軍をひるがえして故国にもどり、田仮を撃った。田仮は奔り、項梁・項羽の保護をもとめ、かくまわれた。そのあと、田栄は田市という者を王にし、自分は宰相になった。

この複雑な政情の斉を、何人も始末できなかったであろう。項羽の単純さのみがそれに断をくだすことができた。かれはその論功行賞のとき、まず牛刀でたたき割るようにして斉の地を三分した。

それに項羽は斉の実力者である宰相田栄がきらいであった。

「あいつは、叔父の項梁が定陶の戦いでしきりに援兵をたのんだのに来なかった。叔父を殺したのも同然というべきやつだ」

とし、最初から無視し、恩賞をあたえなかった。

また項羽は、宰相田栄が擁立した斉王田市をも王とみとめず、膠東（山東半島の先端）の領主におとした。

おおぜいの田姓のなかで、田都という者がいる。この者は項羽が鉅鹿で戦ったとき、小部隊ながら斉兵をひきいて戦場にきた。この無名の者をいきなり斉王にしてしまった。その理由は、

「斉のあのやつらのなかで田都だけだった、おれとともに戦ったのは。――」

というだけのものであった。ほかに田安という者もいる。この者は項羽の陣営につねに侍っていて斉との連絡につとめただけでなく、人柄に可愛げもあった。項羽はこの斉人でさえ知らない旧貴族を一躍王にし、三分した斉のかけらの一つである済北に封じた。

無視された宰相田栄が怒ったのもむりはなかった。かれは自分が擁立した「斉王」田市を新領土の膠東にやらず、斉都の臨淄（山東省）にとどめ、王であることをつづけさせた。臨淄は戦国の斉の都で、当時から大都会であり、秦になっても郡都として栄えた町である。

宰相田栄はいちはやく項羽に反乱した。軍をひきい、項羽のひとことで斉王になった田都を討ち、奔らせた。宰相田栄に擁立されている旧王田市は項羽の怒りをおそれ、あたらしい封地の膠東にむかったが、宰相田栄はこれを憤り、兵をやって殺してしま

った。田栄というのはまことにすさまじい。同族を殺した血しぶきのなかで自立し、みずから斉王を称した。

隣国の趙も、論功行賞で混乱と憤懣がうずまいている。旧趙の功臣だった陳余は項羽からわずか三県しかもらえなかった。一方、陳余の旧友でその後仲たがいした張耳は旧趙の地をもらい、王になり、常山王の称号をもらった。

陳余はこの依怙ひいきに腹をたて、旧趙軍をかきあつめて反乱した。陳余はまず張耳を撃った。張耳はのがれて遠く劉邦のもとに奔った。陳余は蔵から古道具でも出すようにもとの趙王歇をひっぱりだし、項羽の公認を経ない「趙王」とし、自分は代の地を占領し、代王となった。自立することはそのまま反楚ということだった。斉も趙も自立した以上、連合して項羽と戦わざるをえなかった。

ふたたび乱世が舞いもどってきた。

斉と趙という黄河以北の国々が楚の項羽にそむいたという報ほど、劉邦をよろこばしたものはなかった。

劉邦は、この間——あるいはその後も——項羽をおそれること甚だしく、かれが関中を制したときも、じつをいえばよろこびよりその裏側の項羽への怖れのほうが大きかった。

「自分は関中を得たかっただけなのです。あなたにそむくつもりは一切ありません」

という旨のことを項羽の耳に入るようにしきりに工作した。

張良がこの工作に大いに働いている。かれは多忙だった。かれは劉邦に従っていったん漢中へ入ったあと、すぐ中原にひきかえして自分自身の主人である韓王の成のもとで働いた。韓王成はむしろ項羽の拘束下にあった。かれの本来の都は陽翟（河南省禹県）だったし、さきに項羽の論功行賞によってこの既成事実を公認してもらったのだが、しかし項羽の気持は積極的ではなかった。

――やつら（韓王成とその宰相張良）は劉邦にちかすぎる。張良にいたっては劉邦の子飼の謀臣ではないか。

という不快さが、項羽のあたまの中につねにあった。このため、項羽は韓王に禹県の安堵を約束していながらその封地にゆかせず、自分の陣営に足どめしておいた。張良にとっては韓王成に会うためには項羽の陣営にゆかざるをえず、げんに行った。かれは項羽に会い、

「劉邦どのは、関中がほしかっただけです。決して函谷関を出て大王の版図をおかすようなことはありません」

と、劉邦の心と事情をこまかく述べたため、項羽はあどけないほどにそれを信じた。といって張良にだまされたということではなかった。もともと項羽は劉邦を見くびりすぎており、劉邦ごときが東進（函谷関を出て中原に入る）できようなど、その実力からみてありえないと思っていた。それよりも項羽の眼前に火の手があがっており、諸反乱を鎮圧することにかからねばならなかった。

項羽にはその鎮圧の自信があった。

ただ、項羽そのひとには戦闘者としての自信があったが、かれの楚軍の欠陥は、部将たちが単独行動をする場合にかならずしも強くないということだった。

——まず斉から討ち平らげてやる。

ということで、項羽はその部将の蕭公角（しょうこうかく）という男に大軍をあたえ、たっぷり軍糧をもたせて北征させた。

斉はもとの宰相田栄があらたに王になっている。

この田栄には、彭越（ほうえつ）という、田栄などとはくらべものにならぬほどに腕達者な野心家がついていた。

ならず者の大親分というべき男であったろう。

「おれは彭越の息のかかっている者だ」

というだけで、あの秦末の混乱時代、いまの斉のあたりの群盗がふるえあがったといわれている。

彭越は、山陽の昌邑（山東省金郷県）の人で、もともとは野盗からのしあがり、秦末の乱に乗じて子分をふやし、項羽が関中に入ったころには万余の配下をもつ勢力になった。彭越は野性の猫のようにたれにも属したがらず、つねに自立したがり、項羽には一応の気脈こそ通じていたが、親しまなかった。斉の田栄が項羽にそむくといち早くこれに協力し、臣従して将軍になったのは、田栄に忠であったわけでなく、田栄を与しやすいと思ったのである。項羽にそむいたのも項羽がきらいであったわけではなく、できれば項羽にとって代わってかれ自身が天下人になりたかっただけであった。かれはたしかに強悍であったが、ただ人柄が野卑すぎた。劉邦がもつふしぎな滑稽感は劉邦好きの多くのひとびとをつくったが、彭越を好む者はこの乱世でも、あるいはまれなのではないか。

彭越がうけもったのは、ゲリラ戦にちかい活動だった。かれは主として梁の地――河南省の南半分――を舞台とし、さかんに楚の領土をむさぼり食った。項羽がこれにたまりかねて蕭公角を斉へやったのは、とりあえずは彭越を攻めつぶさせるためだった。

ところが彭越のほうが強く、逆に蕭公角は惨敗した。

この報が入ったころ、劉邦が関中において漢王を称したという報も入った。

「いっそ鉾先を変えて劉邦を攻め潰すか」

と、項羽は一時はおもった。が、劉邦などいつでもつぶせると思いなおし、みずから大軍をひきいて斉を討つべく北上した。

ふりかえっておもうと、項羽が、かれが関中をすててまでして好んだ楚の新都彭城（江蘇省徐州）で休息したのはわずか半年にすぎなかった。

項羽の大軍が北方にむかったときは秋も深まるころで、冬を待つ茶色っぽい山や野を人馬が華やかにいろどった。黄が満ち、赤が動き、青がひるがえるなどさすがに天下の主力軍になった楚軍は、旌旗も軍装も美々しかった。とくにかれらは項羽みずからにひきいられるとき全軍に電流がはしるように生動した。

斉の地になだれこんだ項羽軍の強さは、比類がなかった。彭越とその軍は蠅のように逃げ散り、斉軍はいたるところでたたきつぶされ、ついに「斉王」の田栄は身一つで遁げ、途中、農民の手にかかって殺された。

「思い知ったか」

と、項羽は斉の地を転々としながら、何度もいった。かれは自分になつく者にはとほうもなく「仁強」であったが、逆に自分に刃むかう者に対しては、悪魔のように残忍になった。項羽は感情の量が多すぎた。田栄だけでなく、斉の農民も女も子供もみな自分にそむいたと見た。非戦闘者を手あたり次第に殺させ、村を焼き、各地で幾千という人間を束にして生埋めにした。阬は項羽の得意芸になってしまった。

「殺されたくなければ欺くな」

というのが、項羽の政治学に書かれているたった一行の鉄則だった。一人が欺けばかならずその地域の男女を大虐殺した。それによってついには万人が欺かず、自分になびくだろうという期待が項羽にあった。期待というより、当然そうなるという単純な数理のようなものが項羽にあったといっていい。

このため、項羽の戦いは戦闘より虐殺のほうで多忙だった。

かれは田栄に追われたもとの斉王の田仮を楚からよびかえして王にしたが、斉人たちは項羽を憎み、田仮を王とは思わず、いたるところで一揆をおこした。この討伐に項羽は手を焼くことになる。

一方、関中にいる劉邦は、項羽が斉に入ったとき、中原への進撃の好機であるとみた。

この項羽の動静についての最も詳細な情報を劉邦のもとに持ってきたのは、項羽の幕営から帰ってきた張良であった。項羽は斉へ出発するにあたって張良の主の韓王成を殺してしまったのである。張良は身ひとつで逃げ、劉邦のもとにもどった。

「なんともそれはお気の毒なことだった」

と、劉邦は韓王成の非業の死を、張良のために悼んだ。この男はこういう場合、たれよりも実のある顔をした。本心から韓王成の死を悲しんでいるのかもしれず、また主をうしなって、永年の韓の再興運動が水泡に帰したことを張良のためになげいているのかもしれなかった。このあたり、劉邦という男は、農民あがりであるだけに、表情が素朴だった。

張良は、名実ともに劉邦の臣になった。

劉邦はすぐさま張良を侯にし、成信侯と称させた。

「東進なさいますか」

張良は項羽を伐つのはいまだ、というのである。

「するとも」

劉邦も、調子づいた。

かれはこのとき以後、張良を独占して帷幕の謀臣とした。全軍の総司令官は韓信であり、後方でいっさいの補給に任ずるのは蕭何だった。中国史上、それぞれの役割においてこの三人よりすぐれた者はまれといっていい。

これらは、紀元前二〇六〜二〇五年にあたっている。

西にローマという、市民性の高い巨大な文明が爛熟期に入っていたが、地球の他の部分では劉邦のいる中国大陸が、右とは異質ながら文明の高さを誇っていた。あるいはひとびとの文明感覚の繊細さにおいては比類がなかった。

ただ、劉邦の属する中国社会は徹底して灌漑農業社会で、主権者は水を制すれば水の及ぶかぎりの地域全体を制することができたという点、ギリシア・ローマ世界と異なる。そのことは、すでに項羽の言動にもあらわれていた。たとえば、項羽が、かねて邪魔になってきた義帝を南方の蛮地ともいうべき郴へほうり出そうとしたとき、義帝に使者をやって、

古の帝は、その領土は方千里であったといわれていますが、その都はかならず上游（河川の上流）でありました。郴の地こそ上游たるにふさわしゅうございま

す。

と、とくに上游であることを強調させた。川上を制すれば川下の農民は水を制せられ、抗うと水をうしない、田畑を枯らし、そのあたり一円のひとびとが餓死してしまう。項羽の使者のいうとおり、古代の王朝が土地を支配したのは、たしかにそういうぐあいであった。

中国大陸は、乾田の非米穀物、水田の米作、草原の遊牧、河川や沿海の漁業、山中での冶金といったふうにあらゆる古代的技術集団が流入し雑居し相互に影響をあたえあったために紀元前で巨大な文明をつくった。ところが基本があくまでも灌漑農業社会であったために、農民個々が個人として独立せず、その独立性が尊ばれず、ついにギリシア・ローマ風の市民を成立させなかった。しかしこのことは文明の進み方が遅れているというものではなく、単に生産社会の事情が異なっていただけにすぎない。むしろ逆にいえば、灌漑農業社会の古代における高度の発達のために、ギリシア・ローマ世界よりも、一定面積の上でははるかに多くの人口を養うことができた。これらの事情のために地域ごとに農民を密集させ、密集しているぶんだけ人々の個性をすり減らせ、ギリシア・ローマにくらべて人間の独立性という点を稀薄にした。しかし一面、事があればあらゆる地域にいる農民が、地球上のどの社会の常識もあてはまらないほどの規模で一定の場所に大密集をとげえた。この点は、ギリシア・ローマ世界では考えられもしないことであった。さらにこのことはこの大陸にしばしば政治上の奇跡を生む結果にもなった。たとえば易姓革命（えきせいかくめい）がそうであった。

劉邦とその軍は、この大陸のそういう条件と状況の海の上にうかんでいる。かれらが漢中の僻地（へきち）から這（は）いあがって、棚のような関中の台上にとどまっていたのは、わずか三月（みつき）余であったにすぎない。その一部は別働隊として先発し、武関から出て南まわりで大陸の低地部に降り、南陽（河南省）に出た。南陽とは、かつて劉邦が関中に進撃したとき、ひとびとの意表をつき、南まわりをとったときに通過した地帯である。

ここを支配しているのは、王陵（おうりょう）という男だった。

かれは劉邦と同郷の沛（はい）の人である。もともと劉邦が沛の町でごろごろしていたころに王陵はすでにごろつきの大親分であり、いわば劉邦の兄貴株だった。王陵自身は劉邦を子分だとおもっていた。劉邦の勢力が成長すると、当然、王陵はこれを不愉快がった。

——あんなやつが。

と、つねに言い、劉邦の下風につくことをいさぎよしとせず、みずから一勢力を保った。といって項羽にも臣従しなかった。これに対し、劉邦はじつに柔軟であった。つねに王陵に礼をつくして慰問の使者を送りつづけてきた。このため、やがて王陵も軟化した。劉邦がかつてこの南陽付近を刷毛で刷くようなあわさで粗々に平定したあと、王陵をよんで、ここをこの小うるさい先輩のための勢力圏にさせた。その後も劉邦は王陵を隷属させず、同盟者としての礼遇をつづけていた。このあたり、策略というつめたい発想から出たものでなく、かつて村落人間だった劉邦のいかにもそれらしい自然の人情から出た方針で、王陵の劉邦へのとげのような自負心もいよいよ融けた。のちこの一種詩的気分を常時もった親分肌の男は、劉邦が死んでから右丞相になり、劉邦の遺託をよく守り、劉邦の妻の呂氏の一族の跋扈に対し、終始硬骨の姿勢をたもった。王陵のような男の士心を得たことをみても、劉邦がただの田舎のごろつきではなかったことがわかる。

さらに劉邦がわざわざ別働軍を南陽にむけて王陵と接触させたのは、かれの両親や妻子の保護を王陵にたのむためでもあった。劉氏の一族はなお沛の郊外の豊の中陽里にいて農家のくらしをつづけていた。そのあたりはすでに項羽の版図のなかであり、家族がとらわれて殺されるか人質にされておのれの行動が拘束されることをかれはおそれたのである。彼等のことをたのむのは、やはり若いころ同郷で親しかった王陵のような者でなければならなかった。漢民族にあっては私的にこの種のことを頼むのは、頼む側も頼まれる側も、他民族にない感激をともなった。かれらの神聖な精神のひとつである俠がはじめて電光を発して激するというものであり、王陵もまた感激してこの頼みに応えた。

このため王陵は決死隊を沛へ出した。救出に成功したが、これに気づいた項羽は代わりに王陵の母をとらえ、煮殺してしまった。王陵がその母を犠牲にして俠をなしたということは、劉邦にとって生涯、王陵に対する負い目になった。

劉邦とその軍の主力が関中の台上を離れて函谷関をくぐり、中原の低地に降りてくるのは、右の時期から一カ月ばかり経った十月である。すでにふれたように、張良はもどって帷幕にある。

劉邦は臨晋（陝西省）の渡し場で黄河上流のさかんな水流をわたった。さらに東にむかってすすむと、さきに項羽によって「魏王」に立てられた豹というのが降伏してきた。このことはかならずしも豹の意志ではなかった。豹の兵も農民もみな項羽の暴虐をきらい、項羽のために劉邦をふせぐことに熱意を示さなかったため、豹としては劉邦に従うしかなかった。この一点でみても、劉邦はあきらかに時の勢いを得ようとしていた。

また項羽はかつての韓王成を殺して、鄭昌という男を韓王にしたが、韓のひとびとはこの新王になつかなかった。このため鄭昌は孤独だった。小部隊をひきいて戦い、たちまち劉邦軍に呑まれるようにして敗れた。河南王の申陽（かつての張耳の臣）も降参してきた。司馬卬という者がいた。かつて趙の将でいくさ上手な男だったが、項羽にひきたてられ、殷王になっていた。司馬卬も、殷の土地では浮きあがった存在で、劉邦と一戦をまじえたがたちまち捕虜になった。

劉邦軍は、これら降将や敗将の兵をその傘下に入れて膨れあがりつつ、函谷関を出てわずか一カ月足らずで洛陽に達するという幸運の潮に乗った。

この幸運は時にもよったが、総司令官の韓信の作戦の妙も大きな力を発揮した。

（おれが、このように勝っていいものか）

と、この時期、劉邦はその幸運に酔うような思いがした。かれは常に敗けてきた。勝つということのうれしさは、どこか飽食に似て、次第に劉邦の思考力をぼんやりさせ、緊張をゆるめさせた。かれは、時がそうさせていることにかならずしも気づいていなかった。従って、時というものが、海峡の潮のように膨らめばまた痩せるものであることも気づかなかった。

（韓信は大したやつだ）

とおもった。たしかに韓信の統率力と作戦能力というのは比類がなかった。ある夜、劉邦は韓信の幕営までゆき、ほめてやった。

が、韓信はよろこばなかった。

「どうも、勝手がちがうのです」

片頰の血だけを凍らせたように不快な表情でいった。正直なところ、韓信は巧妙な作戦をたてているつもりだったが、結果はそれを必要とせず、つねにむこうから勝利が勝手にころがりこんでくるようで、あれだけ軍の指揮をしたがったこの男としては、この点、不本意だっただけでなく、自信をうしないかけていた。戦さとは自分がかつて考えぬいてきたものとは違うのではないかという、奇妙な恐怖もあった。この恐怖は、自分の才能に対する疑問というべきものだが、本来、勇気とそれと同量の臆病さをかかえこんでいる韓信としては、臆病のほうの内質にその疑問が食い入っていた。

（なぜ、こうも勝つのか）

ということを、韓信は懸命に考えていた。この経験から韓信はやがて哲理や法則をたぐり出すのだが、ともかくもこのときは劉邦からほめられることさえ物憂く、わずらわしかった。

「勝手がちがうとは、どういうことだ」

劉邦はきいた。

「私の力ではないような気がします」

「では、たれの力だ」

大王の徳というものです、とふつうの者ならいって劉邦をよろこばせるところだが、韓信は生来、無愛想な男で、ただだまっていた。やがて、

「いくさはどうも生きもののようですな。こんどの場合、私はいくさという羊を追いたてている牧童でさえない。そういうことがわかってきたような気がします」

(存外、謙虚なやつだ)

劉邦はこのときの韓信をそのように解釈したが、かといってべつに深い感じ入れでそう思ったわけでもない。ただ多少の神秘性のようなものを韓信に感じた。戦勝のなかで正直にくびをかしげている総司令官というものを、劉邦は見たことがなかったのである。

劉邦軍が、洛水に沿った洛陽の城市に入城したとき、この城市の南の新城という土地の父老が三人戦勝の祝賀にやってきた。上部の権力やその交代とかかわりなくどの地元でも父老という地生えの市民代表者がいるということは、すでに触れた。かれらはどういう将軍が町を占領しても戦勝の祝賀にやってくる。

ただかれらが劉邦を迎えたこの場合はすこしちがっていた。劉邦が関中で兵たちをいましめて掠奪や虐殺をやらなかったという評判はきいていたし、それ以上に項羽の悪評をきき、恐怖していた。項羽に対抗する者ならたれであれ歓迎する気分があり、心から劉邦の入城をよろこんでいることが、顔にいきいきとあらわれていた。

その父老たちの代表の董公という者が、

「項王は、郴へ赴く義帝に対し、兵にあとを追わせ、長江のほとりで弑し奉りました。この非道をゆるしていいものでしょうか」

と、訴えた。

劉邦はこのうわさを途中で聞き知っていたし、所詮はかつがれた者がたどるべき悲運だとおもっていたから、とっさには驚かなかった。しかし横にいた張良が、声をひそめて、

「なぜお愕き遊ばしませぬ。声をあげてお哭き遊ばすべきです」

といったので、劉邦はその意味をさとり、弔う者の礼儀の型としてあわてて上衣をぬぎ、下着をあらわし、咆えるような声で哭きはじめた。それが、哭礼という作法であった。が、やがて本気で悲しくなり、涙がとめどもなく出た。

董公と他の父老たちは、これを見て感動した。

すでに劉邦が哭いた以上、張良はあとのことをやらねばならない。全軍に喪を発した。すべての士卒に対して縞素を着せた。凶事に白を用いることはこの時代の礼であった。洛陽の城の内外にみちる兵という兵がすべて白装をしたというのは壮観というほかなく、服喪自体が項羽に対するさかんな示威になり、また地域に対する漢軍の正義をあらわすことにもなった。

劉邦は三日のあいだ哭礼をおこなった。劉邦自身が屋内を出ず、哭きつづけるのである。

さらには四方に檄を飛ばした。

その文章は後代のように冗漫でなく、ごく簡素で、みじかい。自分たちは天下とともにかつて義帝を擁立し、北面して臣として仕えた。いま項羽が義帝を江南に放ち、これを殺したのは大逆無道である、というところからはじまり、

「願はくは、諸侯、王に従ひて、楚の義帝を殺せし者を撃たん」

という句でおわる。諸侯、王に従って、というのは劉邦が従って、という意味で、劉邦はたかだかと命令調で言うことを避けた。劉邦は数多い王のひとりにすぎず、檄を受ける者はかれと同格の者なのである。「皆さんのお供をして」とへりくだったのは、儀礼の感覚にみちた表現といっていい。「楚の義帝を殺せし者」という表現も柔軟で、項羽を糾弾しつつも項羽のなまの名をここで入れないという点、礼のもつ婉曲さにかなっている。

が、婉曲であれ何であれ、事実上、劉邦が盟主になって諸地方の王や侯その他の勢力をあつめ不義の項羽を討つ宣言文であることにはかわりがなく、同時に項羽に対する宣戦布告文でもあった。

三月の洛陽は雨が多い。霽れるとぬけあがるように空が青くなり、柳絮が雪のように飛んだ。

項羽と劉邦——楚と漢——の血みどろな激闘はこの洛陽の三月からはじまったといっていい。

劉邦とその軍は、東進した。

ゆくにつれて兵がふえた。韓、魏、趙、燕、斉といった地域で項羽の論功行賞にうらみをもつ王侯とその軍兵が劉邦の東征軍に加わってゆくのだが、このために道路も沿道の町々も兵であふれかえった。

以下の数字は、信じられるだろうか。

劉邦軍の数は、つかのまに五十六万になっていたのである。

劉邦がかつて関中を去って漢中への桟道をたどったときは、三万しかなかった。途中、逃亡兵もあったが、この三万こそ劉邦と運命を倶にしようとする中核であるといっていい。関中にもどって中原に出るにあたり、関中で壮丁をつのった。かつての秦人であった。これによって六万になった。

劉邦軍が六万にすぎないというのは、この場合つらかった。六万が他の五十万の統制をするというのは不可能というべきで、協力部隊の将たちは劉邦軍の寡少さをあなどり、劉邦や韓信の命令を容易にはきかなかった。

「敵を攻めるより、味方を維持するほうがむずかしい」

と、張良などは、統制のために肝胆をくだいた。この場合、ふつう、諸地域の王や侯をたえず劉邦の幕営にとどめておく方法がとられた。体のいい人質というべきであり、兵だけを韓信の統率下に収めてしまうのである。

劉邦と張良は、これらの尊大な人質たちの接待に明けくれた。行軍中、毎夜、宴会をした。劉邦は接待の主人役としては相当な力量で、日をかさねるに従ってかれらの心を攬るようになった。元来が野盗出身の者が多く、酔うと、

「劉邦！」

などと、よびすてにする者もいた。

「おれは酒癖がわるいんだ」

と、みずから称してからむ者もいたが、劉邦は介抱し、決して酒癖がお悪いのではない、酒があなたの体を得てよろこんで跳ねまわっているのです、といったりした。もっとも主人役の劉邦自身が百姓唄をうたって大はしゃぎすることのほうが多かった。この長大な胴をもった男が酔っぱらうと竜が宴席をのたうっているようで、えもいえず愛嬌があった。

韓信は、うまくやった。

「われわれは項羽の根拠地の彭城を陥とさねばならない。どの国の兵が一番に彭城をおとすか、天下のひとびとは耳をとぎすましてその報を聞こうとしている」

と、くりかえし全軍に言いきかせた。

具体的に目標をあたえ、たがいに競争させ、揉みに揉んでその目標へ驀進させる以外にこの巨大な雑軍を統御する法がなかった。

この事情は、韓信の幕営でもかわりがない。新附の小首領たちをたえず「軍議をしなければならない」という理由で人質のように集めてあった。ただ韓信は劉邦とちがい、かれらに一滴の酒もあたえなかった。

「もしわれわれが肉をくらい酒を飲めば、兵たちは足を騰げて敵にむかう気をうしなうでしょう。軍のいのちは気です」

と、小首領たちに説き、かれらの自制をもとめた。

このため、韓信の幕営は僧院のようにしずかで清潔だった。小首領たちははじめのことに不服だったが、次第に韓信に魅せられるようになった。軍議はつねに議論が百出した。韓信はどういう無口な男にも発言させた。しかし結局はこの大軍にあっては戦法など要らなかった。進むことだけでよかった。

「一日も早く彭城にとりつく。それだけです」

と、韓信はおなじことをくりかえし言った。

(十中八九、項羽は彭城を留守にしているだろう)

韓信はそのように見込んでいた。

たしかに、当の項羽は彭城を空にして斉へ行ってしまった。すでに斉王田栄を殺し、斉の城という城を焼き、降伏した斉兵を、埋めることのすきな項羽は、ことごとく土中に埋めた。

しかしそのための斉人の反撥力はすさまじいものであった。故田栄の弟の田横と田栄の子の田広が斉人の反撥力を吸いあげて狂ったように反撃戦を展開していた。かれらは単なるゲリラでなくいったん項羽にうばわれた城陽を奪いかえしたりした。項羽は斉の山野に無数に飛火してしまった抵抗の火を鎮めるために大軍を無数に細分化してばらまかねばならなかった。

彭城――徐州――の歴史は繁栄と流血にいろどられている。大平原のただなかにあり、道は四方に通じ、水運の便もよく、春秋戦国の宋の領域だったころから農産物や塩その他の商品がここにあつまり、四方に散じた。城市には人家が密集し、富家も多い。主要道路が四方から徐州にあつまっていることと、この城市に常に食糧が貯えられていることで、大会戦の争奪地になりやすい。

――徐州へ。

と、その後の中国史でこのことばが何度叫ばれたことであろう。劉邦軍のこのたびの行軍は、その最初の規模の大きな例となるものであった。

項羽が彭城のように防衛のむずかしい町に首都を置いたのは、かれの攻撃的性格をよくあらわしている。彭城ならばただちに四方に軍隊を送り出すことができた。ただ四方から敵が攻めてくるときにどう防ぐかは、項羽の感覚にはなかった。かれは自分が防禦にまわるなどということは、ゆめにも思わないたちであった。

四月、劉邦とその同盟軍五十六万が洪水のように彭城に殺到したとき、城壁などはなんの役にも立たなかった。たちまちにして四方の城門が摧かれ、兵は殺到し、みな狂った。狂兵たちは手あたり次第に市民を殺し、女とみれば老婆まで犯した。財宝は布ぎれ一片にいたるまで掠めとり、富家の屋内で掠奪者たちが物や女をとりあって互いに殺戮しあい、韓信がせっかく腐心した統制などは、洪水の前の戸板一枚ほどの用にも立たなくなった。

斉兵は斉での虐殺のうらみを彭城ではたそうとし、生きて動くものはすべて殺した。劉邦が関中で徴募した旧秦の兵たちも項羽の新安や咸陽での虐殺と放火、掠奪のうらみを彭城で晴らそうとし、殺しても奪ってもなお飽こうとしなかった。

韓兵もまた項羽にうらみを持っていた。燕兵や趙兵は、故郷へ持ちかえる財宝をここで得ようとした。かれらは一すじに彭城をめざして禁欲の急行軍をさせられてきただけに、この城市で血と物に狂うことがこの世での目標そのもののように思えた。

韓信は、この洪水のなかで漂っているだけだった。もはや総司令官とはいえなかった。結局は巨大すぎる雑軍は軍隊ではないと思ったり、自分が、雑軍の統制のために彭城という地名をなにか特別なもののように鼓吹しすぎたことを後悔したりした。ともかくも軍であることのたががまったくはずれてしまった。

(この狂乱をしずめる者は、もはやたれでもない、敵の項羽による以外ないのではないか)

と、屈折した論理だが、そうおもった。軍のたがが外れて一人々々が草賊に化した場合、それを収拾するものはむしろ敵によるしかないということだった。

劉邦じたいが、おかしくなっていた。

かれは行軍中、大首領たちをとりこんで酒漬けにしてここまでやってきた。が、当のかれ自身までが酒漬けになってしまい、酔い浮かれたまま彭城に入城し、まっしぐらに項羽の宮殿に入った。宮殿の中で大小の首領たちが美女たちを追いまわすうちに、劉邦もともに喚きながらその仲間に入った。かれも、むかしに本卦がえりしてしまい、女をとらえては片隅にひきずりこんだ。

張良は、虚無的になっていた。

かれはもう劉邦の顔を見るのもいやになり、町の一隅に空き家をみつけ、むかしからの家臣に見張りをさせて床に横たわっているしかなかった。

馭者あがりの夏侯嬰だけが、劉邦をどなりつけることができた。しかしそのつど劉邦は、

「天の与えるところだ」

と、どなりかえした。どういう意味かはわからないが、項羽の首都をおとしたことは最終の勝利であり、その勝利をこういうぐあいによろこぶのは天がゆるす人情というものではないかということであるらしかった。

が、項羽にとって彭城は単に空き家であるにすぎない。

かれとその精鋭は、北方の斉で健在であった。

この男は彭城の陥落を知るや、全軍のなかからわずか三万だけをひき抜き、それを直率して南下し、急行した。

斉にある項羽軍は数十万をかぞえるのだが、田横や田広のゲリラ戦に対応するため、無数の小単位に分散している。それらを大集結するには時間がかかりすぎるという事情があり、三万は項羽の本営にいた予備隊にすぎない。かれは敵が五十万を越える大軍であることは百も知っていた。それでもなお三万をひっさげただけで走りだすというところに、項羽のおそるべき勇気があった。

かれは狂憤を発していた。かれの部隊もその怒気が憑って、行軍はほとんど駆けと

おしであった。

彭城の西郊に蕭という小さな町がある。そこにも十万を越える劉邦の同盟軍が屯ろしていたが、夜、かれらが、大地そのものが覆ったかと思われるほどの大衝撃を感じたときは、項羽軍の剣と馬蹄の下になっていた。たちまち蹂躪され、崩れたち、逃げる者はすべて彭城をめざした。項羽軍はあとを追って草を刈るようにかれらを殺し、さらにあとを追い、彭城の城門の中に逃げこんだ敵とともに城内に入り、たちまち城内を大混乱におとし入れた。

「項王が帰ってきた」

という声は、魔性を帯びたようにひとびとの背中に突き刺さった。戦うよりもさきに首が落ちた。たれもが戦う気をうしなっていたし、たれ一人踏みとどまろうとしなかった。

五十六万は、集団であることをうしなった。一人々々が自分の命をかばうために闇の虚空に足を舞わせた。一秒でも早く彭城からのがれ、一尺でも遠くこの城市から遠ざかろうとした。

古来、戦いは無数にあった。しかし彭城における項羽の勝利ほどすさまじいものはなく、劉邦とその同盟軍の潰乱ほどはかないものはなかった。わずか三万の項羽軍の急襲に、たったいままで大軍容を誇った集団が、風に遭(あ)った灰の山のように消えてしまった。

韓信も身一つで逃げた。

(この際、逃げるほか、何をすることがある)

この男は腹立たしく何度もそう吐き捨てながら、走った。幸い、脚が長く、腰の筋肉は強靱(きょうじん)だった。逃げながら、劉邦はどうしているかなどは、考えなかった。かれは自己の才能を劉邦に役立たせているだけで、劉邦個人への忠誠心などはなかった。

張良だけは、その配下に守られて車でしずかに退きながら、途中、劉邦の護衛部隊の兵に会うたびに、

「漢王はどこにおられる」

と、たずねつづけた。

たれも知らなかった。返事をする者さえまれだった。たれもが後頭部を鉤(かぎ)で釣りあげられているような血相をし、足を宙に飛ばして闇に消えた。

劉邦の遁走

以下は、かつての話である。

沛の町で馬飼いの李三といえば一種の名物男だったが、いまは憶えている者もすくないだろう。

城外で百姓をするかたわら博労をしていたが、猿のように小柄だった。そのためいつも大きな馬の蔭に隠れるようにして歩いているので、ちょっとした滑稽感があった。

李三は仔馬を買ってきて良馬に育てることが上手であった。それを売るのが稼業だが、すこしもむさぼらないためいつも貧乏していた。馬が好きだった。身も世もなく可愛がった。その馬好きの心が馬に伝わるらしく、かれが舐めるように可愛がるとどれもが気品のある馬になった。秦末、県庁や郡衙の役人など、

「これは李三から買った馬だ」

といえば、自慢になった。

ただし李三の馬は軍用にはなりにくい。まず、強悍でなかった。そのかわり文吏や土豪が李三の馬に乗ると人までが品のいい君子にみえた。さらにいえば馬耕にもむかず、荷駄運びにもむかなかった。ああいうのは馬ではない、という悪評もあった。

——馬というのは人のために運ぶか駈けるということだけでこの世にいる。良人をのせるだけの良馬なら馬以外の名でよぶべきだ。

と、いうのである。

「そのとおりだ」

悪評をうけるたびに、李三は小さくなった。かれは馬を尊敬し、従者のように仕え、可愛がりすぎるために、馬に気品ができても荒仕事の役には立たなくなるのかもしれなかった。李三にいわせれば馬は本来、風にも堪えぬほどに温和な動物で、かれらを戦場に駆りたてるのがまちがいだということであった。

「強悍な馬がほしければ匈奴へ行って買えばよい」

と、いつもつぶやいていた。

李三自身人間であるために、何人かの人間としての子がいた。どれも馬のようには穏かに育たなかったのは、李三には人間の子を育てることに興味がなかったからにち

がいない。末娘を嫺嫺といった。仔馬のように機敏だった。ただ、

「この娘が馬の温和な気をなぜうけなかったのか」

父親の李三がこぼすほどに気が荒かった。

李三が老いて死ぬと、長男が畑仕事のあとを継ぎ、次男が作男になった。馬飼いのほうは廃めてしまった。馬小屋をとりこわし、飼葉桶もすてた。たれもが亡父の馬きちがいにはこりていたし、馬くさいにおいも好きではなかった。こどもたちは幼いころから李三に畑仕事をやらされた。李三は馬ぐるいしているために畑などかえりみる間がなく、その負担はすべてこどもたちにかかった。李三が死ぬことで、馬と馬っ気をすべて追っぱらうことができて、たれもがせいせいしているようであった。

葬式いっさいは、葬式屋の周勃がやった。

「本当に悲しんでいるのは身内の者でなくて、あいつだよ」

と、周勃は小声で仲間にささやいた。

あいつというその若者は、李家の表の細い柱に登って葬儀用の白い布を巻きつけながら、体のなかに間断なく悲しみの嵐が吹き狂っているらしく、息がたえだえになって、不意に上から落ちてきたりした。落ちても起きあがれず、柱の根もとを抱いたままで哭いた。

それが、夏侯嬰であった。

夏侯というこの二字姓の家は、もともと沛の町ではいい家だったが、数代分家を重ねたために本家までが零細化した。嬰の家は夏侯一族の枝のなかでも末にあたるために城内にも住めず、城外で他家の農地の番小屋に住んでいた。

嬰は少年のころから馬好きであった。というより、馬好きの李三爺が好きだったというほうが、正確かもしれない。嬰は十三歳のころから李三の馬小屋に入りびたっていた。

「お前を雇ってやりたいのだが、わしには人を雇うほどの力がない」

と、李三はなげいた。

少年は、そういうつもりではなかった。自家の農事を手伝い、ひまができると李三の馬小屋へ走ってゆき、その手伝いをするというわけで、労賃など貰いたいと思ったこともなかった。人間には、他の人間につきたがる本性があるらしいが、嬰の場合、その性癖が濃厚すぎるようであった。たとえば李三は、吃音だった。嬰もその癖がうつった。かれは洟の飛ばし方まで李三のまねをした。李三を尊敬しきってしまうことによって、水が流れ落ちるように李三のものが嬰のなかに流れて溜まってゆくようであった。

嬰は、成人するにつれて、身長がとほうもなく伸びてしまった。李三は老いちぢむばかりであったが、嬰はこの師匠を見おろすことが申しわけないらしく、李三と話をするときはかならず踞んだ。

嬰は二十四、五歳になっても一家を成せず、ほうぼうの農家に雇われてくらしていたが、李三との関係に変化はなかった。

あるとき県令が、李三の馬を買った。

「ついでに馭者もいかがですか」

と、李三は嬰の名を言ってくれた。県令は夏侯嬰を馭者として雇い、あわせて県庁の馬小屋の管理もさせた。馭者とはいえ、吏であった。嬰はいよいよ李三からうけた恩を重く感じた。嬰は、恩人のためには死ぬことも辞さないという風が中国史上もっとも濃厚にあった時代の人である。

その李三に死なれてしまった嬰の悲しみがいかに激しいものであったか、以上のことでもほぼ察することができる。

「薄みっともないから、およし」

と、柱を抱いて倒れている嬰の大きな尻を蹴りあげるようにしていったのは、李三の末娘の嫺嫺だった。嫺嫺にすれば馬道楽の父が死んでも家族たちはさほどに歎いておらず他人の嬰のみが哀泣(あいきゅう)を独占しているというのは李家の恥をそとにさらすようなものだ、という。といって、嫺嫺だけはきょうだいたちのなかで例外だった。彼女は変物(へんぶつ)の父が好きではなかったが、その死が悲しかった。同時に兄たちや嫂(あによめ)たちの薄情が腹立たしかった。かれらへのつらあてのために嬰の尻にむかってことさらに悪罵(あくば)を投げつけたのである。

「なにを言やがる」

と、嬰が立ちあがって嫺嫺をひっぱたいた。彼女は、意外だった。

日ごろ、嬰はおとなしかった。貧家の子の嬰が、おなじ貧家の子の嫺嫺に対し、つねに、

「小娘子(しょうじょうし)」

とよんで、下僕のようにうやうやしかった。

「なにすんのよ」

「でかい顔をするな」

嬰は、いった。

「師匠が生きているあいだは師匠への遠慮があってだまっていてやった。師匠が死んだ以上、もう何の遠慮も要らない。わしは肚(はら)にすえかねていた。わしには、お前らが

師匠のかたきに見えるわい」

言いながら言葉の尻がくずれて泣き声になった。

葬儀は三日つづいた。夜になると嬰は李三の子どもたちを集め、李三がいかに人間として高貴な男であったかを語った。最初のうちは嬰を冷笑し、外へ出ようとする者もいたが、嬰はその頰を摧くほどになぐって、居ずまいを正させた。

媚媚もはじめのうちはなにかと口ごたえをしていた。しかし嬰の口から亡父を語られるにつれ、亡父が、自分の見てきた李三とはちがった人物のように思えてきた。ついには葬儀が済んだ日、嬰に、毎夜きてもっと話をしてくれ、というようになった。

「おまえは、李三じいさんの娘じゃないか」

と、嬰はいった。

「他人に語ってもらわねば自分の父親のよさがわからないのか、人間とは所詮そういうものか」

嬰が、さらに、

「馬っ気のなくなったこの家には、おれはもう来ないよ」

と言うと、媚媚は腰をくびらせて膝を組みなおしてから、じゃあたしがあなたの家へ行くまでだわ、といった。

ところが嬰は、李三が死ぬと、乗りかえるようにして、劉邦に傾斜してしまった。役所のしごとがおわると、劉邦についてまわった。李三と劉邦はずいぶんちがった人間であったが、人に磁石のようにつくことで精神の磁力が保たれているような嬰にとって、両者の相違などどうでもよかった。

——劉さんがいかにすばらしいか。

ということしか、やってきた媚媚に話さなかった。

「あのひとは雲だね。とらえどころがないんだ」

などといった。

媚媚は、劉邦がきらいだった。媚媚だけでなく、沛（はい）の町の女で、劉邦という年中町をごろついている男を好きだとおもっている者など居なかったといっていい。法螺（ほら）ふきで、みなりだけをかまい、そのみなりも田舎（いなか）の太公（たいこう）といった感じで泥くさく、仕事ぎらいの怠け者ときている。その上、欲がふかく、利益のある所にはかならずあのひげ男がいた。

「あんな欲深のどこがいいんだか」

媚媚はいった。

「欲が深いからあの人は頼もしいんだ。無欲だとすれば単なる隠者じゃないか」

と、夏侯嬰はいう。

嬰は、役所がひまなときは、役所の馬車に劉邦をのせた。一種の汚職だった。しかし県令は雲の上にいて、劉邦が自分の馬車に乗っているなどとは知らない。吏員の長の蕭何も、蕭何の次席格の曹参もみな劉邦の子分だったからこれについて見て見ぬふりをした。

「あんたは何のために亡父から馬を教わったの」

嫺嫺がののしることがあった。

嬰は、運命論者になっていた。自分は李三爺のおかげで馬のすべてを知り、それを知ったおかげで劉邦さんに仕えている、これは天の運せというものだ、といった。

「あんたは、県令の馭者じゃありませんか」

仕えている主人は県令であって劉邦ではあるまい、劉邦から一銭でも扶持をもらったか、むしろ自分の馬を持ちだして銭無しの劉邦をよろこばせているだけではないか、といった。

「なにをいう」

嬰は、いった。

「私は士(し)だ」

「士？」

嫺嫺にとって嗤(わら)うべきことだった。文字もない貧農の子が士であるはずがないではないか。

「私は冗談をいっているのではない。まぎれもなくこの夏侯嬰は士なのだ」

それにしても劉邦という存在は不可思議であった。夏侯嬰らに士であるという意識をもたせたのはどういうことであろう。

「士とは、自覚的なものだ。みずから主(しゅ)を選ぶ者のことをいうのだ。私は県令にとっては馭者にすぎないが、劉邦さんに仕えるときはまぎれもなく士だ。なぜなら、私は県令を主人として選んだ覚えがないが、劉邦さんを主であるとして選んだのは、私だ。だから私は士だ。以後、私は士として生き、士として死ぬだろう」

といった。

以下のことは、かつて触れた。劉邦が沛以外では無名のごろつきだったころ、ひまつぶしに県の役所で刃物をふるって戯(たわむ)れていたとき、あやまって夏侯嬰を傷つけたという一件である。あのとき県令はこれを機会(しお)に劉邦を捕えてしまおうと思い、被害者の夏侯嬰に害を加えられた証言をさせようとした。が、嬰は劉邦をかばうために頑(がん)として口を割らず、このため偽証罪で投獄され、笞打ちの刑をうけ、一年あまりも牢にいたが、それでも音をあげなかった。嬰は、たしかに士であった。士以外にこういう倫理性をもたないからである。

そのうちに秦末の乱になり、夏侯嬰は劉邦に従って流転した。やがて形勢が一転、二転して劉邦が漢中の王になり、さらに関中をあわせて領すると、この男は侯に列せられたが、当人はべつにうれしがりもせず、劉邦の馭者台から離れず、相変わらず鞭をあげて馬を走らせていた。

嫺嫺は、夏侯嬰の実家にいて、その老父に仕えていた。この時代、庶民にいたるまですでに嫁とりの儀式はやかましい形式でかためられていたが、かんじんの嬰の意思があきらかでないため、嬰の老父はどうしていいのか、婚儀につき身うごきできなかった。

嬰は、漢軍とともに他郷を転々としていた。

やがて沛の郊外の豊の劉家にいる劉邦の家族——老父と妻子——が、王陵の秘密部隊の手で漢軍にひきとられたとき、嫺嫺もその一行に加えてもらい、漢軍の所在地へ行った。漢軍は西にむかって行軍していた。

「小娘子(しょうじょうし)」

と、嬰はむかしどおり主人の娘をよぶ呼び方でよんでくれた。

(この男は、なぜ私を嫁にしないのか)

いま、いくさの最中であるからなのか。

しかし軍中、妻子をつれている者もいた。そのことは将軍よりも兵卒の場合に多かった。かれらの前身が流民であったからで、軍隊の賄(まかない)をかれらも食っていた。このため嬰が嫺嫺を軍中に置くということに不自然さはなかったが、嬰自身のしごとがしごとであった。馭者であるためいつも劉邦と一緒にいる。馭者は独り身であることが望ましかった。

馭者ということについては嬰がまだそんなことをしているということが嫺嫺にはふしぎにおもわれた。沛できいたうわさではすでに列侯の身分になっているということだったが、嫺嫺が出会ったとき、嬰は二頭の馬の間にはさまって、いかにも可愛(かわい)いといったふうに、その脚を水で洗っていた。

「小娘子」

と、かれが驚いて声をかけたのは、向こうの馬の腹の下からだった。

馬の間から出てきた嬰に、嫺嫺は、あなたは列侯ではなかったのか、ときいた。

「列侯だ」

夏侯嬰は、それがうれしいわけではなく、ただ、事実をいった。

「列侯の身で、馭者なの」

「馭者だよ」

一生、馭者だ、と言いたそうな顔であった。

「嫺嫺は、なにをしにきたのだ」

「わたし？」

とっさに、嫺嫺はいった。

「あなたの子を生みたくて来たのです」

兵士たちがすでに、人垣をつくっていたが、嫺嫺のそのことばをきいてどっと笑った。

「おれにはその間（ま）がないんだ」

と、嬰が大まじめで答えたために、兵卒たちのあいだには抱腹（ほうふく）してつんのめる者さえいた。嬰はたれにも好かれていた。

そこへ劉邦が、出てきた。

「あれは、おまえの嫁か」

と言いつつ、視線が、媚媚のしなやかな体の線を追った。嬰は劉邦の好色を知っていたから、返答に窮した。嫁でないといえば、劉邦のほうがこの小娘子に子を生ませてしまう。

「嫁です」

と、あわてていった。

「おまえに嫁があったとは、きいていない」

劉邦は、下唇を垂らして、嬰をかえりみた。好き心がきざしたときはいつもこうだった。嬰はあわてて、李三爺いらいの事情を説明せざるをえなかった。

「ああ」

劉邦は無邪気にわらった。この場合、欲心が鎌首をもたげているのに劉邦はそういう笑顔を自然にひらくことのできる男で、劉邦の肚の底には海のようにひろい無邪気さが湛えられているのかもしれなかった。

「馬飼いの李三ならおぼえている。その娘か。……しかしわしはお前さんの顔を」

と、媚媚のほうを見て、

「窓からのぞいたことがない」

と、いった。窓からのぞくとは、新郎と新婦の寝室の窓下に友人たちがあつまってその語らいを盗み聴きするということで、沛の婚姻の土俗であった。嫁になったとはきいておらんぞ、という寓意である。嬰はあわてて、

「そいつは、まだなんで」

と、頭に手をやった。

「こんな女が生娘のままでいるのは、目障りでならん」

劉邦はわざと腰をかがめ、媢媢に寄って行って果物でも見るようにたっぷりとながめた。

「早くやれ」

婚儀をである。

「ときあたかも仲春ではないか」

劉邦は大ぶりに空と野を指さした。たしかに天地は春半ばであった。婚儀というのは手間ひまがかかるが、古代の周以来、帝王たちは農民に対し、仲春にかぎって儀礼なしの婚姻をゆるした。男女が相会えばそれで夫婦になる。仲春は畜類でさえ春を催すからだという。劉邦はそのことをいっているのである。

「媢媢よ、お前は今夜から夏侯嬰の女房だぞ」

劉邦は鶏のような足どりでさらに寄ってゆき、顔を媢媢の耳たぶまで近づけ、そう

言いおわると、洗ったように別の表情になり、娟娟が顔をあげたときはもうそのあたりにいなかった。

(なるほど、嬰がくっついてきたはずの男だ)

と、娟娟はぼう然とした。やっと腑に落ちた感じでもあった。

まことに仲春で、秋ならおそろしいほどに気の澄んだ黄河の東流するこのあたりも、靄気のために星の数がすくない。

嬰と娟娟は、軍旅が宿営している村々から離れて、未耕の台上にすわっている。短い草たちが露をふくんでいるが、嬰が冬用のかわごろもを敷いているために濡れることがない。この裘は嬰が兵卒から掠奪品を頒けてもらったものである。掠奪品といえば、娟娟にも、嬰が兵卒のあいだをまわって頒けてもらった草色の絹のきものを着せてある。袖が腕の長さより一尺も長く、すそもひきずるほどに長い。えりは黒であった。この時代は、男は下帯をつけず、女は裙をつけなかった。このため交合が容易だったから男女間の事故が後代より多かったといわれる。

大男の嬰が、西方の胡人のようにひざを組んですわっている。その上に娟娟がすそをたくしあげてすわっており、小柄だから蟬が木にとまっているように見えなくもない。蟬といえば嫺嫺は小娘のころ、蟬とりが上手で、暗夜に火を焚いてはねの透きとおった蟬を捕っていた。

遠くに、篝火のむれが地の星のようにかわ沿いにつらなっている。

(なんと、頸のほそい。……)

自分の羽交のなかで身をすくめている嫺嫺が、平素たかだかと物を言うにしては、夏の末の蟬のようなはかなさであった。嬰はいとおしさで狂いそうだったが、挙動はそうではない。

「本望だ」

と、嬰は、嫺嫺のなかで自分自身が存在しきったと思った瞬間も、わざと落ちついてそんなことをいった。嫺嫺は、嬰のみぞおちに顔をうずめている。

本望とは、李三爺の外孫を自分が生ませることになったことを言う。

「人間は、人の世でただ一つのことしかできない。李三爺は、馬を通じてそのことをわしに教えてくれた。わしは劉邦さんについてゆくだけで世を了えるのだ」

(この人は、こんなときに、何をいっているのか。……)

嫺嫺は痛みと甘さを伴った激しい感覚の渦のほんの小さな片隅で、そんなことを思った。亡父のことは、理解できるようになっていた。しかしいつもならつい反射的に、亡父のその道楽のためにこどもたちが餓えた、馬数頭を数年育てるためにどれだけの労力、あるいは飼葉作りという無駄な耕作が必要か、そんなことをするひまがあれば他人の畑仕事に雇われるほうがよほど生計のたすけになる、などと言い返していたかもしれないが、いまは嬰の声が、音階ごとにぶらさげた石の打楽器をかすかにたたいているように甘いリズムとしてきこえた。

もっとも、嬰にとってもこのつぶやきは自分が淫事をおこなっているという意識を自分のなかからおしのけつづけるために必要であった。しかし最後に、地の底から噴きあがるような感覚が爆けて、かけらものこさずに砕けてしまった。

翌朝、嬰は嫺嫺を呂氏のもとにつれてゆき、自分の妻になったが掃除のしごとにでもつかっていただきたい、とあらためてあいさつした。

呂氏、名は雉、字は娥姁、いうまでもなく劉邦の妻である。すでにふれたように、単父（山東省）の土豪の呂公の娘である。

劉邦が遠く漢中の地で漢王になったため、彼女は自動的に王后になった。ただし農婦のくらしのままだった。ついこのあいだまでは沛県の豊の中陽里の農家である劉家の末っ子の嫁にすぎず、嫂に支配されて畑仕事や炊事に追いつかわれていた。劉邦はずっと不在のままであった。その間、亭主が盗賊になったという噂(うわさ)のあったときは、盗賊の女房といわれた。劉邦が将軍になっているときいたときは、豊のひとびとの彼女への態度はすこし変わった。しかし嫂だけは態度を変えなかった。嫂は彼女を厄介(やっかい)者(もの)あつかいにし、奴婢(ぬひ)としてつかった。この恨みは、呂氏はあとあとまで忘れなかった。

　呂氏を見る者は、その髪の多さと、文字どおり漆(うるし)のような黒さとつややかさに驚かされる。この時代、髪の豊かさと黒さが美人の第一の条件であった。このため、仮髪(かもじ)を入れることが多少の豪家の婦人なら普通のこととされた。

　呂氏にとっておそろしい者は、嫂だけであった。

（いつか、仕返しをしてやる）

と、おもいつづけていた。呂氏には酷烈なところがあったが、この時期こういう性格に自分でも気づかず、他の者も気づいていなかった。彼女は他の人間については、心の底では虫ぐらいにしか思っていなかった。たとえば王陵(おうりょう)の秘密部隊が劉邦の一族を救出すべく沛の豊の中陽里にやってきたとき、義兄(あに)も嫂も当然、一緒にゆくつもりであった。劉邦の一族が中陽里にいることはあぶなかった。項羽がいつ人質にとらぬともかぎらないのである。

が、嫂が車に手をかけ乗ろうとしたとき、呂氏は突きおとした。

「嫂上に何の関係がありますか」

と、車上で突っ立ち、次いで吐いた言葉は、中陽里にいろ、ということだった。死ぬまでいろ、思いあがるな、とも言い、砂塵をのこして去った。

嫺嫺は、おなじ車に乗っていた。

（いやな女だ）

と、思ったが、露骨にその感情を見せるわけにゆかなかった。かつては流盗の女房だった呂氏がいまでは王后なのである。

呂氏は、自分の身辺の者には愛情が深かった。偏愛は自分の肉親から奴婢にまで及んだ。嫺嫺については、当初、無視していたが、やがて彼女が嬰の妻になり、呂氏に仕える姿勢を示すようになると、大いに可愛がった。

あるとき、呂氏は彼女に玉のついた笄をあたえた。劉邦がどこかで掠奪したものらしかったが、どうみても王妃がその髪につけるものであった。

「あんたも列侯の夫人だからね」

と、呂氏がいうと、娘っ気のぬけない嫺嫺は小さな体をふるわせて笑ってしまった。自分は馬飼いの娘で、馭者の女房ではないか。彼女の感覚ではどう考えても嬰のやつが列侯ではなく、まして自分が列侯夫人であるはずがなかった。第一、軍旅がつづいている。女たちも泥人形のようになって行軍のうしろからついて歩いていた。婀娜はどの女よりもきたないなり——たとえば泗水あたりの水際に住む異民族の女が小魚でも捕っているようなかっこうで歩いていた。

劉邦から命ぜられて呂氏ら劉邦の一族の世話をしているのは、審食其という男だった。

審食其も、沛の人である。劉邦が沛でごろついていたころにその子分になった男で、顔が樹の瘤のようにいかついわりには武張ったことにむかなかった。それよりもこまごまとした物事の処理がすきであった。沛にいたころ、大がかりな葬式があると葬儀屋の周勃はかならず審食其をよびに行って手伝ってもらった。一面、審食其は感激家で、劉邦が呂公の好意でその娘をもらったとき、

「劉さんも、これで男になった」

と、無名のごろつきにすぎなかった劉邦が、呂氏によって箔付けされたことをよろこび、劉邦の顔をみるたびにうれし泣きに泣いた。さすがの劉邦も迷惑におもい、一

時、沛の町でこの男がむこうからくると横丁へ逃げこんだりした。劉邦が挙兵したとき、周勃が、

「ぜひ審食其も加えましょう。かれは長男だから出たがらないでしょうが、私が説得します。なにかのお役に立ちます」

といった。葬儀屋が葬式上手を知るというところだったのであろう。

審食其は、漢軍にあっては補給部隊の幹部をつとめていた。劉邦は呂氏たちが軍旅に加わると審食其をその係りにしたわけで、このあたり、人をよく見ていた。この葬儀手伝人であった審食其はのち辟陽侯（へきようこう）になり、さらに後年、漢帝国の相（しょう）になる。

以上、すべては漢軍が項羽の首都である彭城（ほうじょう）を占領するまでのことどもである。

まったくこの時期――彭城をおとすまで――の劉邦と漢軍は、奇跡という彩雲に乗って東進しているようなものであった。

わずか六万の漢軍が、諸方の王侯の軍や流民軍があらそって参加したために五十六万にふくれあがったということについては、すでにのべた。

楚の項羽が北方に出征していて、その首都彭城は守備隊をのこすのみで空（から）にちかかったこともものべた。

この急をきき、項羽が弾機(ばね)のように跳ね、そのあたりの兵をわずか三万かきあつめて彭城に急行し、一撃して彭城を陥(お)とし、二撃して灰(はい)の山を吹きちらすように五十六万の漢軍を大潰乱(だいかいらん)させたことも、すでにふれた。

劉邦は逃げた。夏侯嬰(かこうえい)が鞭(むち)をふりつづけてゆく馬車にしがみつき、身一つで闇(やみ)の中をはしった。

木端微塵(こっぱみじん)というのは、こういうことであろう。

逃げ散った五十六万の兵のすべてが、項羽を鬼神のようにおもった。かれらの項羽についての恐怖はながく癒(い)えなかった。

いったんは漢軍に参加した自称他称の王侯たちも、項羽に靡(なび)いた。かれらは項羽の前にひれ伏してふたたび大王(だいおう)に背(そむ)くことはございませぬ、と謝罪した。項羽も急場であるために、降参する者をみなゆるし、自軍の旗をもたせた。このため劉邦と項羽の人数が逆転してしまった。

劉邦の中核である漢軍六万も、四散して逃げながら各個に劉邦をさがした。北へ逃げたときいた者は北をめざし、南へ去ったときいた者は、南の睢水(すいすい)方面にむかって逃げた。情報が混乱し、中間で漂う人数が多く、二万以上が方角を惑ううちにむなしく殺された。

「韓信が南の方（かた）、睢水のちかくにいる」

と劉邦はきき、みちみち敗残兵をかきあつめつつ南へ逃げた。

たしかに情報のとおり、韓信は睢水のほとりの低湿地に小さな陣を布（し）いていた。劉邦の目には韓信が巨大な神像のように見えた。ただし、韓信がいかに頼もしくともその手もとに五千ほどの兵しかいない。

その韓信の隊に対し、四十数万の項羽軍が殺到した。

「大王は、逃げられよ」

韓信は、大声でいった。自分はこの睢水の線でふせぐ、あなたが逃げられるだけの時を稼（かせ）ぎましょう、といってくれたが、項羽のほうが待ってくれなかった。楚兵が殺到した。韓信は一戦、二戦してついにささえきれず、潰乱した。兵たちは背後の睢水にとびこむしかなかった。

劉邦の脱出がすこしばかり早かったために、夏侯嬰は舟で馬車を運ぶことができた。

この睢水のほとりでは、審食其（しんいき）が守って南下してきた劉邦の老父、妻子などと出遭（であ）った。夏侯嬰も、女房の嫺嫺（かんかん）の顔を遠目でみた。しかし声はかけなかった。劉邦をのせた車が、ながい岸辺の斜面を駈（か）けおりた。

劉邦のうろたえはつづいている。

「舟があるか、舟があるか」

と、水際でどなった。夏侯嬰は閉口した。どなって舟が出てくるわけではないだろう。かれは劉邦の護衛兵を指揮して舟をさがさせた。一方、審食其が監督している呂(りょ)氏(し)らの一行も、舟をさがしていた。その間、二つのグループのあいだを護衛兵たちが駈けまわった。やがて劉邦の足もとに数艘(すうそう)の舟があつめられた。夏侯嬰は、まず二頭の馬をのせた。

「王よりも馬をさきに乗せるやつがあるか」

劉邦は大口をあけて喚(おめ)いた。うろたえているくせに、劉邦はどこか剽軽(ひょうきん)だった。嬰はきこえぬふりをして二頭の馬の脚を一本ずつ桁(けた)に縛りつける作業をしつづけた。王がぶじに逃げきるには馬だけがたよりではないか。

劉邦の背後で、漢楚両軍のはげしい戦声がきこえる。

呂氏のグループは、審食其が舟をさがした。もっとも実際に蘆荻(ろてき)のあいだを泥まみれになって駈けまわったのは、嫺嫺であった。舟を曳(ひ)いて、腰まで水につかった。大丈夫かしらと思った。あの夜、嬰がくれたものが、体の冷えとともに剝(と)れてしまうのではないか。

睢水の岸辺の蘆(あし)の根もとの泥は、どういうわけか紫色にみえた。

(いやな色だ)

と、嫺嫺は作業しながら思った。この女は向(むこ)うっ気(き)がつよいくせにどんな行動をしているときもあぶくのように詠歎(えいたん)がうかぶたちだった。紫色は朱を侵すものとして好まれる色ではない。

睢水の中流をのぞむと、水は黄色かった。この黄色も、嫺嫺はすきではなかった。故郷の沛(はい)の水はすべて澄んで――実際にはそうではなかったが――いたように思われた。

薄暮(はくぼ)になった。

両グループは前後して流れに出たが、呂氏のほうの舟は岸辺近くに早い流れがあっていきなり下流へ押しながされてしまった。櫂(かい)は審食其と嫺嫺があやつった。このとき呂氏が不意にあたりを見まわし、言葉にもならぬ叫びをあげた。

彼女は、長男と長女を岸辺に置きわすれてきたのである。

「岸へもどりましょう」

審食其はとっさに決意し、嫺嫺に合図した。嫺嫺はうなずき、櫂を持つ手を代え、水を逆に掻(か)いた。

（なんということだ）

媢嫉はおもった。呂氏は農婦のころのくせで、二人のこどもをつねに自分にひきつけており、他の者に面倒を見させようとはしなかった。このため、つい二人の子供が乗船していないことを他の者が気づかなかった。みな作業に夢中になっていたのである。審食其は責任を感じ、顔が真っ二つに割れるのではないかと思われるほどに緊張していた。岸のむこうにはすでに楚の騎兵の影が見えた。

（しかし、ちがうのではないか）

と、媢嫉は思い、審食其にその旨をいった。あの少年と少女は、早くから呂氏のそばにいなかった。劉邦のほうの舟に駈けて行ったような記憶が、彼女の網膜だけに残っていた。ただし頭には結びついていない。このためこの記憶に自信はなかった。

「あんたのいうとおりならいいのだが」

審食其はつぶやき、纜のさきをにぎったまま陸へとびおりた。呂氏と老父を舟にのこし、一同が岸辺をかけまわってさがすうちに、楚の騎兵たちが涌くようにあらわれ、舟の中の呂氏、老父もろとも網を打つようにして一同をつかまえてしまった。楚兵にはすぐこの獲物がなにものであるかがわかった。

（こいつは、死ぬべきだな）

と、審食其は思った。人質にとられた以上、今後、劉邦の足枷(あしかせ)になってしまう。かといって劉邦の老父とその妻に死をすすめるわけにもいかなかった。

一方、夏侯嬰(かこうえい)のほうは、なぜ自分たちの舟に王太子と公女が乗っているのか、前後の記憶がなかった。

乗船のときに、岸辺をひとびとが狂ったように駈けまわっていたが、この少年と少女はそのたれにもかまわれずにおろおろしていた。それを劉邦が掻きあげるようにして乗せたのではないか。

当の劉邦は、舟に積みあげた馬車の中にいる。車上から、遠ざかってゆく岸辺を嚙(か)みつくような顔で見ていた。かれの焦(あせ)りからみれば舟あしが遅すぎた。劉邦の大きな顔が、土を塗ったように血の気をうしなっており、両眼だけが飛びだしてたえず動いている。が、二人の子のほうは見なかった。

この日、風が強かった。劉邦たちが中流にむかって漕(こ)ぎ出したころに風塵が舞いあがって、敗勢の漢軍に幸いした。風はいよいよつよくなり、このことが戦場を脱出する劉邦の姿を楚兵の目からくらませた。

(しめた)

劉邦は、風伯に祈った。かれは若いころからこの種の運がよかった。風のために、川波がはげしく沸き立っている。舟の幅いっぱいに車が積まれていた。

この時代の車は、古代以来、かわらない。左右の車輪の上に粗末な木製の箱のようなものをのせただけのものであった。厳密には箱でもない。一坪ほどの床があって、その左右に手すりがある。手すり（横木というべきか）の上辺の横木を較と言い、下辺の横木を式という。

腰掛けはない。

乗る者は立つ。二頭の馬がひっぱるのだが、上下にたえずゆれるために乗る者は片手で較をつかんでいなければならない。

一坪ほどの床であるために、乗る者と馭者はおなじ床に立っている。馭者台といっても特別に台があるわけではなかった。

馭者は、二頭の馬の手綱と一本の鞭を持っている。両手がふさがっているためにいかに車台が揺れても、右横の較や式につかまることができず、あくまでも二つの足だけで体の平衡をとらねばならなかった。貴人の車はしずかにゆく。その場合はいいが、もし走らねばならぬようなことになると、馭者は曲芸師だった。へたな馭者だと、馭者自身が車からつんのめって落ちてしまい、ひどい場合は車輪に轢(ひ)かれたりした。このため貴人の乗用車であれ兵車（右と似たような構造）であれ、いい馭者を得なければ夫子(ふうし)自身が命をおとしてしまう。

この点、夏侯嬰の馭術は大したもので、劉邦も、こいつの車にさえ乗っていれば大丈夫であるとおもっていた。

少年と少女は、舟のへさきのほうにいて、舟ばたをつかんで身をかがめている。その背後に大きな体の夏侯嬰がしゃがんで、たえず声をかけてやっていた。

少女は十三年前にうまれ、少年は十年前にうまれた。少女はのちに魯元公主(ろげんこうしゅ)とよばれるようになる。

少年は、名を盈(えい)といった。のち漢帝国の第二世皇帝となり、恵帝(けい)とよばれる。

劉邦はこの少年になんの期待もかけていなかった。

「あいつはだめだ」

と、ひとにも言っていた。

顔は姉の魯元より美しく、色白で、眉(まゆ)やまつげが濃かった。ただ顔が薄手で、あごがかぼそくとがり、心は事物に傷(いた)みやすく、なにかに感ずればひそかに涙を溜(た)めているというたちの子で、気はとびきり優しかった。

「仁弱とは、あいつのことだ」

と、劉邦は後年になっても言い、一時、後継者であることから外そうとしたが、老臣たちに諫められて思いとどまった。仁弱とは耳なれぬことばだが、婦女子のような情け深さを言う。「仁強」とともに、この時代の口語であった。

舟が往くうちに、夏侯嬰は、このまま南岸についたところで仕方がないではないか、と思うようになった。対岸もまた楚の地である。そこは敵地で、劉邦を救う者など、ひとりもいない。

(逃げる方向がまちがっている)

嬰は、おもった。

南へくだるより、逆にはるか北方の沛へゆき、そこがあぶなければ劉邦が流盗時代に塞をかまえていた碭(江蘇省碭山県の南)へ転ずるほうがよいのではないか。そこならば劉邦の古なじみもいる。

夏侯嬰は、べつに智謀の人ではない。かれは身をすてて劉邦につき従って以来、劉邦のことのみを想っているために、自然、思案もできるようになっただけのことである。

劉邦にはなんの思案もない。

かれにはつねに献策者が必要だった。たれかが智恵をしぼって何かを言うと劉邦はそれを採用する。献策者が複数の場合は、良案をえらんで採った。そういう選択の能力は、劉邦にあった。さらにそれ以上の劉邦の能力は、ひとがつい劉邦のために智恵をしぼりたくなるような人格的ふんいきを持っているということでもあったろう。しかしこの場ではそういう人間は夏侯嬰しかいない。

嬰は、献言した。

「北へ?」

劉邦はおもわず大声を出した。対岸の戦場にもどるということではないか。北岸の修羅場を通過しなければ北方の沛方面へゆくことはできない。

「幸い、闇にまぎれ、大いに下流へくだって、北岸へ再上陸し、迂回しつつ北へ奔れば、おそらく楚兵もまばらでしょうし、なんとかなるのではありますまいか」

この方法をとるには、勇気が要る。しかし死中に活を見出す以外、あたらしい運をつかむことができないのではないか。

「嬰よ、お前のいうとおりにしよう」

このあたりが、劉邦のいいところであった。嬰も、自分の案が容れられたために大いに勇んだ。

かれらは闇の睢水(すいすい)をくだった。

その間、嬰は呂氏(りょし)たちの舟に出遭うはずだと思って期待しつづけたが、ついにそれを見ることができなかった。このため嬰は混乱し、劉邦に、さがしましょうか、といった。

「かまわん」

劉邦にとって、呂氏などはどうでもよかった。薄情というのではなく、この場合、漢軍にとって自分ひとりが助かるのが喫緊(きっきん)の主題で、たとえ呂氏が助かっても自分が死んでは何もならない。

「かれらには、審食其(しんいき)がついている」

劉邦は、みずからに言いきかせるようにいった。たしかに審という取りしきりの名人がついていれば何とかなるだろう。

かれらは夜陰(やいん)にまぎれて北岸に再上陸し、北上した。

あとが大変だった。前方に一炬(いっきょ)を見ても、おびえて道を変えた。山川草木がことごとく楚兵といってよく、夜があけると馬車を森の中に入れ、草にかくれて仮眠した。

睢水の北岸から沛までの距離は、こんにちの日本でいえば熊本から福岡程度のものであったが、夜しか動けないために何日も要した。

途中、楚兵に何度も遭遇した。どの場合も戦わずに逃げに逃げたが、そのつど、護衛兵の数が減った。当初随行していたのは十数人だったが、沛に近づくころには車のまわりに一人もいなくなった。

「嬰(えい)よ、お前だけが頼りだ」

と、さすがに劉邦も、屠所(としょ)で病馬が最後にいななくような声をあげた。嬰は、自分が居なければこの親分は生きてゆけないのだと思うと、全身の毛穴が粟粒(あわつぶ)だつような昂揚(こうよう)をおぼえた。かんがとぎすまされて、事前に危険が鏡にうつし出されるように予知できた。ただ、草むらの中で突っ伏して仮眠しているときなど、

（嫺嫺(かんかん)のやつはぶじだろうか）

と、思った。しかしむだなことだと思いかえした。

沛付近にたどりつくと、故郷どころか、城内にも城外にも楚兵が充満していることがわかった。

「嬰。これはなんということだ」

劉邦は絶望のあまり、こどもにかえった。餓鬼(がき)大将がいじめやすい子に歯をむくよ

うにして、嬰を責めたてた。嬰にとって、この感じも悪くなかった。

嬰はかねて劉邦より自分のほうが利口であることを信じていたが、このときこそしみじみ思った。沛付近はなるほど楚軍の剣光帽影で満ちているとはいえ、血縁や知人が多く、敵味方の情報をあつめることが容易であった。

「いっそ下邑（江蘇省碭山県の東）まで行きましょう」

「どこへでも行け」

劉邦は口でこそ憎まれ口をたたいたが、嬰に順うしかない。嬰がききこんできた情報では、下邑に味方がいる。その者は漢軍の彭城（徐州）攻めに参加すべく単父（山東省）から行軍しているうちに敗報をきき、下邑にとどまった。ごく小さな部隊である。

首領の名を、呂沢という。

劉邦の妻呂氏の長兄である。呂沢は劉邦に従って関中から出たが、途中、故郷の単父で兵をつのるために別行動をとった。そのために彭城陥落には間にあわなかったが、いまはそれが幸いした。下邑は呂沢の父の呂公がながくとどまってひとびとに恩を施した土地で、呂沢にとって危険な土地ではなかった。

「呂沢さんがいるのか」

劉邦は、なにやら情けなかった。

漢中では恩賞の大盤（おおばん）ぶるまいをして馭者の嬰を列侯につらねたように、当然、呂沢も侯の身分にし、周呂（しゅうりょ）侯を称せしめた。その漢王たる自分がこんどは身ひとつで呂沢の保護を乞（こ）うことになるのである。

これが呂氏の長兄でなければこうも気が重くないのだが、そこは多少微妙であった。

嬰は、そういう機微はわかっている。

「周呂侯に下邑の防衛をさせて、大王はその西の碭（とう）へゆき、その沼沢地にかくれ、四方に使いを飛ばして敗兵をあつめるのです。碭はなんといっても大王にはご縁のふかい地ではありませんか」

「嬰。お前の智謀はあたかも張良のようだ」

劉邦は、はじめてよろこんだ。

沛から下邑へゆくには、西南に道をとらねばならない。

沛付近は、息を殺すようにして通過した。

が、嬰が情報をかきあつめたために漢王がこのあたりに逃げこんでいることを楚軍が知ってしまい、捜索が急になった。

ときに、夜も動けなかった。

ついに危険区域を脱し、下邑にむかって西南にのびている街道に出たとき、劉邦はやっと生色をとりもどした。このあたりは典型的な沖積(ちゅうせき)平野で、文字どおり一望千里の野である。

かれらは馬車を駆って昼行した。

このことが失敗だった。下邑に近くなったとき、前方から楚軍の一隊百人ほどがやってきた。歩兵もいたし、騎乗の者もいた。

「嬰っ」

劉邦は恐怖のあまり、両手をあげて嬰の頸(くび)を締めた。

「大丈夫です」

嬰は窒息(ちっそく)しそうになりながら、言った。劉邦に頸を締められたことで、かえって肚(はら)がすわってしまった。

嬰は鞭(むち)をあげ、二頭の馬を打ちつづけた。この時代の鞭には、先端に鉄のとげがついている。力まかせに打つと馬の尻(しり)が傷つき血が滲(にじ)むために、平素の嬰は鞭を用いない。

「トウ」

嬰は、叫んだ。馬の名であった。この二頭の馬は、嬰が良馬の産地である関中を歩きまわって手に入れたもので、一頭をトウと名づけ、他の一頭をセイと名づけた。嬰は、トウとよぶと、すぐセイとよんだ。「良馬は策錣（鞭のトゲ）を待たずして行き、駑馬はこれを策錣すと雖も進まず」というが、嬰の馬たちは嬰に打たれることで驚き、狂ったように駈けだしたが、やがて嬰が自分たちの名を連呼しつづけることで事態の尋常でないことを知ったのか、鞭を待たずに駈けつづけた。嬰は鞭のかわりに馬の名を叫びつづけた。

名を呼ぶだけで、馬たちは奔った。

劉邦は右側の較にしがみついた。少年盈とその姉は左側の較に絡みついている。

楚軍がおどろいて道をあけ、馬車が風のように通過し去ってから車上の美髯の男が劉邦であることに気づいた者がいた。

かれらはいっせいに車塵のあとを追いはじめた。

矢が飛んできた。劉邦は絶望した。

しかし劉邦のたちとしてその絶望は心の内側へ落ちてゆくそれではなく、この場合も火のように頭へのぼってしまった。

やがて馬がつかれてきて、車輪の回転がゆるやかになった。

ひとつには、盈とその姉が乗っているせいであった。劉邦はそれに気づくと盈のえりがみをつかんで車外へ捨て、さらにその姉が較をつかんでいる手をひっぱずして車外へほうり捨てた。

嬰は仰天して車をとめた。飛びおりて二人をひきずってきて車内にほうりこみ、さらに走った。

「嬰っ、勝手なことをするな」

劉邦は、怒った。

「子を捨てるのは、考えがあってのことだ」

「なんのお考えでございます」

「車を軽くするためだ」

劉邦の行為は、この大陸の伝統的な倫理思想からみて非難はされない。劉邦をくるんでいる儒教以前の土俗倫理も儒教以後の倫理においても、親がもとで、子は枝葉にすぎず、孝の思想はあくまでも親が中心であった。親が危機にあるのに子が漫然としてその体重を車上に載せていることはなく、できればみずから車外へとび出るのが孝の道というものであった。劉邦の所行は、飛びおりようとしないこどもたちのために孝の行為を手伝ってやったにすぎない。露骨にいえば親が存在するかぎりいくらでも子を生産することができるが、親である劉邦を生産することはできない。

劉邦はこれを何度もくりかえした。

嬰もまた馬車をとめて子をひろいあげる行為を何度も繰りかえした。

ついに劉邦は盈を毬のようにたかだかと差しあげ、飛びすぎてゆく路傍の畑にむかって投げた。嬰がすぐさま車をとめた。

「斬るぞ、とめるな」

と、劉邦が剣のつかに手をかけたが、嬰はすばやくとびおりた。ひろいあげてふたたび馬を駆った。劉邦はなんともできなかった。嬰を斬れば馬車を走らせることができなくなるのである。

かれらはやっと下邑にたどりつき、呂沢に会った。

劉邦は嬰には心をゆるしきっていたが、呂沢に対しては人変わりしたように演技し、いかにも大人のように閑々と歩を進め、呂沢の肩を抱いて、

「よくぶじでいてくれました」

と、相手の幸運をよろこんだ。ほんの一時間前には子を何度も投げすてたほどに狼狽した男とはとても思えなかった。

「彭城では、私としたことが、すこしゆだんしました」

劉邦は微笑し、碭へでも行ってまた一からやりなおそう、と言いつつ下邑の城壁をながめ、

「どうもあの城壁は低くて力づよくない。いっそあなたも碭へ来ませんか」

といった。むしろ恩に着せているようであった。

劉邦の背後には夏侯嬰以外、一兵もいない。

義兄の呂沢には千人ばかりの兵がいる。優劣の立場が逆転している。ここで呂沢が劉邦を殺して自立するか、とらえて項羽にさし出しその恩賞にあずかるか、どちらをえらんでも不自然ではなかった。呂家はもともと単父で自立している小勢力で、劉邦の子分ではなかったのである。

が、呂沢は気を呑まれてしまった。

呂沢はすでに初老である。妹の呂氏にはまったく似ず、瓜の腐ったような小頭の地肌がすけてみえるほどに髪がうすく、唇が上へめくれていつも笑っているような顔をしていた。人に扇動されれば何を仕出かすかもしれない男であったが、といって自分から悪辣なことを思いつく男でもなかった。

劉邦はその寛やかな袖で小柄な呂沢をつつみこむようにして、呂沢の兵を直接指揮

してしまい、呂沢を客分のような場においた。

かれらは、碭へ行った。

碭というのは、蕩と同音である。水がほしいままに流れている、という意味である。その字義どおり、このあたりは多数の河川が氾濫したあと遊水がそのまま沼沢化したという感じで、地の乾いたところは丘になっている。丘のなかに碭山があり、その北には芒山がある。ともかくもこの無数の沼沢は利用の仕方によっては敵をふせぐのに城壁よりも便利で、劉邦がかつてここに盗賊として逃げこんでいたとき、秦の県官は手を焼いた。

劉邦がここに身をひそめているうちに、四方にちらばった味方が、しだいにあつまってきた。

この間、関中に蕭何がいつづけていた。

（あの男がいるかぎり、なんとか兵を送ってくれるだろう）

と、劉邦は思ったが、それにしても情けなかった。兵という兵は武器をすてており、将も馬をうしなっていて、軍勢とはいえなかった。

ある夜、周勃、夏侯嬰、盧綰といった沛以来の遠慮のない男どもが一室に集まったとき、劉邦は一座を情けなさそうにながめまわして、

「どれもこれも、能なしの役立たずばかりだ」

とても天下の事をはかれる顔ぶれではない、と真顔でなげいたが、周勃たちはべつに傷つかなかった。それよりも目尻に涙をためて心底から落胆している劉邦を見て、たれもがふしぎなほどに、愛情を覚えた。

漢王の使者

劉邦は、口がわるかった。

――くずのようなやつだ。

と、自分の配下のたれかれを、頭ごなしにののしることがあったが、しかし随何に対するときの罵倒は好悪から出ていた。

「いやなやつだ」

つい、口に出していってしまう。

随何は劉邦に近侍する小役人である。いつ随何を採用したのか劉邦自身もおぼえていないが、旗揚げして数カ月経ったころにはこのしたり顔の小男が身辺にいたような気がする。

随何は鶴に儒服を着せたような感じの男で、謁者（賓客を接待する係）という、いわば給仕長のようなしごとを、綿密な気くばりでもってつとめていた。忠実といえばこの男ほどまじめな男はない。劉邦が彭城で大敗して沼沢のあいだを逃げまわっているときも敗軍のなかで劉邦を必死でさがしだし、そのあとは蠅のように劉邦のまわりを飛びまわってこまめに仕えていた。

「随何はたいした男だ」

劉邦の幕僚たちはみなほめた。

「わるい男じゃありませんよ」

と、たれかがかばうと、劉邦はあたり前だ、と大声を出し、

「あれで悪ければどうなる」

と、いった。劉邦は口ぎたなく罵ったり、腹を立てたりするとき、かえって愛嬌が出てしまう。ひょっとするとひとの親分である劉邦の本質とはそれではないかと思われるほどであった。

随何は儒生であった。まだ三十をすぎたばかりで、目もとに童臭をのこしているが、儒者らしくひげをはやし、どういう場合でも冠を正しくかぶり、みずから訓練して容貌をたえず温雅にたもっている。この時代、儒教は後世のように天下をおおうに至っ

ていない。

戦国のころに諸子百家といわれた諸教団のなかでは、博愛と不戦という特徴的な論理を武器にして説く墨子教団とともに儒教教団は最大の勢力をしめていた。しかし、かといって儀礼を尚ぶ儒教をもって立国の基礎とする王侯など、戦国期にも劉邦たちの時代にも居なかったといっていい。

「様子ばかりつくりおって」

と、劉邦はいうが、たしかに儒生はやわらかい儒服を着、婦人が髪形を気にするように冠が一分でもまがっていないかとたえず指で触れ、笑うときもほんのり微笑を洩らすだけで、決して大口をあけて大声をあげることはない。

仁と忠恕がかれらの倫理の中心になっている。

忠とは、後世、日本的な意味になったそれではない。単に、まごころということである。恕とは他者への思いやりということで、この原始教団時代の儒生にあっては儒教の本質を身をもって示さねばならないため、多分に演出や演技を用いる。人の心は一個の器である。儒生としては忠恕という水が器にひたひたと湛えられていることを外貌に示すために、いかにも憐れみぶかそうな顔つきと様子をしつづけていねばならず、随何というこの謁者もまたそういうぐあいであった。

「あんなやつ」

と、劉邦からみれば、見るだけで歯が浮いてしまう。しかし、随何になにも落度はない。

秦は、儒者を弾圧した。始皇帝は有名な焚書坑儒をやったが、阬（坑）にされた儒者は主として首都咸陽付近にかぎられており、他地方では生き残った。乱世になると、儒者たちは四方にはしって職をもとめた。

就職となると、博愛と不戦を説く墨子の徒などなかなか仕官の口がなかったが、その点、儒教は長者に仕える道であり、長者に徳を増させる道を教えるために、有利であった。儒教は、内にあっては温順な家族原理をもち、父母に対し神であるかのように仕える。王に対してはその尊厳を増すための儀礼をととのえさせその徳をいよいよかがやかしく見せかけるために供奉を荘厳にし、出入りに音楽を用いるなどの演出もやったから、王侯ともなれば儀典係に儒生をやとわざるをえなかった。随何の職である謁者もまた儀典係のひとつなのである。

が、劉邦は儀典がきらいであった。それらがすべて虚飾にみえたし、第一、儀典を進行させる儒生たちの知識人ぶった顔つきが気に入らなかった。

「こんなもの」

と、劉邦はいきなり或る儒生の頭から冠をひっぺがし、その中へ小便を注ぎこんだことがあった。ひとつは、劉邦の劣等感がさせたことであろう。かれは卑賤のうまれというより、天性、行儀が身につかぬたちだったし、それに文字に昏かった。

「儒生など、婦女子がしなをつくっているようなものではないか、きんたまはあるか」

といって、いきなり随何の股間をつかんだことがあった。

つかんだ上、鳩の卵のような嚢の中の二つのものを掌の中でころころ上下させたときは、随何は痛くもあり、忿りもおぼえたが、しかし身をすくませて我慢した。

「たしかに、皐（睾丸の睾の正字）があるわい」

と、劉邦はからかった。このことには二重の意味があった。

随何は六（安徽省）の人間なのである。ふるいはなしだが、中国の神話時代の帝である舜のとき、その大臣になって史上最初に法律をつくり、刑務所をつくったのが、六の人で、皐陶という人物であった。六の人は皐陶を誇りにし、たれもがその子孫であると思っていたから、劉邦はそれに掛けたのである。男子の股間の袋を「皐」という。さらに皐陶とは右の伝説上の人名のほかに、普通名詞でもあった。太鼓のバチをさす。要するに陽根のことである。

随何は、劉邦に忿りをみせたことがなかった。

「なぜ怒らぬ。儒学というのはそんなものか」

というと、随何はしさいらしくかぶりをふって、

「いいえ、孔夫子の教えは、憤りの上になりたっております。先王の道を説いても、色を好むほどに道を聴くことをよろこぶ者はまれだということについての憤りが、儒教の基底で、儒教は憤りのかたまりと申してよろしゅうございます」

「それだ」

劉邦は随何のもっともらしい言い方にうんざりしたという顔で、

「そのりくつが好かんというのだ。わしはただなぜお前はそのしたり顔をやめて、たまには男らしく怒ろうとはせぬのかときいているのだ」

「大王は、しばしば私を揶揄されます。しかしそれらはつねに人の上べを爪でおはじき遊ばしているだけで、人倫の本質について挑発されたことはありませぬ。上べの揶揄などに儒者たる私がいちいち腹を立てられましょうか」

「何をぬかすかい」

劉邦は話がこみ入ってくると、いつもそうだが、首をふってむこうへ行ってしまう。

劉邦が逃げに逃げてついに碭(江蘇省)にたどりつき、そこで敗兵をあつめたということは、すでに触れた。

「さらに西へゆきましょう」

と献言する者があって、戎装もぼろぼろになった兵をひきい、西走して虞(河南省虞城県)の城廓のなかに入った。

虞は、堯・舜・禹という神話時代からつづいているとされる町で、水運水利もよく、後背地の農村もゆたかで、ここで敗兵をあつめれば当座の食糧にこと欠かない。韓信や張良とも連絡がついた。かれらはさすがに手ぶらで逃げていたのではなく、それぞれが各地で敗兵をあつめ、期せずして西にむかっていた。

「もっと西へむかいましょう」

と、張良から言ってきている。

具体的には、黄河流域最大の穀物の集積地である滎陽(河南省)をおさえ、ここを拠点にすることであった。滎陽の穀物倉庫は数十万の兵を食わせることができる上に、その西方の台上である劉邦の本来の根拠地である関中台地とのあいだの交通の便がいい。

関中台地では、蕭何が留守をしている。

蕭何のもとにはすでに劉邦の彭城における大敗戦がつたわっており、すかさず関中において壮丁を大々的に徴募していた。その新徴の兵を滎陽にむけて送る、と蕭何は言ってきており、それにべつに打ちあわせしたこともないのに韓信は聡くも察して滎陽にむかって行軍している。張良もそうであった。張良などは、

「滎陽とそれに西隣する成皋の城頭に漢軍の赤旗（劉邦軍の色）をひるがえせば、日ならずして十万の軍兵を得ることができましょう」

と、虞城の中にいる劉邦に言ってきていた。

「みなでいいようにしてくれ」

劉邦はいちいち気のない返事をした。逃走の疲れが、虞城で出てしまった。顔じゅうが水びたしになったような風邪をひいた上に、なにをするのも物憂く、なにか思いつくと、またおれは敗けるのではないか、という不安が思案の出口をふさいでしまうのである。

（項羽というやつにはとても勝てない）

という思いが、壊疽の傷口のように日ごとひろがっていた。彭城からの敗走中のおそろしさについては、しばしば夢に見てとび起きてしまうほどであった。

「疲れた」

ということと、

「役立たずめ」

というのが、劉邦の口ぐせになっていた。

ある夜、営中で左右を見ると、儒生あがりの給仕長の随何と、ほか数人しかいなかった。劉邦は物憂くあごをあげて、

「なんとつまらぬ男ばかりがわが身辺にいることよ。千里に使いをしてわがために運をひらくという男はいないのか」

といった。

このとき、意外なことがおこった。

「陛下」

劉邦がおもわず身をおこしたほど毅然とした声が一隅にひびき、よく見ると、劉邦がかねて女の出来そこないと思っていた男が、別人のように両眼を鋭くしている。

「いまのお言葉、腑に落ちませぬ。なにか、お言葉の裏には御思案があるようにおもいますが」

「ある」

劉邦は、気疎そうにうなずいた。

「おきかせねがえませぬか」

「詮ないことよ」

と言ったが、やがて語りはじめたのは、項羽の部将の黥布のことであった。

この時期、黥布が、項羽と劉邦との戦いに対し、楚軍に従軍せず、根拠地にあって局外中立をたもっているような様子なのである。

「黥布の挙動があやしい。あの男は項羽に対する忠誠心を棄ててしまったのではないか」

と、劉邦はいった。

黥布については、この稿で、かつてわずかながら触れた。

旧貴族のあがりでなく庶民出身であることは、劉邦と似ている。前科者あがりで、盗賊の親方をやったこともあるという点なども、そっくりであった。似ていないのは、おなじ不良あがりでも劉邦の場合、それなりの徳があるということであろう。黥布にはそういう徳が、あるいは薄かったのではないか。

このころの刑罰は、死罪より軽い場合、両足のアキレス腱を切ったり、体に入墨したりして、一見して前科者であることの身体的特徴をつくってしまう。たとえば戦国の思想家の墨子は、一説によれば入墨者であり、墨子というよばれ方はそこからきている、という。

黥とは、入墨のことである。布という男は本来、英というのが姓であったが、英布とよばれず、たれもが黥布とよんだのは、受刑者に対する軽蔑と怖れがこめられていたといっていい。もっとも当人自身、それが自慢でもあった。

この時代、人相見が流行したことも、かつて触れた。黥布もまた少年のころ、ある人がかれの相をみて、この子は長ずれば刑罰をうけるだろう、しかし受けてから王になるにちがいない、と予言した、という個人伝説をもっている。はたして壮年になって入墨の刑をうけたとき、黥布はおどりあがってよろこび、ひとびとにふれまわっては失笑を買ったという。

（胴欲で残忍な男だ）

ということは、随何もきき知っていた。

きわめて偶然なことに、黥布は随何と同郷の六のひとであった。

秦末、黥布が驪山の工事にかりだされたのは、劉邦の場合のように亭長として夫役の民数百人をひきいて行ったというかたちでなく、囚人として刑吏の笞に追われながら現場へゆき、終始囚人組織のなかにあって土を運んでいた。このことは、黥布に幸いした。囚人のほとんどは、ごろつき、盗賊、遊び人のたぐいで、各地の顔役もいたから、かれは積極的に縁をつないでまわり、やがてそれらをひきいて逃亡し、長江（揚子江）付近へ行って群盗をはたらいた。

（黥布が親分になってゆくもとは、あくまでも黥から出発している）

と、随何などはおもっていた。

農民一揆の陳勝が秦末の天下をひっかきまわしたとき、黥布はこの乱に乗じて一旗あげようとし、揚子江のそばの番陽湖あたりで官僚としての勢力をもっていた番陽県の県令呉芮を説き、その同意を得、さらにはその娘をもらった。同時に呉芮の人事組織をそっくり譲りうけ、それを火種にしてまわりに山火事をひろげるようにして勢力を大きくした。この閲歴でみられるように、黥布はこの当時の多くの豪傑どもが陳勝のもとに馳せ参じてその部将になるというかたちをとったのに対し、よほど自立の心がつよいのか、あくまでも独立の姿勢をとっていた。

（たれが、陳勝づれに。——）

という自負心があったのであろう。もっとも陳勝の勢力が熾んになっていた地域と黥布のいる長江中流は地理的に離れすぎていたという事情もあったが。……

が、段階はつぎつぎに変わった。項梁が揚子江の下流付近で蜂起し、楚を私称して急速に勢力を成長させ、その大軍をひきいて揚子江をわたったときは、黥布はすすんでこの傘下に入った。自立しなかったのは、ひとつには非力であったためである。自分の武勇には自信をもっていたが、しかし農村に根をおろし、その信望を得、かれらから食糧を吸いあげて自軍を食わせてゆくというこの大陸における独特の政治的徳望が黥布には稀薄であった。

時代は、急湍のように流れている。日ごとに歴史が変わった。項梁の楚軍も変化してゆき、総帥の項梁が定陶で戦死したあと、楚軍のなかで多少の権力闘争があって、結局は項梁のおいの項羽が血脈相続のかたちで相続した。

――項羽ごとき小僧が。

黥布は、内心、心外であった。この男に火を噴くようないくさをさせれば項羽にさほどおとらない能力があったが、内部工作をして権力闘争をするというふうには性格も資質もできていなかった。

（独立してやるか）

とこのとき思ったが、しかし農民に人望のすくない黥布には、独立しても兵を食わせることができない。農民たちは項羽に対しては鬼神を仰ぐような超人性を感じているが、黥布に対しては恐怖のみで畏怖は感じていなかった。項梁時代の一時期、黥布は劉邦と同僚であった。黥布はいくさ下手な劉邦など眼中においていなかったが、いつのまにか劉邦が独立の勢力として成長して行ったことについて奇妙さを感じていた。劉邦は主として関中の農民から寛宏な長者として見られており、いわばふしぎな政治的人格をもっていたが、黥布にはその点が性格として理解できなかった。

ともかくも黥布は、新総師の項羽によるあらたな楚軍成立のとき、なりゆきのままその一部将として残り、一見、その境涯にあまんじているといった具合でこんにちにいたった。

秦がほろんだあとの論功行賞で、項羽は十八人の王をつくった。このうち黥布は九江王に封じられた。九江は黥布の根拠地の番陽県とかれの故郷の六をもふくめたひろい地域で、かれは故郷に錦をかざるためか、六に都をさだめた。

「王」

などといっても、結局は西楚王の項羽の配下にすぎず、項羽の機嫌ひとつで首がとぶかもしれない不安定な存在であったが、ともかくも黥布は少年のころに相者が観たとおり、いれずみ者ながら王になったのである。

ところが、九江王になってから黥布の項羽に対する態度が微妙になった。

項羽の勢力は依然として強大であったが、しかしかれにそむく者も多く、北方にあっては斉と趙が反楚の気勢を示し、西方の関中は劉邦の一大補給基地になっており、それらは戦えばかならず項羽によって撃破されるが、いわば蠅のむれのようなもので、幾度追ってもきりがなかった。項羽は北と西に敵をひかえている以上、討伐のための兵力がつねに不足し、九江王の黥布の軍に期待するところが大きかった。が、黥布はうごかなかった。項羽が北方の斉へ遠征するときも、黥布は仮病をつかって出征せず、わずか数千の兵を送っただけであった。

項羽の不在中、劉邦軍が項羽の首都彭城を直撃してこれを一時的ながら占領したときもそうであった。黥布は救援におもむかなかった。

さいわい、項羽は首都彭城をとりもどしたが、九江の黥布がなにを考えているのかということは項羽とその幕僚たちの重要な懸念になっていた。項羽は何度か詰問の使者を六に送った。この詰問は、かえって黥布の態度をかたくした。

(殺されるかもしれぬ)

とおもい、何度かの召喚命令についても理由をかまえて応じなかった。

黥布は、いわば第三勢力になった。もしくはなろうとし、あるいはそのことで迷っているのであろう。

この黥布の中立が、劉邦にとってすくいになっていた。

(なんとか黥布を)

とおもった。味方にひき入れることができれば、ということは、劉邦ならずとも思いつく智恵であった。まして劉邦は大敗のあとであり、目下の大状況にあっては溺れかけているといっていい。かつて彭城攻めのときに沸くようないきおいでかれに加盟してきた諸勢力もいまはほとんどが項羽に降参して劉邦殺しのための爪牙になっている。そういう状況下での落ちぶれた劉邦に、黥布がはたして魅力を感ずるかどうか。

「どうだ」

劉邦は、一座を見まわした。いつのまにかかれのまわりに集まる人数がふえている。

「はるかに淮南(六は淮河の南にある)に使いして黥布を説得できる者がいるか」

劉邦はことさらに随何から視線をはずして一座を見まわしたが、たれもが目を伏せた。随何のみが顔をあげて劉邦の視線がもどってくるのを待っている。やがて目が合ったとき、

「わたくしが参りましょう」

と、いやみなほどの落ちつきぶりでいった。劉邦が不愉快そうに、

「行列の先頭で音楽を鳴らしているようなわけにはいかんぞ」

といったのは、かれは儒者というものをその程度にしか見ていなかったのである。

随何も、理屈ぎらいのこの劉邦の前で長広舌をふるう気はなく、ただ、

「陛下は私が六の出身であることをお忘れあそばしましたか」

と、それだけをいった。

（そうだったな）

劉邦には、こういう言い方が理解しやすい。即座に使者が随何であることを決めた。

そのうち項羽が大攻勢をおこし、虞にせまったため、劉邦は泡を食って西へ走り、黄河南岸の滎陽城に入った。

すでに張良と韓信がこのあたりを要塞化していた。

先秦時代から秦にかけてこの中原の黄河沿岸の滎陽城が、その西隣りの成皋城をふくめて政権の租税——とくに穀物——の一大集積地であることは幾度かふれてきたが、それだけに城壁は高く、厚く、城門は厳重で容易に外敵に略取されることがない。ただされ堅城であるのに、張良と韓信が智能のかぎりをつくして堅固で周到な防禦

工事をほどこしつつあった。まわりの大小の城市とのあいだに長大な甬道（両側に胸壁をきずいた道路）をつくって連絡しあい、兵と兵糧を往来させるのに便利なようにし、さらには甬道だけでもそれを胸壁として防戦できるようにことさらに壁を高くしてあった。

蕭何が留守番をする関中台地とのあいだの軍事交通もじつにうまく行っていた。蕭何は関中の食糧を函谷関をへてつぎつぎに送りこんでおり、また蕭何が徴募した関中兵も、すでに榮陽・成皐にあって訓練をうけつつあった。

「これか、これがわが城か」

劉邦は内心雀躍りする思いで榮陽の城門に入った。随何は門外までついてきて、ここで劉邦にわかれを告げ、南のほうの六にむかって出発した。

劉邦は榮陽の城内で、張良と彭城の大敗戦以来、ひさしぶりで顔を合わした。

「彭城以来、大変だったな。漢の運はもはや尽きたかとおもった」

劉邦がいったが、張良は相変わらず晩春の陽ざしに柳がかすかにゆれているように容貌がしずかで、戦いというのは波があるものですよ、といっただけで、劉邦の顔をじっとみてから、

「お疲れはとれたようですな」

と、いった。問題は劉邦の健康とその気魄の持続である、と言いたげであった。

劉邦は、黥布に使いを送った、といった。

「使者は、たれになさいましたか」

「随何だ」

と劉邦がいったとき、張良の表情にかすかな変化があった。劉邦は内心、人選をあやまったかな、と思ったが、色には出さず、あいつは六の出身なんだよ、といった。

「随何はいつ出発しました」

「たったいま、この滎陽の城外から出発した。しかし随何のやつ、なぜこの城内に入ろうとしなかったのだろう」

「それは」

といってから、張良ははじめて笑った。

張良が随何の心を察するに、城内に入って張良に会えば張良が自分が行こうと言いだすのではないか、と思ったからにちがいない。それほどに重要な使いであった。随何が張良を避けてまでみずから任じているのなら死を決しているのでしょう、といった。

「随何が死を？」

劉邦はおどろいた。

「儒生でもあえて死ぬか」

「婦人でもときに矜持(ほこり)のためには死にましょう」

「ではなぜかれは虞(ぐ)からすぐ出発しなかった」

「千里へ使いする者は、背後が堅固であるということで、はじめて自信を得ます。虞のうらぶれた陣営から出発すれば相手に対する迫力が弱くなりましょう。ひとめでも、漢の滎陽城の守りが堅固だということを見ておきたかったのだと思います」

「張子房(ちょうしぼう)」

劉邦は鄭重(ていちょう)によんだ。

「随何は、黥布を説得できるだろうか」

「むずかしいでしょう」

張良は、さらりといった。劉邦はおどろき、では卿(そなた)に行ってもらえばよかったのか、といったが、張良は切るようにかぶりを振って、

「たれが行ってもおなじです。黥布という厄介(やっかい)な男が相手である以上。――」

張良のいうのはたとえ対黥布工作がうまくゆかなくてもこの滎陽(けいよう)・成皋(せいこう)それに敖倉(ごうそう)の防衛線を強靱(きょうじん)にし、後背の関中とたえず連絡をとり、項羽が来れば善く戦い、この

一線で項羽軍をふせぎ切ってしまわねばならぬ、いまはなにごとにも期待すべきでない、といった。

「それにしても、わが漢の弱さよ」

と、劉邦はいったが、自分のことはたなにあげていた。

「漢の弱さは、将軍たちがだめだからだ」

「ちがいます、韓信がいます」

張良は、韓信の卓越していることは劉邦の認識以上のものだとのべ、さらにかれへの信頼をいっそう篤くなされよ、といった。

随何は、南にむかって旅をかさねている。

数日して項羽の大軍が、滎陽城とそれにつらなる城々をかこんだという報を得た。

(あの城なら百日は保つ)

随何は、平地ながら連山のように、甬道をもってつながれた劉邦の城々をおもった。劉邦の運命の終熄までまだ百日の期限があるということであった。

随何は、劉邦を決して敬愛してはいない。

が、儒者というのは、非戦主義の墨子の徒や無為を説く老荘の徒とはちがい、言いきってしまえば仕官を目的とする。すくなくとも官についてはじめてその思想を役立てることができる道なのである。

仕える主としては同郷の黥布は不適当であった。残忍すぎて仁と忠恕の儒教をうけ容れる可能性がまったくなく、項羽も似たようなものであり、そのなかでは劉邦がいかに儒徒のもったいぶりがきらいでも素質にどこか仁の粗鉱のようなものがあり、すくなくとも仁に隣りあわせたふしぎな愛嬌というものがあった。そのことにいつかは儒教を容れるかもしれないという匂いを、随何は嗅いでいる。

随何は、劉邦に勝たせたかった。

すくなくとも項羽が勝てばどうなるか。

項羽はひとたび自分の配下になった者に対しては肉親のように愛するが、裏切るか、あるいは無縁の者に対してはどんな残虐なことでもやった。降伏して自軍に組み入れられた旧秦兵二十万人を新安の黄土の陥没層の地帯においてことごとく阬にしたというすさまじさは、仁ということとおよそ遠かった。

それに、楚の義帝を南方の蛮地に追い、さらに人を追わしめてこれを弑している。その悪虐ぶりは忠恕という倫理感情からおよそ遠い。

南へゆく随何にとって、こまったことがある。

(黥布は、なしがたいことをやった男だ)

ということであった。かつて新安で旧秦兵二十万を生きながらに阬にほうりこんで土をかぶせた直接の指揮者は黥布であった。あるいは非力な義帝のあとを追ってこれを長江の船上で殺したのも、命令者が項羽であるとはいえ、執行者は黥布であった。むろん義帝の弑殺の場合、黥布がじかに刃の柄をにぎったわけでなく、これを自分の仲間にやらせた。仲間というのは、以前、黥布とともに旗揚げをした亡秦の番陽県の県令呉芮で、この黥布の義父はそのつながりによって、この時期、項羽から衡山王という称号をもらっていた。呉芮がやったにせよ、しごとそのものを請負ったのは黥布である。項羽は黥布の残忍な性格を道具としてつかってそのしごとをやらせたともいえる。

そういう黥布を随何は説き、味方にひき入れようとするのである。

(人として、まちがってはいないか)

随何は、劉邦から請負ったしごととはいえ、道中、血が泥のようににごってゆく気持の重さをおぼえつづけた。

かれは、儒教の典籍のあらゆるものを思い出しては、自分の行為がまちがっているかどうかをたしかめた。

随何がもし不戦と不殺を説く墨子の徒ならこのしごとをうけおわなかったにちがいない。老荘の徒であっても、べつな思考をしたかとおもわれる。墨子も老荘も、その思想は多分に人の世の現実から飛躍しているだけに論理の密度が高い。ひとり儒教の場合、とくにこの時代の原始的なそれの場合は、論理の網の目が精密とはいいがたく、要するに現実の猥雑さを礼楽によって秩序立てることだけが眼目になっていた。

(まあ、いいだろう。劉邦を勝たせるためには虎狼とでも手をにぎらねばならぬ)

と、随何は、自分に言いきかせた。

随何は、車騎をひきいて旅をしている。

かれは漢王の名をはずかしめないために随員を多くすることを劉邦にたのんだ。劉邦はいかにも儒者らしい大仰さを鼻でわらったが、それでも官吏だけで二十人というたいそうな陣容を組んでくれた。

使節団長である随何の従者、または団員の従者、あるいは護衛部隊、それに荷運びの者などを入れると総勢三百人を越える一団になった。

随何は儒者として、その配下に服装をやかましくいった。

六の城壁がみえるところまでくると行列を停止させていっせいに新品の衣服、甲冑に着かえさせた。

「服装をただすことがすなわち九江王（黥布）への畏敬を示すことになる」

それが礼というものだ、といった。儒教の本質のひとつといってよかったが、ともかくも一行が六の城内に入ったとき、市中のたれもがかれらの行装のきらびやかさにおどろいた。

随何は物のゆきとどいた男であった。すでに先発者をして黥布へ面会を申し入れさせてあったが、その者が城門で随何を待ちうけており、車にちかづいて、

「だめだ」

と、いった。

「黥布はくびをたてに振らないよ」

（あるいは談判は不調におわるのではないか）

という不安が随何の胸を不吉な鳥の影のようによこぎったが、しかしそういうことよりも随何にとって重要だったのは、先発者のそういう物の言い方であった。この者は本来、随何と同僚なのである。が、このたびは仮りに随何が長になっている。

「私を私らしくうやまえ」

と、語気するどくたしなめた。それが礼というものだ、ともいった。お前たちが私に礼さえもちいれば私は尊貴になる、漢王の使者である私が尊貴にならねば漢王を辱

しめ、ひいては九江王をはずかしめることになる、さらにいえばせっかくの談判も不調におわるのだ、といった。

「礼とはそういうものだ」

随何がいうのに対し、その男は、

「黥布が会わないといっているのに礼もくそもあるものか」

と、不快そうに言った。しかし随何は車上の風に吹かれながらそういう鄙声など耳に入らぬというふりをつくった。

六は、すでにふれたように、随何の故郷である。

城内には旧友や親戚が多く、なかでも楊という男が縁者である上に旧友でもあった。

その男の屋敷を宿舎とした。

楊はふとった男で、黥布に早くからつかえ、太宰という職についていた。

太宰という官は古代では大臣などを指したが、この時代は内容が変化し、王の食事や宴会をつかさどる役人をさす。六はふるい文化が沈澱した土地だけに随何のような謁者や、楊のような太宰にむいた人間を出すらしい。

「私は君命を奉じています」

随何は旧知の楊に対してひどく他人行儀なことばをつかい、任務がおわるまでそういう態度でいたい、とことわった。むろん黥布に面会を申し入れるのにこの太宰を通じてやったことは、いうまでもない。

が、黥布の返事は、にべもなかった。

その上、まずいことに、楚――項羽――の使者もやってきていて、日ごと黥布と交渉をかさねており、ただでさえ項羽への冷淡をうたがわれている黥布としては、漢王劉邦の使者などを引見できるはずがなかった。

「どうも、望みはないようです」

楊太宰がいったが、随何は動ぜず、大王はまちがっておられます、といった。

「楊太宰、よくきいてください。大王が、楚の使者にはお会いになるが漢の使者は遠ざけるという態度をおとりになるのは、楚が強大で漢が弱いとおもいこんでおられるにすぎません。その認識をお改めにならないかぎり、大王の滅亡は火を見るよりもあきらかです。そのように申しあげてくださいませんか」

と、いった。

「私は、太宰にすぎない」

楊は、こまったようにいった。

「大王のお食事のとき、お耳のそばで、味つけはいかがでしょうか、と申しあげるのが私のしごとだ。政治むきのことを再度申しあげるなど、分に越えたことだ」

「楊太宰よ、あなたは大王が滅んでもいいとおっしゃるのか」

随何の顔が、斧の刃のようにするどくなった。

「私は、死を決している。漢王に対してでなく、九江王に対してです。もし私の説くところを聴かれてそれが非であればよろしく私をこの城市の市で刑殺し、その屍を楚の使者にお見せになればよい。それによって大王の楚への忠義もあきらかになる」

随何は、自分が黥布に説得しようとする外交上の内容よりも、まず使者としての自分の死骸の価値を説いたのである。まず話をきけ、というだけでなく、話がつまらぬと思えば殺せ、私の死骸はあなたの楚に対する外交上、非常な価値をもつはずだ、というこの言葉は、利のみを考えている黥布の思考法に、一分のすきもなくかみ合った。

(なるほど、やつは自分の死体を提供しにきたのか)

太宰から話をきいた黥布は、すぐさま随何と二十人の使節団員をよばせた。おっかぶせて「鄭重にな」と言いそえたのは、黥布にとって奇貨が二本足であるいてきた感じだったからである。

人目をはばかることであった。

このため随何らが黥布の宮殿に入ったのは、日没後である。

庭には軍士たちの守る篝火が燃えているが、回廊は暗く、先登で楊太宰がかかげるわずか一穂の灯火をたよりに右へゆき、左へ折れた。たれもがたがいの袖をつかんでいなければ、一歩もあるけないほどの暗さであった。

（死というのはこういう暗さか）

とおもうと、随何は奥歯が鳴った。

黥布は、閨にいた。

この男は転戦した各地で女を得ては物でも貯めるように後宮に入れた。秦の章邯将軍をそこで破った鉅鹿の女もいれば、項羽とともに関中に乱入し、秦都咸陽を掠奪したときに得た秦の後宮の女もいた。あるいは挙兵早々に得た九江あたりの楚の女もいる。それぞれ言語が通じにくいが、黥布には女と言葉をかわすという必要がなく、ただ日没後、そのひとりを選んでは無言で執拗に愛撫するだけであった。

が、この夜、黥布は女がいぶかるほどにうつろであった。

（さて、漢の使者に会ったものかどうか……）

と、自明のことを心のなかで自問し、問うてみても答えが出ぬままに心を女から離してしまう。黥布は戦場では悪鬼のように強かったが、わが身のふり方となると、信じがたいほどに小心であった。

そのくせ、大望がある。

この男は、後年にその証拠があるが、天下を望んでいた。始皇帝のあとはおれが継ぐと正気で思った者としては、無名のころの項羽がいる。が、この乱世に浮沈したほとんどの群雄は器量相応の欲望をもつのみで、天下という、なにやら蒼天とおなじほどに大きなものを得ようとした者は数すくなかった。一人が、黥布であったことはまちがいない。

黥布は、項梁が死んだとき、

（なぜ項羽を殺さなかったか）

という悔いが、潰瘍のようにひろがっている。黥布が項羽の叔父の項梁の傘下に入り、歴戦してやがて項梁が楚の懐王（のちの義帝）をたてたとき、項梁はみずから武信君を称し、黥布に対してはとくに当陽君を称せしめた。項梁は黥布の戦場におけるすさまじい武勇をそういうかたちでみとめざるをえなかった。武信君が戦死すれば当陽君であるわしが立つ、と黥布はおもっていたのに、衆望は結果として項羽に帰した。

黥布は、劉邦とその勢力があのように成長してくるとおもわなかった。

その劉邦が、項羽の留守中をねらってその首都彭城をおとしたとき、あの沛の不良あがりの男のもとにあつまった雑軍が五十万を越えたという。そのときの黥布のおどろきが、かれを局外の位置へ走らせたといっていい。漢楚を激闘させてその漁夫の利を得ればあるいは天下がころがりこんでくるのではあるまいか。

が、楚は黥布の中立をゆるさなかった。

漢も、随何という使者を送りこんできて、自分をその側へひきよせようとしている。

（いましばらくじっとしていれば）

天下はかならず黥布にむかって好転する、とこの男はおもっているのだが、しかしこの算用のただひとつの——しかも致命的な——欠点は、中立を維持するための強大な武力をもたないことであった。九江王としての封地はひよどりの巣ほどに小さく、軍勢といえば、たかだか一万を動員できるにすぎない。

このため、結局は思案が旋回してもとの場所にはまりこんでしまうのである。楚に対してたてをつけば攻めほろぼされるに相違なく、滅亡と死をまぬがれようとすればいま六にきている使者とともに項羽の陣営にゆくしかない。

（項羽の機嫌を損じたことはまずかったかもしれない）

とも、この欲望の大きさのわりには気の小さすぎる男は、早まった第三勢力への転換を後悔もしていた。黥布は若いころ好んでばくちを打った。そのころ、もし九江程度のわずかなもとでで天下を賭けものにするような大ばくちを打つ男を見れば、大わらいしたにちがいない。そのおろか者が自分だということが、このぎりぎりの段階になってわかってしまった。

黥布は、女を離した。

扉のそとで、宦官の声がしている。来客が待つこと久しい、という旨を告げているのである。

随何たちは暗い部屋で待たされていた。

部屋は、高床になっている。

床の上に敷物が布かれ、その片すみに随何らがすわらされていた。青銅の燭台に星ほどに小さな灯が五点ばかり燃えているが、その程度ではたがいの顔をやっと識別できるにすぎない。

部屋のまわりには警固の軍士が詰めているらしく、ときに剣や戟のふれあう音がした。

やがて、はるかむこうで扉がひらき、大きな人影が入ってきた。同時に十基ばかりの燭台が運びこまれ、それらはすべて随何らのまわりに置かれた。この光のむれによって黥布の場所から随何たちの顔は眉のうごき一つも見のがさずに見ることができたが、随何は目をこらさないかぎり黥布の表情がよみとれない。

「私が」

黥布は、重い物体でもすえるようなきしみ音をたてながら、

「九江王だ」

といって、すわった。

随何は劉邦の代理であるためさほどの重い礼は用いず、ゆるゆると時候のことをのべ、黥布の健康を祝し、さらに劉邦からことづかった贈りものをならべ、その品々の説明などをするうちに、黥布はたまりかねて随何の話の腰を折った。

「そのほうの言葉は太宰の榻からきいている。それで会う気になった」

と、この巨漢にすれば小さすぎるほどの声でいった。あかりのせいか、部屋の空気が黄河の水底のようで、空気と同じ脂色の大きな顔が随何の目の前にあるのだが、唇が動くともみえず、声だけがかすかにきこえてくる。

（こういう男だったのか）

随何は、旧秦兵二十万人を虐殺した男なら、血管までが無数の瘤でふくらんだ異形の相と虎のような生気を想像していたのだが、目の前の男はたしかに大瓦一枚に鑿で

するどく目鼻を線刻したような異相であるとはいえ、どこか熱に疲れた病みあがりの人を連想させた。

（この男は、利の計算に窮している）

黥布を、在来、餓えた虎が肉をほしがるように利をもとめ、利のためなら何をするかわからないという男として随何はとらえてきた。黥布はその利の計算をしぬいたあげく、窮している。この男を随何の掌中に入れるには、利の話以外にない。

この大陸は、戦国を経て、問答による雄弁の術が発達した。随何はまず黥布と楚の項羽の関係について問うた。

「あなたは楚に対して何でありますか」

「わしか」

黥布は、ひくい声でいった。

「わしは、北面して楚に臣としてつかえている」

「しかしながら大王は項王の家臣ではありませぬ。楚においては同格の諸侯でございましょう」

随何は、形式論で挑発してみた。

「楚というのは項王のことだ。同格ではない。わしは項王に臣従しているのだ」

「よくわかりました」

随何は一揖し、儒生らしく微笑をつくって黥布の言葉を承け、しかし大王の楚への臣従は実をともなっていない、といちいち実例をあげた。項羽の斉への北伐に参加せずわずか数千の兵を送っただけであること、また劉邦が彭城を衝いたとき傍観していたことなどをあげたが、これらの実例は当の黥布が意を決してやったことだけに異のとなえようもない。

「つまりは、大王の臣従は空名にすぎませぬ」

「………」

黥布の顔が生気をうしなった。

随何は、声をはげましていった。

「大王よ」

「空名の臣従をもって、頼るということだけは楚に頼ろうとされております。古来、こういう態度をとった者で終りを全うした例はございませぬ」

「まことか」

「この随何は、儒生でございます」

かれの学派では孔子がそうであったように歴史主義であり、随何はその点を黥布に対して強調するのである。

「大王は過去の多くの実例からみて、機会さえあれば楚にそむこうとなされていることは、衆目の見るところでございます」

「世間はそのように見ておるのか」

黥布は、本気できいた。

「項王の城下の彭城では子供でさえそういっております。大王ほどのお人も、王になればそこまで盲(めしい)られるものでございますか」

「気づかなかった」

黥布の体がしぼんでゆくようであった。

「大王よ。ご自分の立場やお気持を」

と、随何はひざの前の机の上に二つのこぶしを置き、物でも載せるようなしぐさをしてから、

「この机の上に置きましょう。大王ご自身も、他人のこととして御自分をご覧あれ。この机の上の大王は、楚に対しいつかはそむこうとなさっている。そのくせそむきかねておられる。その理由はなにか。楚が強すぎる。……理由はそこにある。しかしひるがえって考えれば、強弱は相対的なものでございます。楚が強いということは裏を

かえせば漢が弱いと大王がおもっておられるからでございます。はたして漢は弱いか」

　といってから随何はしばらくだまった。

黥布は身を乗り出すようにして随何のつぎのことばを待った。

「漢の防禦力は鉄壁でございます」

漢王劉邦は四方にちらばった諸侯をあつめて滎陽・成皐の一線へひきさがり、この両城を大要塞に仕立て、溝を深くし、塁を高くし、野という野に徼（防柵）をめぐらし、塞という塞に兵士を登らせるなど、防ぎの規模の大きさ、強靭さは、史上空前のものでございます、これを強化するのに、後方に巴蜀・漢中、関中の富があり、ありあまるほどの兵糧が黄河をつたい、あるいは陸路をつたって滎陽・成皐の兵馬を肥やしております、と随何はいった。さすがに儒の徒だけに言葉の一つ一つが玉をなして唇からころがり落ちるようであった。

「一方、楚はこれを攻めるにしても、首都彭城を発して懸軍万里とは申しませぬが、深く敵国に入ること八、九百里」

　随何は、楚の補給線が伸びきってしまうことをいう。

「その間に反楚の流賊が出没する梁の地があり、遠く攻囲軍のために彭城から兵糧をはこぶ老弱の者は千里の行列を組まねばなりませぬ。楚軍がたとえ滎陽・成皋をかこんでも、漢が堅くまもって城外に出勢せぬようにすれば、楚としては戦うに戦えず、退けばあとを追われるために、囲みを解くに解けず、しかも補給がとぼしくなって兵は餓えます」

随何の言葉の一語ずつが黥布のあたまの中の地図に勢力図をえがかせ、言葉がつづくにしたがって勢力図は影のように変化してゆく。

「四方の諸侯は」

と、随何は、話頭を転じた。

「項王をうらむ者が多く、たとえうらまずとも楚が勝てば自分がほろぼされると惧れる者が十に八、九でございます。漢楚の戦線が膠着すればかれらは競って漢に応援しますから、滎陽・成皋から関中にかけての大要塞に拠る漢は、決して孤軍ではありませぬ」

（そのとおりだ）

と、黥布はおもうようになった。

「大王よ」

随何はいう。

「もし大王が楚にそむき、この淮南（黥布の領地の美称）の兵をあげて項羽にたたきつけるとしても、おそれながら、項王にとってくるぶしを仔犬に嚙まれた程度の痛みでしかありませぬ。それによってあの強大な楚が亡ぶとは、この随何は決して申しあげておりませぬ」

「そのとおり、わしはなお微弱だ」

黥布も、気持が素直になっていた。

「漢王も、そこまでは大王のお力に期待されておりませぬ。ただ、大王がいま反楚の旗幟をあきらかにされれば項羽は斉の平定だけに満足し、大軍を滎陽・成皐にむけることをおそれるにちがいありません。それが大王の名を天下に大ならしめる道でありましょう」

といったが、この随何の予想はやがてはずれる。項羽は儒生の論理のなかに入る男ではなかった。

「項王を斉の地に釘づけすれば天下はおのずから漢のものになります。いま漢王にお味方なされば、かの物吝みせぬ人は大王に対してかならず大いなる封土を割くでしょう」

黥布は、随何のことばに酔ってしまった。本来なら、しばらく考えてみる、という

べきであるのに、

「あなたの言葉に従おう」

と、即答したのである。黥布自身、「私は早く寝る習慣があるので」とひっこんだが、吏僚たちに言いつけ、別室に料理を運ばせ、大いに随何以下をもてなした。随何はすこし不安であった。黥布のような男が随何の一場の演説だけで進退を決するだろうか。

市中に楚の使者がいるということで、この夜、随何たちはこの宮殿に寝室をあたえられた。

随何があてがわれた寝室は、一段高い寝台のそばに窓があり、窓外の草むらに虫が啼いていて寝つけないほどにかまびすしかったが、やがてその音がやんだ。兵が巡回しはじめたためであった。警備にしては人数が多すぎた。

その翌夜は、さらに兵の人数がふえた。

(殺す気か)

と、おもうと、随何はいったんは成功に安堵し、虞を出発して以来の緊張がとけていただけに、あらためて黥布の性格を思い、骨が鳴るような恐怖をおぼえた。

さらにその翌日からは、日中、庭を歩くことを禁じられ、厠へゆくにも警備兵がついた。

「あきらかに殺すつもりです」

と、随何に泣くようにいったのは、食用犬の顔に似た沈鴻という若い随員で、かれもまた儒生であった。番陽湖にちかい廬山のふもとの出身で、妻を置いて劉邦に従って転戦しているためにまだ子をなしていない。弟がいないためにもしかれがここで死ぬと家が絶え、祖先を祀る者がいなくなる。

「私は死をおそれない。ただ不孝をおそれる」

といって泣くのである。

随何は乱世のために家をなさず、子どころか妻もいない。

「孝において欠けるといえば、わしのほうこそそうではないか」

といったが、沈鴻は泣きやまなかった。やむなく随何は床をたたいて、あなたは士ではないか、士とは非常の場合に非常の覚悟をする者のことをいうのだ、といった。

「士である前に、儒の徒であるべきです。儒の徒は先祖を祀らねばならぬ」

と、沈鴻が言い、思わぬ議論になった。沈鴻の本音は、できれば脱走して故郷へ逃げ先祖のために妻を抱きたい、ということのようであったが、かれが泣きながらも目を瞋らせているところを見ると、性のこともまた熱烈な儒教の徒の精神のなかでは先祖への孝養という倫理のなかにふくまれるもののようであった。

随何は、警備兵のひとりと仲よしになった。

数日たってからその兵のいうところでは、いま楚の使者が宮殿に入って大王に謁見している最中だということであった。

かれは非常という一念で自分を励ましつづけている。このまま坐して死を待つよりも非常の挙に出るべきだと決心し、まず兵を籠絡するために荷の中の帛をあたえ、黥布が楚人を謁見している部屋の入口まで案内させた。

あとは、飛びこむ以外にない。

部屋にはにがい空気が動いていた。楚の使者が声高にしゃべり、黥布の煮えきらぬ態度を責めつづけているところであった。随何の闖入に、黥布はぼう然とし、豚の肩肉のような下唇を垂れた。

居ならぶ楚の使者たちはいっせいに身構えたが、随何はいきなり正使よりも上座にすわると、

「私は漢王の使者である。九江王はすでに漢に帰した。楚人は去るがよい」

といったとき、楚の使者以上に愕然としたのは、黥布であった。かれはさきに随何の弁舌に酔ったがために漢に従う旨即答したが、その後むしろ楚にむかって心を揺れさせていた。

幸い、楚の使者たちは、気がみじかかった。怒りのあまり、席を蹴って立った。随何はすかさず黥布にむかい、

「事はすでに決しました。大王は楚に宣戦なされたのも同然でございます」

と、慇懃このうえない態度でいった。

黥布は、やむなく従った。同時に兵を走らせて楚の使者のあとを追わせ、これを斬り殺させた。ただし数人がのがれ、項羽に報告した。

ときに、滎陽・成皋の両城を項羽の先鋒軍がかこんでいる。その攻撃の苛烈さは、漢軍の士卒をすくませるものがあった。

項羽は、多忙であった。

かれ自身は虞の東方の下邑付近にあって雑軍の掃蕩に大汗をかいていたが、黥布の離反を知ると、時をうつさず竜且というかれの配下の名将に大軍をあたえ、さらに一族の項声をこれに応援させ、一挙に黥布の六をかこませた。

この点、随何が黥布に、

「あなたが離反すれば項羽は斉にとどまって兵を動かせないでしょう」

といった予測が、みごとにはずれた。

(腐れ儒者に乗せられた)

と、黥布は後悔したが、追っつかなかった。かれは士卒を叱咤して防戦につとめたが、士卒のほうが楚軍を怖れることはなはだしく、戦い半ばから夜になると逃亡して楚軍に投じる者が多く、いくばくもなく城は陥ちた。

黥布は、落魄した。残兵をひきい、滎陽の漢軍に投ずべく北をめざした。途中、幾度も楚軍に要せられ、そのつど敗れ、ついに軍勢の体をなさなくなり、わずかな人数と随何たちだけで走った。車も捨て、甲冑もぬぎすてた。

昼は叢林にひそみ、夜、走った。楚兵の馬蹄におびえつつ間道を拾い歩いている姿は、どうみても往年、強楚の先鋒をつとめ敵軍をふるえあがらせた黥布とは思えなかった。

(この男の威も勇も、勢いに乗っているときだけのものだな)

と、随何はおもった。

かれらが滎陽城に近づいたとき、楚軍の軍威はさかんで、四方八方で漢軍の甬道を断ち切っており、この点でも随何がかつて黥布の前で展開したあの華麗な口弁の情景とはちがっていた。

(随何に対しては、うらまぬ。使者はつねに随何のようであるべきだからだ)

と、黥布は思いつつも、以後、儒者を信ずまいとおもった。かれらが吐くあの玉を連ねたようなことばは、真実でないから美しいのではないか。

黥布の失望を決定的にしたのは、火の粉をかぶるような危険をおかしてかろうじて滎陽城内に入り、そのままの姿で劉邦に見え(まみえ)たときである。

劉邦は、足を洗わせるのがすきであった。

このときも、牀(しょう)(小さな椅子(いす))に腰をおろし、大股(おおまた)をひろげて二人の侍女に足を洗わせていた。

そのままの姿で九江王黥布に会った。本来、漢王も九江王も、王として同格の身分である。それに黥布は漢のために兵をうしない、身一つでここにやってきている。劉邦としては当然、衣服をあらため、場所を設け、侍臣をしたがえて鄭重(ていちょう)に対面すべきであった。

(劉邦ごときに、こういうあつかいをうけるのか)

黥布はなさけなかった。

(死のう)

本気で自殺を考えた。この無礼と、無礼の仕打ちをうける自分のみじめさは、自殺によって救う以外になかった。

劉邦の心中は、異なっていた。

本来この男に礼がないことはその左右がよく知っている。しかし重大な人物に対しては、過去においても身を翻すような変わりようで礼を用いたことが幾度かある。かれは黥布に対しては礼を用いたいという気持が多分にあった。が、それ以上の感情として、随何への子供っぽいほどの憎ったらしさが、大人としての劉邦の処世判断を昏ますほどに越えてしまっていた。ひとびとが劉邦を好む髄のようなものは、かれの中にある多量の子供っぽさといってよかったが、それにしてもこの場合はひどすぎた。随何が鼻を高くして帰城し、劉邦に報告したとき、

（このしゃっ面めが）

と小面憎くおもった。その感情のまま随何の戦利品である黥布に会ってしまい、しかも足を洗わせつづけたままであったのである。

劉邦の儒者ぎらいのひどさは、天下が劉邦の手にころがりこんだあと、黥布を相当に遇したが、随何にだけは何の沙汰もおこなわなかったことでもわかる。

随何はそれでも忠恕(ちゅうじょ)をたてまえとしてだまって仕えていたが、あるとき酒宴で劉邦が酔ったまぎれに、

「随何などという腐儒(ふじゅ)に何ができよう」

と、暴言を吐いた。随何は以前と似たような、宴席をとりしきるしごとをしていたが、このときばかりはたまりかね、劉邦の前にすすみ出て、

「昔のことをいうようでございますが」

と、まず劉邦の彭城(ほうじょう)攻撃のころのことを例としてもち出した。項羽が斉へ北伐してその首都彭城を留守にしていたとき、劉邦は直進してそれを一時陥落させた。このとき南のほうに九江王黥布がいた。劉邦にすれば当然別働軍を派遣して黥布をもくつがえすべきであったが、その余力がなかった。「もし」と、随何がいう。陛下に余力があったとして、

「歩兵五万、騎兵五千という軍勢を発して黥布へ差しむけたと仮りになさいますように。あのときの陛下に黥布をくつがえすお力があったでしょうか」

随何らしいこみ入った仮定である。

劉邦は自分の実力については正直な男で、たとえ話が過去の仮定であっても、法螺(ほら)は吹かなかった。しばらく考えてから、

「なかった」

と、いった。

ということは、黥布の価値は歩兵五万、騎兵五千以上であるということを劉邦が認めたことになる。

その黥布を、随何は口一つで漢軍の陣営に連れてきた。その功績を軍勢の人数に換算すれば右の数字以上ということになるではないか、ということを、随何はべつに功を誇る気色もなく、ただ例の癖で論理を立て、修辞をつかい、しつこく言いかさねた。

劉邦は負けてしまい、随何にあやまって、かれを護軍中尉という官職につけた。

劉邦が足を洗わせていたくだりでの黥布は、たしかに自殺を想った。

ただ引見を終え、あたえられた宿舎に入ってみると、屋内の構造、調度品、朝夕の料理、従官ことごとくが劉邦のそれとおなじであることがわかり、劉邦の自分に対する手厚さを知って大いによろこんだ。面子を保ったということであろう。

ついでながら、黥布はその妻子を九江に置きざりにしてきた。項羽は九江に兵を入れ、それらを一人のこらず殺してしまっている。

黥布の賭けは、高くついた。

陳平の毒

陳平は、陽武県（河南省）の人である。

——貧もあの男にまでなるとめずらしい。

と、郷党のたれもが言ったが、しかしその容姿からは想像もできない。白皙巨眼、見るからに聡明な容貌をもっていた。この時代、こういう押し出しがどれほど重要なことであったか、のちの世の想像もつかないことである。

陳平の姿のよさをうらやましいとおもった者が、

「陳平さんは何を食ってあのように美々しく肥っているのですか」

と、陳平の嫂にきいたことがある。

嫂の素姚は、陳平を憎んでいた。

「糠ですよ」

彼女はいった。

「あんな穀つぶしに」

と言い、まあたまには米麦のくずは食べさせますけどね、といったという話は、陳平の二十前のことで、郷里の戸牖郷という田舎では有名な話になっていた。

かれの故郷は典型的な黄土層地帯の農村であった。大地が黄牛の背のようにゆるやかにうねり、野はよく耕され、樹々はすくなく、秋になれば真っ蒼な天が村をおおった。

かれの家は里（二十五戸）の郭から一戸だけ郭外に離れていた。いつの時代か、他郷から流れてきた家であったことがわかる。陳家は両親が早く死に、兄の陳伯がわずか三十畝しかない田の中で終日這いずりまわって耕していた。弟の陳平としては兄の作男として働くべきであったが、鍬をもとうとすると、兄の陳伯が叱った。

「いいんだ、お前は学問しろ」

陳伯は矮人といえるほどに小さく、顔が猿の尻のように赤ばんでいて、笑うと薄皮がはちきれていよいよ赤くなったが、陳平とはちがい、気の毒なほどお人好しであった。かれは子がなかったせいか、自分とはちがった体格と頭脳をもった弟が自慢で、

「里中ではみなおれの家とおれを軽んじている。しかしおれには平がいる」

と素姚にもいうのだが、彼女はそのつど腹が立った。

（この人は、平のためなら身を売って奴隷にでもなりかねない）

彼女にすればこの貧家に嫁入りしたことも不幸であったが、どんなに忙しくても草一本も引かないばけものを家のなかで飼っていることも、気の障りであった。陳平は兄から麦や布をもらっては陽武の町の学問の師匠のもとに通っており、家に居るときは訪客も多かった。客があれば、素姚としては捨ててもおけず、鍋ぞこの飯こげを湯で掻きまわしたものでも出さねばならない。

「あの小僧は、それをありがたいとも思わないんだよ」

と、素姚は里中の女たちにこぼした。

「何様と思っているのだろう。あいつの血は、ひょっとすると蛇のように冷たいんじゃないか」

兄を牛馬のように働かせて何ともおもわず、町へ行って大地主の若旦那のように学問している。尋常の神経でできることではない。

素姚は小柄で、ばねのきいた四肢をもっていた。口ほどには働き者ではなかったが、気がむくと狂ったように働いた。麻の実を蒔くのがとびきりうまかった。ひさごを二つに割った器を左の小わきにかかえ、風むきをみて実をつかみ、右の肘をきらめかせるようにして蒔いてゆくのだが、素姚がやると里中の社の祭礼で舞っているようにふしぎなリズムがあった。

もっとも陳家には麻畑はなかった。素姚は他家にやとわれてこれを蒔き、いくらかの麦や粟をもらってくるのである。ある年、この麻の実まきの季節だったころのできごとである。陳平はその日、陽武の町に出ていた。

帰路、陽がかたむいた。通りがかった畑は暮色につつまれており、小さな人影が、褐色の夕闇にあやうく溶けそうになりながら手足を舞わしている。しばらく見とれていたが、やがてそれが嫂の素姚であることに気づいた。

（あの女が、これほど可愛かったか）

陳平は足音を忍ばせ、やわらかい土を踏んで近づいてみた。素姚は気づかない。この義弟はながい臂をのばして、瓜でも賞でるように、嫂のまるい腰を両掌でそっと持ちあげた。

素姚は小動物のように跳びあがってしまった。ふりかえって相手が陳平であることに気づいたのと、つまさきが再び土に突きささったのと、陳平の大きな腕の中に抱かれるのと、ほとんど同時であった。

素姚はこのときの気持を自分でも説明できない。声をあげなかった。待っていたように土の上にくずれたのはあるいは平素陳平にはげしい関心があったからともおもわれるし、あるいはそうでなく、蛙が蛇に見入られたようにごく自然に力がぬけて大地に身をゆだねるようにして陳平のなすがままに身をひらいたのかもしれない。これについて、陳平には自責の気持はなかった。かれは老子のいう自然ということばがすきであった。

　平、家ニ居ルトキ、其ノ嫂ヲ盗ス。

と、のちのちまで陳平が人に言われるようになったのは、このときの情景を見ていた村人がいたのであろう。

陳平はあるいは女好きの部類に入るかもしれない。

陳平は老子教団に属している。あるとき、陽武の町にすむ師匠のもとで『老子』を読んだ。谷神ハ死セズ、是レヲ玄牝ト謂フ、玄牝ノ門、是レヲ天地ノ根ト謂フ、という『老子』の文章は高度に形而上的な思想を、女陰（牝）というような形而下的な用語で表現したものである。谷の水が尽きないように一見弱々しいながらも牝の能力は綿々として尽きることがない、天地の根とはそのようなものである、と老子はいう。

そのくだりを読むときの陳平の想像力は老子が誘いこもうとする形而上世界へは翔びたたず、玄牝の粘膜を嗅ぐようななまなましさのほうにとらわれ、読むたびに吐息をついた。陳平は老子が好きであった。老子の自然は、孔子教団が説く道とはちがった魅力があり、陳平は講義をうけているとき、その魅力にひたりきることができた。

しかし体質の一部では油が水をはねかえすように老子とは適わなかった。たとえば老子は無為を説く。

が、陳平は無為をきらった。

さらに老子は、儒教の徒が仁という虚構を立て、人為的な方法で世の中を変えようとすることをあざわらい、宇宙の奥の絶対の本体に世も人も同化してゆくことを理想とし、個人としては幼児のように無為自然のすがたに帰ることを説いた。また作用は反作用を生むだけのことだ、と説いたが、陳平はこの点も、体質としてうけ容れがたかった。この男は、この世で、なにごとかおのれのはからいによる作用をしてみたいというたちにうまれついていた。権力に近づいて自分のその能力をためしてみたいという欲求で、体中の毛穴から焦げくさい気が噴き出るようにいらだっていた。そういう男が老子を好んでいるということは矛盾というにちかかったが、しかしありえないことではなかった。随順している思想とおよそ体質が適わない男ほど、かえって甚だしくその思想の教祖と教義にあこがれることがあるのではないか。

陳平は、葬式のとりしきりがうまかった。

この大陸では儒教の普及以前からおどろくほどの手厚さで葬式が重んじられた。葬式は、里人たちに事務能力と運営、あるいは人と人との関係の調整、さらには統御の能力を要求したが、このことをうまく仕切ってゆく者が、一郷から立てられた。かつて項梁が葬式を統御してその配下の諸将をきめて行ったことや、劉邦の将の周勃が葬式屋の出であることなどをおもえば、この間の機微を多少は嗅ぐことができる。

「陳平に孫娘をやろう」

と、この里で第一等の金持である張負という老人が言いだしたのも、陳平の葬式のとりしきりのうまさを見てのことであった。

一族のたれもが反対した。札つきの貧家の次男坊に娘を呉れてやる家などはなかったし、そのために陳平は二十をすぎてもひとり身でいた。

張負老人は一族の反対者を陳家の前につれて行った。陳家の門は扉がなくむしろを垂らしただけであったが、門前の泥の道にはかつて訪ねてきた貴人たちの車のわだちが彫りもののように幾すじも路面をくぼませていた。

「これをみろ。あばらやながら陳平が居ればこそ貴人が訪ねてくる。ああいう美丈夫でいつまでも貧賤でいたというためしがかつてあったか」

と老人がいったのは、人の価値をその押し出しのよさでみるこの時代の通癖と無縁ではない。

「それほどに見込まれるならば」

と、娘の父の張仲も折れた。陳平は見込まれたわけであったが、半面、軽んじられたともいえる。この張負老人の孫娘というのは五度嫁に入って五度不縁になった女で、魯鈍であるうえに陽ざらしの野菜のように皮膚が凋んでいた。

陳平がこの縁談を二つ返事で承けたのは、張家の婿になれるということに魅力を感じたからであった。

この嫁をめとったおかげで、里における陳平の地位が重くなった。この秋、里のなかの杜にある社で祭礼がおこなわれたとき、えらばれて陳平が宰領になったほどであった。宰という語源は『白虎通』に「たち切るなり」とある。里人たちが寄進した肉を、祭礼のあと庖丁をもって切り分ける職を言い、公平を要求された。遊牧民族の場合、宰は日常、家父長が威厳と平等の精神をもってとりおこなうのだが、漢民族の里の習俗の中にふるくからこのことがあるのは、この大陸の民族の文化のなかに遊牧民族の習慣が色濃く投影していることを思わせる。

ともかくも陳平はみごとに宰をやってのけた。里人がひとりひとり陳平の俎のそばへ行って賞めたが、陳平はよろこばなかった。

——自分に天下の肉をあたえよ。このようにみごとに切り盛りしてやるのに。

という。

秦末、陳勝の一揆がおこって以来、天下大乱になった。

陳平らのすむ地域はかつての魏の故地であったが、陳勝が亡魏の公子で庶人になっていた魏咎という者を立て、魏王を称せしめた。

陳平はこの風雲に乗じた。

といっても一介の里住まいの身で勢力といえるほどのものをおこせるわけがなかった。わずかに里の少年二十人をひきつれて魏咎のもとに行って仕えただけであった。さいわい魏咎は陳平の美丈夫ぶりを賞でてかれの乗物をつかさどる役人にしてくれた。陳平は自分の多能をもてあましている男だけに、魏咎にしきりに建策したが、このにわか仕立ての魏王には陳平がなにをいっているのかもわからなかった。

魏咎の家来といっても多くは流盗かやくざ者で、かれらの目からみれば、陳平が変に知識人ぶってひとを見くだしているように見え、そのくせ術が多く、諸事ゆだんのならぬ男のように映った。かれらは魏咎に讒訴した。

陳平の長所と欠陥は、危険の予知能力がありすぎたということであろう。讒訴のうわさをきくと、うわさだけで夜、荷をまとめて魏から逃げてしまった。

ときに項羽の勢力がすさまじい勢いで伸びていた。かれはおもむいて項羽の軍に入り、戦えばかならず小功をたてた。

「なかなか気のきいたやつだ」

と項羽はおもい、目をかけた。

項羽がついに秦軍をやぶり、劉邦を関中から追い出し、傘下の諸将に対し大いに論功行賞をおこなったとき、陳平に対し、卿の待遇をあたえた。

項羽の論功行賞は不公平が多かったが、とくに陳平については過賞であった。諸将は、陳平については卿の礼遇をうけるほどの軍功はない、と論評し、そのことが項羽の耳に入った。項羽は、

――あの男の風采をみろ。

といった。陳平が、その涼しげな目、色つやのいい顔、それに堂々たる体軀でもってとくをしたことは、この一事でもわかる。故郷の戸牖郷の張負老人のいったことが誤りではなかった。

項羽は天下を定め、彭城を根拠地にし、その後、北方の斉がさわいだので、北伐した。そのすきに漢王の劉邦が東進してきて器でもくつがえすように一挙に彭城を占領したことはすでに触れた。項羽は彭城を回復すべく軍を返して急進中、殷が反乱をおこしたという急報に接した。殷へ討伐にやる適当な将が手もとにいなかったため、陳平を起用した。

「陳平よ、ただの卿では士卒がおまえに心服すまい」

といって、とくに信武君という尊称を称することをゆるした。この時期、各地の王たちが君を乱発していて、価値はよほどさがっていたが。

陳平は兵をひきいて遠く殷の地へゆき、これをまたたくまに平定して項羽のもとにもどった。

「やはり風采に恥ずることのないやつだ」

と項羽は大いによろこび、陳平を都尉にした。都尉というのは旧秦の時代、郡の長官の下にいて軍事をつかさどった官で、近代軍隊でいえば中佐か大佐ぐらいにあたる。

（その程度にしかこのおれを見ていないのか）

と、陳平はむしろ失望した。常識でいえば郷関を出るときわずか二十人の手下しか持たなかった陳平が項羽のひきたてによって楚軍の都尉になったというだけでも奇跡にちかい。が、陳平はかれを評価した項羽のほうを、低く採点した。

(所詮は、項羽というのは人間がわからない)

と、おもった。陳平は都尉として小部隊をひっさげて戦場で力闘するよりも、帷幄にあって千里のかなたで勝敗を決したり、あるいは政略によって大局を変化させたりすることのほうに自分の才能があるとおもっていた。

もっとも項羽の側には事情がある。たとえ項羽が陳平のその才に気づいたとしても、この幕営にはすでに范増という軍師がいる。

「亜父」

と、項羽が父に亜ぐ人として呼んでいるこの老人については項羽は大きな尊敬と信頼をもっており、いま一人軍師を置くというような失礼なことをするはずもなかった。項羽の人としてのよさはそういう情のあつさにあった。もっとも欠点としては范増に対し信頼ほどにはその策を用いていないことであったが。

――いっそ范増に認められたい。

と、陳平は思い、その後、幾度か范増に接触して意見を申しのべた。

范増は七十を越えている。若いころは多弁だったといわれているが、いまは必要なこと以外は言葉を吝んだ。たとえば陳平があるとき、るるとしてなにかを献策したときも、瞼をなかば閉じ、ねむっているような無感動な顔できいた。ときに聴きおわると、「それだけか」と瞼をあげた。

あるとき陳平はたまりかねて、

「私を才子であるとお思いですか」

と反問したことがある。才子とはむろん悪い意味として使った。范増はツト肩をすくめ、目もとだけで笑い、なにもいわない。

――そのとおり。おまえは才子だ。

ということであったろう。

(范増は、おれを誤解している)

陳平は范増のぶんまで勝手におもい、自作自演して自分自身を苦しめた。機略だけを曲芸のようにもてあそび、性根といえば浮薄で実がなく、人間として信頼できる部分がすくない、というふうに范増が自分を見ているように陳平にはおもわれた。むろん陳平自身、そういうにおいが多少は自分にあるように思っていたが、しかし彼自身にはそのことの説明がついていた。かれは自分の才能を表現する場が無いことであせっており、そのあせりが范増に軽忽な印象をあたえていると――勝手に想像し、自問自答して――私かに弁解しているのである。利口すぎる男であった。

利口すぎるといえば、陳平は項羽の代理で殷へ行って反乱を討伐したとき、じつは軍事行動はあまりやらず、反乱側と取引し、独断でかれらの命をたすけて逃がしてしまい、表むきは武力鎮圧をしたということで項羽に報告した。

ところが、殷がふたたびそむいた。

情報では、陳平に殺されたはずの巨魁どもがもとどおり殷の地をおさえ、反楚勢力と連繫しているという。

「陳平というのは主をも誑すやつですよ」

と、范増が項羽にいったとか言わぬとかというううわさがあり、項羽が激怒しているという。陳平はとっさに脱走を決意した。

逃げわざのはやさはこの男の特技のようになっていたが、つねに本意ではなかった。

その証拠に、陣営を清め、項羽から拝領した都尉の印綬と、かれから貰ったすべての金品を箱に封じ、使者をやって返納させた。

陳平は、故郷の戸牖の少年六人をつれて脱出し、黄河の岸で舟をやとった。舟が河心に出たとき、船頭は陳平の身なりのよさをみて敗軍の将がどこかへ落ちてゆくものと見、水夫たちとしめしあわせ、殺して金品を奪おうとした。

陳平は危険を察した。すばやく衣服をみずから剝ぎ、ことごとく脱いで、

「見ろ」

と、みごとな裸形を船頭にみせた。なにも身につけていないことを知って船頭は落胆し、かれらを対岸の葦辺のなかにほうり出すと、未練もなく漕ぎ去った。

かれは劉邦とその軍をもとめて野をゆき、水を渉った。

ときに彭城で大敗した劉邦はその後、四方をさまよいつつ軍をかきあつめており、一方では滎陽城（河南省）の守りをかたくして籠城の準備をしている時期であった。

陳平は、投降というかたちをとった。

さいわい、劉邦の陣中には、陳平が魏咎につかえていたころに親しかった魏無知という亡魏の旧貴族がいる。

「私は陳平と申します。魏無知どのと旧誼があります。かのお人に会いたい」

と、漢兵にとらえられてはそう言い、ときに魏無知の名を連呼しながら通りぬけ、ついに漢軍の軍門のなかでこの旧友に会った。

魏無知は、肥満している。えいが春の海で泳いでいるようにとりとめもない体つきの男で、とりたてていうほどの才もなかった。しかし陳平をほとんど熱狂的なほど好きであった点、陳平の兄の陳伯にどこか似ていた。陳平という男はときにこういう陳平好きに出遭うべく運命づけられていた。

「ああ、ああ」

と、魏無知は陳平を抱き、涙をこぼしてよろこんだのには、劉邦の中涓（近侍の小役人）たちもおどろいてしまった。

「あなたが漢軍に投じてくれたのは、わが漢王陛下の御運のよさというべきだ。陛下もよろこばれるだろう」

といったため、中涓たちも容易ならぬ人物が到来したようにおもった。中涓たちがそういう気分で取り次いだために、魏無知の熱気がいきなり劉邦につたわってしまったといえるかもしれない。

劉邦は陳平を引見した。ひとめ見て、

（こいつは、ただの魚ではない）

と思い、わざわざ席を設けて食事を支度させ、陳平を招じたばかりか、かれがつれている戸牖の無名の少年たちにも陪席させた。劉邦一流の行儀知らずでそうしただけであったが、少年たちは感激し、肉をしばしば箸から落としたほどであった。

陳平も、命がけで劉邦を観察している。しかしこのときの劉邦はひどく淡泊なそぶりで陳平に対し、食事がおわると、

「平さん、宿舎を用意させてあります。ゆっくり休養しなさい」

と、劉邦にはめずらしく田舎大尽めいた鄭重な言葉づかいで言った。陳平は冗談じゃない、とおもった。劉邦の心を攬るのは初対面のこの熱っぽい時間の内でなければならない。むろん陳平は劉邦に媚びようとしているのではなかった。

「大王よ、私は休ませて頂きにきたのではありません」

といったとき、陳平の巨眼がうるみ、白皙の顔が桃色に色づいた。劉邦はおどろき、陳平にわびたあと、部屋を片づけさせて陳平のことばを聴く姿勢をとった。陳平は体中から血をしぼり出すようにして情勢を語り、分析し、項羽軍の長所と弱点をのべ、漢王としてとるべき道を説きに説いた。

(大したやつだ)

聴きおわって劉邦はおもったが、しかし食後の劉邦は兎を呑んだあとのうわばみのように身動きも神経もにぶくなっていて、陳平のするどい論説にうまく対応できなかった。

「そなたは、いままで楚の軍営にいた」

低い物憂げな声がひょうたんの蔓でも伸びてゆくように黒いひげの中から出てきた。わかりきったことだけに陳平は内心おどろいたが、ともかくも「おりました」と答えた。

「官位があったろう」

陳平の胸のなかに失望がひろがった。すでに楚にあるときの官位は魏無知を通じて言ってあったし、いまの話の中にも一、二度、出している。劉邦は世間でいう以上に鈍な男ではあるまいか。

（しかし鈍なほど配下としては働きやすい。総帥としては項羽よりましなのではないか）

とも思い返した。

「官位はございました」

「官位は何であったか」

劉邦はなおものびやかにきいている。

「都尉でございます」

「ああそれなら今日から都尉に任じよう」

劉邦があっさり言ったとき、陳平はよろこぶよりも、なにか大きな穴の中に吸いこまれるようなおそろしさを感じた。が、同時に劉邦のあまさをおもった。項羽は配下に官位や封土をあたえるのに老婆が小銭を出しおしみするように悋嗇であったが、一方、劉邦の放漫さも世間では定評になっていた。相手の人の善悪賢愚をろくに見さだめずに物をくれてやったり、高い身分をあたえてしまったりすると世評ではいう。このうわさが存外的を射ていることを陳平は身をもって知ってしまった。

「不満かや」

いつのまにか劉邦は陳平の顔をのぞきこんでいた。陳平はあわてて、

「とんでもございませぬ。漢に対して何の功もない一介の逃亡人に対し、身にあまる栄誉でございます」

「でもあるまい」

劉邦は鼻くそでもほじるように、

「おなじ都尉でも、楚の都尉は重く漢の都尉はかるいとおもっているのだろう」

と、声をあげて笑いだした。陳平は劉邦が世評をよく聴き知っていることにおどろき、先刻の感想を胸のうちで取り消しつつ、

(どうせ馬鹿だろうが、ただ馬鹿にするとひどい目にあいそうだ)

というふうに思いなおした。

この時期、劉邦の心境に落魄のおもいがある。とくに項羽のために彭城で大敗して

沼沢の間を縫ってのがれていたとき、

（結局は、わしの配下はろくでなしぞろいなのだ）

ということが身に沁みてわかった。いま漢軍の再建途上であるとはいえ、はたしてあの項羽に勝てるかということをおもうと、とうてい自信がなかった。劉邦の特徴は平然と自分自身を値ぶみできる男であったことだろう。かれ自身、値踏んだその値段はひどく安く、一個の劉邦は一個の項羽の半分のねうちもなかった。それを補うのが配下の将領たちというものであったが、劉邦の大ざっぱな寄せあつめがたたったのか、張良や韓信をのぞくと多くは項羽麾下の将軍たちより劣るようにおもわれた。

（たれか、いないか）

とあせっていたやさきに、陳平がとびこんできたのである。

むろん、陳平の価値はわからない。ただ、昇る陽があかあかと照り映えているようなその容貌と、数万の兵の将帥としてふさわしいその押し出しという要素だけでたかく買った。次いであれだけ悋嗇な項羽がこの男を都尉にした以上はよほど戦える男にちがいないとも見た。

あとは、劉邦の諸将がこの新参の陳平を仲間として迎えるかということである。

（嫉妬するのではないか）

とおもったが、劉邦は翌日から陳平を自分の車に陪乗させた。破格の寵遇というべきもので、陳平の名と顔はたちまち全軍に知れわたった。

このことは陳平を売りだすためにはよかった。しかし古い将領たちにとってこれほど不愉快なことはなかった。

「たかが楚の逃亡兵ではないか」

劉邦は、黙殺した。

こんどは陳平を軍の実務につけようとした。

劉邦軍には、かつての韓の旧貴族の出である張良の旧主がいる。韓王の信（韓信とは別人）という。かれは主として亡韓の地の出身兵をひきいていたが、劉邦は陳平をこの韓軍の副将とし、韓王信を輔佐させることにした。

この時期、劉邦は黄河沿いの地に移り、項羽との決戦用の一大拠点である滎陽城に入っていた。

韓王の軍は、滎陽城のそとの守りとして広武（河南省）に布陣し、戦いとその地域の行政にあたっていた。実権は陳平に集中していたが、この大権をさいわいとしてしきりに賄賂をとっているといううわさが滎陽城にきこえてきた。配下の将軍たちが陳平に金品を贈るといい地位につくことができ、贈らない者は陽の目を見ていない、と

いう。韓軍のなかで陳平への批難がたかまり、

「なんといってもあいつは嫂を盗したような男だ」

という、もともと郷里の郭から出なかったうわさが、にわかに韓軍の陣中でひろまったのもこのときである。

「陳平はかつて主を二度変えている。魏咎、項羽といったように、旧主にあとあしで砂をかけて恩をあだで返してきた。そういう男は、人間として信頼ができない」

というふうな見方ができあがり、旧悪で練りかためたような陳平像が、ひとびとの口から耳へとつたえられた。


この陳平像は滎陽城にもつたわった。漢軍のふるい諸将は合議し、最古参の周勃と灌嬰を代表として陳平を追放すべく劉邦に訴えさせた。

周勃は、能弁家ではない。


灌嬰は睢陽（河南省商丘県）の人で、劉邦の沛公時代に中涓になり、途中で武官に転じて漢軍のなかでは腕達者の将軍のひとりとして評価された。かれは若いころ絹を売って渡世していたから説得力に富んだ舌をもっている。

「なるほど陳平は美丈夫でございます。しかし陛下にとっての価値は冠の飾り玉のよ

うなもので装飾にすぎません」

と、その風采だけで寵用する愚をまず指摘し、次いで陳平の人身攻撃にうつった。嫂との一件、主人を二度変えていまは三度目であること、さらには韓軍の副将として賄賂をとり、その多寡によって将軍たちの地位を上下させていることなどを述べ、最後に、

「反覆つねない乱臣とはかの者のことを言うのでございましょう」

とまでいった。致命的な讒謗といえる。

劉邦は、ぼう然とした。

（そういう男であったのか）

と思ったのは、陳平を寵用しつつもあの際立った賢さがどこか劉邦にとって不安で、人間の安定した精神からこういう利口さが出てくるはずがないともおもいつづけてきたからである。さらに他の者から言われれば劉邦の動揺はすくなかったろうが、かれは周勃の朴訥、灌嬰の練達した文武の能力に信をおいていたため、この両人からいわれた以上、ついその気になった。

すぐ紹介者の魏無知をよび、右の両人の言葉をひきうつしにして責めた。

魏無知はおどろき、しばらくうなだれて考えていたが、やがて、

「陛下は、いま尾生や孝己（どちらも古人）がいればお召し出しになりますか」

と、いった。尾生は約束をまもって水死してしまった人であり、孝己は殷の高宗の子で孝子といわれた人である。

劉邦は沈黙している。魏無知としては陳平を救わねばならない。懸命に智恵をしぼり、がらにもない弁をふるった。平素が平素だけに、劉邦には大雄弁にきこえた。

「尾生の信、孝己の孝は、いま陛下の浮沈の瀬戸際にあたって何の益するところもありません。陛下の窮状をすくうのに、尋常の智、尋常の勇ではどうにもなりません。奇正応変の才ある者として陳平を推したのでございます」

（もっともだ）

劉邦のよさは天秤に似ているところであったろう。周勃・灌嬰のことばにひとたび傾いていたのが、この魏無知の一言でもとの平衡にもどってしまった。

が、ひとたび古参の臣から告発が出ている以上、陳平その人を召喚して問責せねばならない。劉邦は陳平に急使を送った。

（これでしまいか）

陳平は、使者に接したとき、おもった。手を洗って滴りを切るように、あっさり現在の地位についての執着心をすてた。このあたり、老荘を学んだ功というものかもしれない。

陳平は榮陽城へむかった。途中、魏無知から使いがきて、告発のいちいちを教えてくれた。そのなかに意外にも嫂の一件があった。陳平に自責のおもいはない。兄の陳伯をなつかしく想いだした。陳伯はいまなおあの里で三十畝の田をひっかいてくらしていた。老子がいう「道」に真にそう者は兄のほうかもしれないと思った。

(嫂上もいまとなればなつかしい)

と、おもった。女としての素姚が念頭に横たわらず、依然として嫂という家族秩序の目上としての彼女を思ったのは、陳平の奇妙さであるかもしれなかった。かれにとってはあの一件も自然のなかに正体もなく溶けはてていた。あの故里に冬の雨がふり、春の草が萌え、秋の霜が野を白くするとおなじような現象のなにごとかであったのであろう。兄の陳伯も、その後、その噂を知った。が、そのことで弟をいっさい責めず、逆に素姚に対し、陳平への態度のわるさを責め、離別してしまった。のち素姚は他村で再縁したという。

要するに、陳平にとって、すべてがなにごともない。

劉邦の前に拝跪した。

「先生」

と、劉邦はもはや陳平が家来でないかのように、他人行儀なよび方でよんだ。

「あなたは、牧童が馬を乗りかえるようにして主を乗りかえてきた。心が多すぎるというべきではなかろうか」

と、婉曲（えんきょく）にきいた。

「陳平の心は一つでございます」

「どういう心だ」

「わが言説を用いてもらいたい、という心でございます」

魏王（ぎ）の咎（きゅう）はすこしも自分の説を用いてくれなかった。士としてなんのために主に仕えているかわからず、結局、項王に期待して魏王のもとを去った、と陳平はいう。

「項羽はどうであったか」

「項王という御人は、人を信じるということができませぬ。項王が信任し、寵愛する者は、項氏一族とその妻の兄弟のみでございます」

たしかにそうであった。項羽は楚人らしく血縁を異常に重んじ、そのため項羽が天下に雷名をとどろかせるようになると、旧楚の草のあいだから蟻（あり）が這（は）い出て枝落ちの李（すもも）にたかるように項姓の者がかれのもとにあつまり、賢愚を問うことなくことごとく重用されている。楚の軍営でいま羽ぶりのいい者といえばみな項姓の者であった。異姓の他人に対しては牆壁をかまえてこれをへだて、ときにしらじらしく、ときに猜疑する。この壁をかろうじて破っている者は軍師の老范増のみでございましょうか、と陳平はいった。

「その点、漢王は異なるとききました」

たしかに劉邦は劉氏をなつかしまない。故郷にいる長兄に対しては疎遠で、嫂に対しては終生これを憎み、その長兄夫妻の子どもたちについてもかえりみるところがない。なにしろ劉邦は自分の長子でさえ、敵から逃げるときに車から何度もつきおとしたほどに、変にかわいたところのある男であった。

「わしは自己を愛さない。ただ天下を愛するのみだ」

と、劉邦はそれが本心なのかどうか、この男にしてはめずらしくまとまったことを言った。

「ひとは、あなたが賄賂をとったという。その一件はほんとうか」

軍中、私腹を肥やす将軍で有用の男がいたためしがない。劉邦はこの点で陳平に申しひらきができなければ追放しようとおもっていた。

「本当でございます」

といったから、劉邦はおどろいた。ただ、賄賂で将軍たちの地位を上下したということはなく、ただ有能な者をひきたてた場合、金品をもって来させたことはたしかであった。

「臣は丸裸で漢の軍門に投じた者でございます」

金がなければ容儀をととのえることもできず、直属の家来に行賞することもできない、ともかくも軍陣を統御するのは金が要る、その金を用意したかっただけで、取りあげた金はいまのところほとんどつかっていない、それらの一切は箱に詰めて封印してございます、もし陛下にして臣の策が用いるに足りないとされるならばその金をしかるべき職掌に返納し、漢軍の門を出てゆきましょう、といった。

「平よ」

劉邦は大声をあげた。立ちあがって陳平の肩をつよくたたき、

「きょうからそなたを護軍中尉にする」

護軍中尉というのは王権の一部をにぎる者で、全軍の将軍たちを監督する。都尉よりもむろん上であった。劉邦は即刻この新人事を全軍に布告した。周勃や灌嬰もおとなしく服した。かれらも根がかしこい男だけに劉邦がこの陳平といういわば毒物を用いる上でよほどの理由と肚づもりを持ったことを知ったにちがいない。

天下の耳目は、滎陽城にあつまっている。

「ねずみの巣のようなあんな城を」

ひとひねりにせよ、と項羽は全軍を鞭うつように督励した。野という野は楚兵でみちみちていた。

劉邦は巣にもぐりこんだねずみにひとしい。かれはその兵力のほとんどとともにこの城に籠り、さざえがふたをするように諸門をかたく閉めて防戦していた。

黄河のほとりに、敖倉がある。

秦の時代から、黄河の水運ではこばれてきた租税の穀物をここに陸揚げしてたくわえたところである。

敖倉はひくい小山の上にある。小山といっても黄河の氾濫で黄土層（黄色の石灰質土壌）が隆起してできた山で、粉状の土であるため掘ることはたやすい。

敖倉その他この種の倉については幾度かふれた。小山の上に巨大な穴を掘ったのが、倉であった。黄土層であるため地下水が出てくるおそれはない。ただ黄土の微小な一粒ずつが水気をふくんでいるので湿気をさえぎるための材料で大穴のまわりをぬりかためた、さらに木炭その他を入れて吸湿の作用をさせ、そのあとはじかに大穴にむかって穀物をながしこむのである。上にはむろん大屋根をつける。それだけの装置であった。敖倉の小山にはこの種の穴倉が無数にある。

これが、滎陽城の漢軍をささえる命の源泉であった。

漢軍はこの敖倉の小山をも城塞化している。この敖倉と滎陽城のあいだは、野をはるばると横切って長城のような甬道がきずかれていた。甬道についてはすでにふれたが、さらにいえば道の両側に煉瓦を積んだ壁がきずかれた道路のことで、兵員や輸送員の往来を敵からまもる。一定間隔を置いて煉瓦だての大きな櫓が積みあげられ、近接する敵を射殺するのである。

この滎陽城と敖倉をむすぶ甬道こそ漢軍の動脈であった。

同時に弱点でもあった。

——甬道をたたきこわせば滎陽城は餓えてしまう。

ということはいくさの素人でもわかった。

項羽は滎陽城を十重二十重にかこむ一方、つねに新手の強襲部隊をくり出しては甬道を襲い、そのつど掛矢でたたきこわした。

漢軍は主として灌嬰とその部隊が甬道防衛にあたっていた。絹商人あがりの灌嬰は弱い漢軍のなかではえがたい将であったであろう。機敏と勇敢で鳴った楚兵が襲撃してくるごとに、飛んでくる矢のなかに身をさらし、諸兵を叱咤してよく防いだ。灌嬰は部署がら、夜はほとんど眠るということがなかった。昼、敵影の見えないときに、盗むようにして仮眠した。

この甬道攻撃に項羽自身がきて直接指揮したことがあった。その襲撃ぶりは天地が晦冥するかとおもわれるほどにすさまじいもので、項羽が陣頭に立つのと立たないのでは楚兵の活気がこれほどにちがうのかとおもわれた。

——滎陽が陥ちれば天下は定まる。

と、項羽の軍師范増がいっていただけに楚軍の士卒のひとりひとりの気魄はちがっていた。

それだけに攻防戦はながかった。

劉邦が滎陽城にこもったのは紀元前二〇五年五月の暑いころである。戦いがおわるのはその翌年五月であった。

戦いの経過でいえば、開戦七カ月目の十二月には、滎陽城の兵も民も餓えはじめた。甬道への間断ない打撃のために糧食をはこぶ能力が大いに落ちたのである。

年があけると、甬道はところどころで寸断されるようになった。このためわずかな糧食でもはこぶときには、灌嬰が大軍をもって甬道にこもる楚軍と激闘したあげくでなければならない。

（どうやら、榮陽城も、これでしまいか）

元来、失望という感覚ににぶい劉邦もさすがに腸にすきま風が吹きとおっているように心もとなく、なにを見ても弱気のたねになった。

（わしが、項羽に勝てるはずがない）

という思いが、日ごとにつよくなった。

かれの立場は、古今のどの作戦家が見ても悲観的であったであろう。榮陽城は、いわば孤軍であった。各地に工作者を派遣してはちっぽけな豪傑どもや流賊の親分をそそのかし反楚活動をさせてはいるが、条件としては数値にならないほど微々たるものにすぎない。ふつう孤城を守る場合、死守していればいつかは強大な友軍が救援にくるという条件下でのみなりたつのである。

この城にはそういうあてなどはない。もっとも城内の士気のためにはさまざまに架空の状況をつくって自分たちの戦いに未来があることを幻想させてはいた。しかし、その幻想がやぶれるのは時間の問題にちがいない。

むろん、劉邦にも強味はあった。

かれは最前線にいる。かれの後方（西方）はすべてかれの座敷であることである。

黄河を西へさかのぼれば函谷関であり、この関もかれのものである。関をくぐれば広大な関中平野であり、蕭何がいて善政を布き、人心をよくつかみ、一時期の凶作を脱して穀物はよくみのっており、最前線で不足する兵員はたえず蕭何の手をへて送られてきていた。いわば劉邦はたえず賭け金を補給されているばくち打ちといっていい。だからといって滎陽城が陥ちればあとは関中へ逃げこめるという甘い考えを劉邦はもっていなかった。ここで敗れれば士卒が劉邦を見かぎって散ってしまうおそれがある。戦いというのは、本来、勢いである。劉邦方の勢いが凋み、強楚のほうは逆にその大波に乗って一挙に関中へ攻め入るだろう。

十二月に、劉邦が項羽を牽制することで期待した黥布が、牽制の効果をはたさず、身一つで滎陽城に逃げてきた。黥布は領地も士卒も置きざりにしてきたために劉邦の戦力にはならなかった。

この正月、劉邦はついに心の梁を折ってしまった。

さすがに降伏はしない。まだ余力があるあいだに、その余力を背景に和睦を項羽に申し入れたのである。

「私は滎陽から西を漢の領土にしよう。天下は大王よ、あなたのものだ」

というもので、いかにも屈辱的なものだが、劉邦にすればすべてをうしなうよりましだということであったろう。

項羽の陣営にやってきた漢の使者は礼をつくし、言辞はいんぎんをきわめ、項羽の気分をやわらかいものにした。

（それもいい）

と、項羽は漢の使節団に接していてそう思った。理由などはない。相手の自分へのうやうやしさ、あるいは相手が正直に弱味をさらけ出して哀願するのに接したときなど、項羽という稀代の感情のはげしい男は、つねにそのようにやさしくなってしまうのである。

（この小僧の癖がはじまったわ）

老范増は、もはや、そういう項羽を憎悪した。范増は使節団を休息させるために別室へ去らせたあと、項羽に説諭した。

「和睦せねばならぬ弱味が、楚のどこにありますか」

とどなりたかったが、項羽の体面を重んじ、漢軍の状況を説いて、

「漢はもはや死に瀕した病人とおなじです。もし和睦すればふたたび関中の富を得て強大なものになりましょう。あなたは劉邦がいるかぎり天下人ではない、いまこそ楚

の全力をあげて劉邦の息をとめてしまうべきです」

といった。

項羽は范増に対しては素直であった。そのことばにしたがい、劉邦の使者に対し、

「せっかくであったが、容れられない」

と答えた。使節団はここでいっせいに哀訴した。それでは漢王が哀れでございます、漢王は心から大王の封侯になることを望んでおられるのです、と言った。

「和睦は、ならぬのだ」

項羽は、いうのみである。

劉邦の使者は、

「では、大王から御使者を滎陽にお送りくださって漢王自身にそのお言葉をお伝えねがう、というわけに参りますまいか」

といった。このくだりだけは、陳平の策であった。

（もっともなことだ）

と項羽はおもった。いかに敵味方にわかれているとはいえ、先方からの使者を受ければ当方から答礼の使者を送るというのが礼であった。

「いつ送るか、期日は約束できぬが、必ず送ろう」

と、項羽は内心大いによろこんでいった。使者とはいえこの場合榮陽城の弱りぐあいを偵察させるという効果があったからである。

老范増も、賛成した。范増はあとで、

――大いに攻撃を再開し、煙もあがらぬほどに痛めつけてからしかるのちに偵察を兼ねた使者を送るのが得策でしょう。

といった。つまりは、項羽も范増も、陳平の遠謀にかかった。

劉邦は帰来した使者から報告をきいたあと、陳平をつれて望楼にのぼった。見はるかす戦野はなお冬の色であったが、望楼の煉瓦のすきまに生えている褐色の雑草から青い芽がふきはじめていた。

劉邦はその芽をつまんで口に入れ、

「春のかおりだ」

と、子供のような笑顔をつくった。あるいは沛の郊外の里での少年時代をおもいだしたのかもしれなかったが、陳平にすればこの期になってさすがにしたたかなものだと思わざるをえなかった。

「陳平、なにか起死回生の策があるか」

といったときの劉邦の顔はさすがにこわばっていた。

「ないこともございませぬが」

しかしむずかしいことです、といってから劉邦を刺すように見て、むずかしいという意味のなかには成功するかどうか、ということもあります。失敗してもなお陛下は失望なさいませぬか、といった。

「失望せぬ」

「いま一つむずかしいというのは、陛下が」

と、陳平の唇がゆっくりと開閉した。……私の人格をお疑いになるということがないかどうか、お疑いをうけるようでは陳平は立つ瀬がありませぬ、という。

「疑いはせぬ」

「毒を用います」

「………」

劉邦はいぶかしんだ。項羽ほどになると厨房はよく管理され、料理人も厳選されている。外部の者が毒を飼うなど不可能な上に、この時代、少量でもって人を殺す毒など、うわさにはあってもも現実には無いといってよかった。

陳平はかすかにかぶりをふり、

「その毒ではございませぬ。さらに甚だしいものです。私をお信じくださいますか」

「成功をか」

「私の人格をです」

(何度いわせるのか)

劉邦は、厚い唇をまげた。

「信ずる」

「されば、陛下から黄金を一万斤いただきます」

劉邦は即座にその係りの者をよび、金の保有高をしらべさせた。五万斤ばかりあった。

「四万斤あたえよう」

といったのは、劉邦の度量であったろう。

「使途についての出納はいちいち明かせませぬが、よろしゅうございますか」

「わかっている。自在にせよ」

その日から陳平の暗躍がはじまった。

漢軍のなかには、かつて楚にいた士卒が多い。そのなかから俊敏な者をえらび、二百人の秘密組織をつくった。二百人とも陳平個人に属するようにした。陳平はその一人ずつに面接し、入念に使命を言いふくめ、活動方法を教え、ふんだんに工作費をあたえた。

「みな、よく見ておけ、おれの目は、こういう目だ」

陳平が瞼(まぶた)をあげると牛ほどに大きな目になり、睛(ひとみ)が中央で火を点じたようにかがやいた。

「お前が楚軍に入りこんでどういう功をたてるか、この目でよく見ている。功をたてれば金をあたえる。万一、殺されれば故郷の遺族のもとに金を送ろう」

と言い、また、

「金を吝(おし)むな。楚軍のなかで同志をみつけてばらまくのだ。決して漢の間諜(かんちょう)であると気づかれるな。この土地の父老(ふろう)の配下の者だといえ。父老はみな項羽の暴をきらっている。たとえ父老の名を騙(かた)っても、あとでなっとくしてくれるはずだ」

工作すべき目的は、ただ一点しかない。

項羽その人に、かれの配下の諸将たちの忠誠心を疑わせるのである。

陳平自身も諜者になり、楚軍のなかに潜入し、旧知の者に大金をあたえた。

半月ほど経って劉邦はひさしぶりで陳平を見た。

「どうだ」

「うまく行っております」

と、陳平ははじめて工作の内容の一部を話した。むろんこの工作は陳平が考えている謀のうちの一片にすぎない。

「項王は、すぐれた人です。その人柄も、身内や配下に対しては決して粗暴ではなく、礼をもって諸将に接し、家来であるからといって人をあなどるということはしません」

陳平がにわかに項羽を礼讃しはじめたのには、劉邦もおどろいた。劉邦というのは配下にとって話しやすい男であった。ひとつには卑小な自意識がなく、妬心もすくなかったからであろう。かれの敵である項羽をほめても、劉邦は真顔で、

「そうだろう、項羽はすぐれている」

と、うなずくのである。

「そこへゆくと、陛下は礼がなく、町のごろつきのような言葉づかいで賢者や勇者に対されます」

「ごろつきのような、というが、おれはごろつきだったのだ」

劉邦は言う。

「賢者や勇者は自尊心が高うございます。このため陛下のもとにあつまってくる将領といえば何人かをのぞけばくずのような男ばかりでございます。みな陛下の気前よさをいいことにあつまった者でございますから、欲ばかりが深く、節義に欠け、陛下のためなら死ぬという者がすくのうございます」

「まあ、そうだ」

劉邦はこの種の直言については、たれがそれをいっても怒らない。このいわば能なし男の巨大な徳の一つといってよかった。

「そこへゆくと、項王の諸将はちがいます」

陳平はいちいち名をあげていった。

亜父（范増）を筆頭に、鍾離昧、竜且、あるいは周殷……とあげてから、これらのひびとは将軍として卓越しているだけでなく、項羽の臣下に対する礼と愛に応え、廉潔で私心なく、それぞれが人間として大きな峰をなしております、という。

「わかっている」

劉邦はいった。

「しかし項王にも疾いがございます」

と、陳平はいう。

「猜疑心（さいぎしん）」

と、陳平はいった。かれの工作は項羽のこの強烈な酸性の部分にむかってひとすじに集中されているのである。

「陳平よ、もう教えてくれてもよかろう。工作とは、なにをやっているのだ」

劉邦は、はじめてきいた。

陳平はくわしく語った。楚軍における右の傑出した四人の将軍が、漢の常識では信じられないようなことだが、実質的な行賞をうけていない。つまり項羽はこの大功ある者に地を割（さ）いて王にしていないのである。項羽の悋嗇（りんしょく）によるものであった。

——そのことを右の四人が不平に思っている。働いたところで猟犬のようなものだとこぼし、それによってすでに漢に通じている。項氏をほろぼしたあと、それぞれ王になる。漢王が約束したところである。

というわさを、陳平は楚軍のすみずみにまでばらまきつつあった。

「あの四人が」

わしに通じていると項羽に信じさせるのか、と劉邦はいった。

「哀れなことだ」

劉邦は、あの鋳物で鋳あげたような鍾離昧の顔をおもいだした。戦場で死ぬのはよい。あらぬ疑いをうけるには惜しすぎる好漢ではないか。

陳平はいやな顔をし、陛下がそういう感想を持たれるから私はあらかじめあれほど念を押したのです、賭博は気魄でございます、勝っているときならともかく、負けつづけであるのに相手に同情をするなど、それだけで陛下はすべてを失われてしまうでしょう、といった。

（よく喋るやつだ）

と劉邦はおもいつつ、ことさら笑顔をつくってあやまった。

「しかし他の三人はともかく、范増という山はそういうことで崩れるだろうか」

といったのは、范増という存在がすでに劉邦だけでなく漢軍のなかでさえ畏敬されるまでになっていたからである。

「亜父については、さらに試みねばなりませぬ」

春がしだいに闌けてゆき、山野の緑が濃くなった。

楚軍の攻撃は相変わらずはげしく、漢軍の餓えはいよいよ深刻であった。陳平があれほど情熱的にやった反間苦肉の策も、めだった効果は出て来なかった。ただ陳平が得ている情報では、項羽が鍾離昧ら前線の諸将をうたがい、人を出してはその真相をさぐっているらしいということのみであった。

（あの毒は投与してから時間がかかるのだ。即効がないのが欠点だったかもしれない）

そのうち滎陽城のほうが陥ちてしまうのではないか、と陳平もひそかに心もとなくなっている。

が、ひとつ徴候が出た。

項羽が、

「使者を送る」

といって城の中へ矢文を入れてきたのである。漢軍のほうも、承知した、という旨の矢文を送った。

陳平は、あるいはこのことは、項羽か楚軍に毒がまわった症候のひとつではあるまいかと、かれ一個の胸のうちだけながら期待した。

あるいは筍を食ったあとの吹出物ていどの症候かもしれなかったが、この陳平の予感はあたっていた。

項羽は、たしかに諸将を疑いはじめた。

――劉邦に使者を出す。

といっても、いまのところいそいで和平を拒絶する使者を出さねばならぬほどの理由はない。また城内を偵察するといっても火急のことではない。急に使者派遣を思いたったのは自分の諸将が内通していれば漢将たちの様子でわかるのではないかと思案したのである。

項羽は、陳平のいうとおり血族といえばわけもなく信用した。このときの使者も正副とも血族をえらんだ。随員はむろん他姓の者である。この大陸の社会はたしかに家族主義の原理でできあがっているが、おなじ家族主義でも楚人の場合はどこか質がちがっていた。楚人は血族内部でひとを裏切るということがあまりなかったように思われる。

「こういううわさがあるが、きいているか」

と、項羽は正副の使者に質問した。両人ともそのうわさはきいていた。

「口さがない兵どもの取り沙汰にて私など信じてはおりませぬが、耳にはしております」

「わしも信じてはいない」

項羽はうなずき、

「しかし、そのこともふくめて観察せよ」

といったことが、かれの不幸をよぶことになった。この血縁の二人の使者にとっては、楚軍をささえてきた范増、鍾離昧といった、陳平のいう廉節のひとびとも、所詮は他人なのである。血族内部の結束感覚でいえばつまりは他人はゆだんがならないという先入主があった。この場合、事の性質が性質だけに、その先入主のほうが前に出た。

使者たちが滎陽の城内に入ると、非常な歓待をうけた。

（なんということだ）

交戦国ではなく友好国にまぎれこんだのかと戸惑うほどで、まず美麗な休息所に案内され、次いで劉邦が臨時に王宮にしている建物に入り、豪華な宴会場に通された。すべて陳平の指図によるものであった。ただし陳平は顔を知られているということもあって、表には出ない。

劉邦は宴会場の入口でかれらを迎え、ひとりずつ肩を抱くようにしてなかに招じ入れた。

城内は餓えているときいたのに、料理の豪華さは使者たちがいままで見たことがないほどのものであった。

（これは、太牢(たいろう)だ）

と、使者たちは目でうなずきあった。太牢というこの奇妙なことばは、あるいはこの時代の俗語から出たものなのかもしれない。肉に、牛、羊、豚の三種がそなわっている料理のコースをさす。

さらに贅沢(ぜいたく)なことに、宴席のすみに物を烹(に)る青銅の鼎(かなえ)や俎(まないた)まで持ちこまれ、調理人が出張して好みのものを即席で調(とと)えるという演出までなされていた。

「このたびはよくこそお出(い)でくださいました」

と、平素不作法な劉邦が、顔じゅうを崩してあいさつをした。

使者たちは和平を拒絶する口上(こうじょう)をのべねばならないだけに大いにとまどった。しかしともかくも、

「項王は大王はつつがなきや、と申されておりました」

と、あいさつを述べはじめたところ、劉邦は顔色を変えた。

急に態度をあらあらしくして、

「なんだ、諸君は項王の使いか。私は范増(はんぞう)老人がよこした御使者であるかとおもった」

と言い、宴会の主宰者をよんで、

「料理を片づけろ」

と、いった。漢側の陪席者たちも多くは退席し、かわってべつの料理が運ばれてきた。ひどく粗末なものであった。

使者たちは、これによって真実を知った。そこそこに用件を終えるとまっすぐに項羽のもとに帰り、人払いをして滎陽城内で目撃した事実をのべた。

項羽は、はたして范増を疑った。

たまたまこの翌日、范増が急攻の必要を説いた。

「滎陽城の朝夕の様子を見るに、もはや垂死の病人とおなじです。これ以上の長囲はかえって味方の士気を殺ぎます。急攻すべきときでしょう。先鋒はそれがしがうけたまわってもよろしいです」

といった。

（なるほど、これは劉邦と諜しあわせている）

項羽はおもった。が、いままで亜父と尊称してきた相手だけにその疑いは顔にも声にも出せず、考えておきましょう、と答えただけで、この献言はとりあげなかった。

だけでなく、范増が去ると、かれの部署を、城壁近くから最後尾にひきさげた。さらに、この翌日、范増を軍議によばなかっただけでなく、その結果も報らせなかった。項羽のこの無言の措置で、范増は第一線の将軍でもなく、さらには軍師でもなくなったのである。

「なにかあったな」

と、范増は人をやって項羽の側近をさぐらせ、やがて右の事実を知った。范増の衝撃は大きかった。

(そういうことか)

范増は弁解しようとはおもわなかった。

(信のみが、あの小僧とわしとを繋いできたのだ。その糸をかれが断ち切った以上、もはや居るべきではない)

じつをいうと、范増は、二月はじめごろから項羽の諸将に対する態度が冷たくなっていることを知っていた。鍾離昧も竜且もさらには周殷も、みな個々にひそかに范増を訪ねてきて、項羽が自分たちの身辺に諜者を置いて監視していることを泣いて訴えた。

その諜者というのは、みな項氏の一族なのである。むごいことに、たれの場合も項羽がこれらの諜者をそれぞれの副将として人事したことであった。毎日、これらの将は諜者と顔をあわせ、諜者と軍議をしている。人間として堪えがたい環境であった。

「氷室にいるようです」

と、鍾離昧などはいった。この人物には後日のはなしがある。変転ののち、劉邦の配下の韓信のもとにゆき、客分として日を送るうちに事にまきこまれて非命におちこみ、自刎して死んだ。

范増は天下を料理する者としては比類のない器才をもっていたが、自分たち項羽の宿将を腐らせはじめているふしぎな毒煙が、榮陽城内の陳平から出ているということには気付かなかった。

最初は、

(どうせ、項羽の血族のなかで小利口者が密議しはじめたのだろう)

とおもった。目の前の榮陽城は落ちてくる岩の下の卵のようにつぶれようとしている。ほどなく漢は亡び、劉邦は死ぬ。楚の天下がくればおおぜいの項氏の血族が王侯になって分け前をとりあうだろう。このさい、最大の功をたて最大の分け前を貰えるはずの宿将が、邪魔であった。この段階で腐らせるか、辞職させるか、あるいはぬれぎぬで殺すか、いずれかの方法で始末してしまうというのは、いかにも悋嗇家と小利口者の考えそうな勘定法だ、とおもったのである。

范増は、去るほうをえらんだ。

数日して項羽に拝謁し、印綬をかえし、

「天下はすでに大王によって定まったというべきでしょう」

と、項羽に対して賀をのべた。たしかに漢は榮陽においてほろぶ。

「私が大王のために御役に立つことはもはや終ったように思います。あとは大王みずからで十分治めることができましょう」

自分は職を辞し、故郷の居巣に帰る、といった。范増の声は怒りでふるえていた。しかし樹の瘤のように老いたかれの顔は怒りをあらわす能力を欠いていた。つきあげてくる怒りが、他者の目からみれば悲しみとして顔中にたゆたっているように思われた。范増は、落涙した。憤って泣くのはなにごとかと心中わが身を叱ったが、老いというものがそういう抑制をきかなくしている。

范増は下僕ひとりだけをつれ、単騎、項羽の陣を去った。

かれは、ほどなく死んだ。彭城までゆかぬうちに大きく憤りを発して急死したともいわれ、あるいは背にできていた悪性の腫物のために死んだともいわれる。

ともかくも項羽が范増をうしなったことで、榮陽城は急襲されることからまぬがれた。しかし早晩、落城はさけられない。陳平はこの時期、劉邦のためにいかにたくみに落城するかという準備でいそがしかった。

紀信の悪口癖

滎陽城の城壁の北に黄河がめぐっている。

城壁を積みあげているれんがは日干ではなく、固く焼きしめられているため、近くからみればねずみ色にみえる。晴れた夕方など、遠目でのぞむと、煙ったような紫色にみえた。

壁も、厚い。

城頭に立ち、目をつぶって伝いあるいても落ちることがないといわれた。

城内の街の規模も小さくなく、漢の籠城軍を入れても宿舎にこまることはなかった。

(申しぶんのない城だが、長くはないな)

籠城のぬしである劉邦は、最初からひとごとのようにおもっていた。

この男の性格として籠城戦に適わず、つねにこの窮鼠のような状態からぬけだすことばかり考えている。

なにぶん、攻囲軍の項羽とその兵が強すぎた。それに滎陽城は籠城のための城としては、弱点があきらかでありすぎる。城内の十万ちかい軍民を養っている食糧の補給管は、黄河の岸の敖倉につながっている甬道一つで、これを破壊されれば城内は餓えてしまう。攻防一ヵ年というものは、主としてこの長大な甬道をめぐっておこなわれた。漢の出撃部隊は、甬道の死守、敗滅、奪還をくりかえすうち、力が尽きはじめた。野に春の花が咲くころになると、花よりもあざやかな楚軍の旗が、甬道のあらゆる部分に林立するようになった。

劉邦は、毎朝、日課として車に乗る。滎陽の街路をゆききした。

まことに素朴な統御法であったが、

「おれはこのように元気だ」

ということを、兵や民に見せるためなのである。

劉邦の車には、天蓋が黄色の絹で張られている。横木に身をもたれさせている大男の黒い大ひげさえ見れればそれが劉邦であるということがたれにもわかった。

餓えが、城を半ば死んだようなものにしている。

城壁にいる兵だけが、防戦のために戦っている。

町にいる兵は屋内や路傍でうずくまっていて、市民もほとんど屋内から出ようとはしない。籠城のはじめのころは糞尿（ふんにょう）が路傍を流れて臭気がはなはだしかったが、ちかごろの糞はにおいが薄くなった。

屍臭（ししゅう）のほうがひどかった。餓死者が出ても郊外へ運ぶことができず、空き地に土芥（どかい）のように積みあげられている。冬のあいだは屍体が凍ってさほどでもなかったが、春がきてからは腐乱して皮も肉も溶けはじめていた。

（屍（しかばね）が積まれているあいだはまだましだ）

と、劉邦はおもった。やがて生者があらたな死者を食いはじめるようになる。それがさらに進むと、子を交換しあって食うようになる。

劉邦の食事も、めだって貧しくなった。

「腹が減ると女が欲しくなるのはどういうわけか」

と、この男は大まじめで傍らの学者にきくことがあった。

「天がそのようになさるのでしょう」

この学者はいった。

「江南に多い樟は、老いて樹勢がおとろえるとさかんに花をつけ、黒い実をみのらせます。次代を残さねばならぬからです」

この説によると、劉邦の肉体はひとつには齢でもあり、ひとつには栄養の補給をうしなっているため、次代をのこすべく天命によって好色になっているのかもしれない。

「もっともだ」

劉邦はこんなことに諧謔を感ずるたちの男であった。

この男は、このように惨烈な状況になってもその閨室に婦人を絶やしたことがない。ただ婦人を愛していても、すぐ執務にきりかえた。婦人にかまけて配下の者に会うことを避けるなどというほどの執拗さはなかった。といって自律的とか仕事好きとかといったことではなく、要するにめしを食うように婦人を愛し、満腹すれば飯椀を置くというだけのことであった。

城内に、いろんな人間がいる。

価値観も、さまざまであった。

たとえば、

「陛下はまちがっている」

と、劉邦を攻撃している男もいた。

紀信という男である。

「そんな男がいたかな」

劉邦は紀信が悪口をいっているという話を耳にしたとき、名もわすれていたし、顔も思いだせなかった。兵十五人ほどの指揮をしている下士で、沛の人間だという。

「沛の紀信か」

「お思いだしになりましたか」

紀信についての密告者が勢いこんだ。

「いや、思い出せんわい」

劉邦は薄っすらと記憶がある。幼な友達でいまは将軍になっている盧綰が、かつて沛の若者を三十人ばかり推挙してきたなかにその紀信という名の男がまじっていたような気がする。

「大男か」

「いたって小男でございます」

かつて盧綰が沛の者たちを推挙したとき、なんといっても信頼できるのは郷党の者でございます、としたり顔でいったが、劉邦はそうは思わなかった。かれにとって沛の町の者はまだいい。その郊外である郷里の豊邑の連中ときたら劉邦をごろつき程度にしか評価しておらず、挙兵後、一度もたすけてくれなかったばかりか、雍歯（ようし）という男を奉じて劉邦にそむいたこともある。

――なにが、郷党がいいものか。

というのは劉邦の口ぐせであり、この男の風変わりな点でもあった。この広大すぎる大陸は、人間関係にあっては郷党の連合社会といってよく、同郷なら無条件で信頼し、また信頼されるほうもふつう裏切ることがない。盧綰はそういう常識をふまえていったのだが、劉邦は斟酌（しんしゃく）しなかった。かれは項羽とちがって自分の血縁を重用せず、また他人をそのうまれ故郷によって軽重するということをしなかったために、天下の士が玉石ともに――玉はすくないながら――この男のもとに安んじてあつまってきたにちがいない。

盧綰が推挙した沛の子弟は、盧綰のはからいで最初から下級将校になり、流民たちを指揮した。流民たちも戦火をくぐってきてみな強（したた）かな兵卒になっており、たとえ十人、二十人でもなまなかな人間では統御できないものなのだが、長が沛の人間である場合、兵たちは劉邦との間に往来があるはずだと思いこみ、つい無理な命令でもきくところがあった。

籠城は一面、退屈でもあった。

(ひとは、まことにさまざまなものだな)

と、劉邦を、あらためて考えこませる契機にもなった。

たとえば、儒者の酈食其である。

(あいつの情熱はいったい何だろう)

と思ってしまう。

ことしの正月、城内の井戸にまで氷が張ったほど寒い日だったが、この日の夜、劉邦が灯びを一穂だけつけて戚という寵姫とたわむれていると、儒者の酈食其が、細長い体を二つに折るようにして入ってきた。すでに六十幾つで、眼窩がくぼみ、わらうと暗い穴があいた。酈はこの籠城で歯が一本もなくなった。

「おお、酈生がみえたか」

この場合の生は先生というほどの意である。劉邦はこの男をはじめて引見したとき、女に足を洗わせていたことはすでにふれた。酈がその無礼を怒ったため、以後劉邦は、先生、生などとよぶことにしている。ながいあいだ高陽(河南省)の門番をしてついつい六十を過ぎてしまったという男だけに、本来、欲のうすい男であったであろう。

あるとき酈は劉邦の前で酔って、

「わしのこの世の望みというのは、陛下によって儒教を天下に布くことだ」

と隣席の男に言った。上座の劉邦はその言葉を耳にし、思わず噴きだして酒を吐いてしまった。

「先生はわしに何を教えにきたのだ」

劉邦は戚姫を別室に追いやり、灯びの数をふやして、酈と相対した。酈は昂然としている。ほお骨に灯が映えて、雨もりのあとのようなしみがうかび出ていた。

「大王は、とても楚の項王には勝てますまい」

と、いきなりいった。いやなことを言う老人だが、劉邦は紀信が悪口をいっているという密告をきいても怒らないように、この種のことで怒ったことがない。自尊心というのがあるのか、それとも劉邦の自尊心は靴の中にでも入っているのか。

「まことに、わしは項羽にはかなわない」

劉邦はおだやかにいった。

「この滎陽城もいずれは陥ちましょう」

「なさけないが、そういうことだ」

「籠城は将来に成算があってやることです。陛下にご成算がありますか」

「ない」

劉邦はこういう場合、幼児のように素直である。

「この酈食其のいうことをお聴きになりますか」

「よろこんで聴こう」

「陛下は先王の道ということばをごぞんじですか」

「儒教か」

劉邦はいやな顔をした。昔の聖王たちのことを儒教では先王の道といって王たる者はそれを見習えとやかましくいう。

「いや、これは利の話でござる」

といって酈が説いたのは、『書経』に書かれている話である。遠いむかし、殷帝国の始祖に湯という善なる王がいて、夏の桀なる悪虐の王を討ったとき、桀をほろぼしたあとも夏の祀りが絶えないようにその子孫の者を杞(河南省)に封じて大名にした。湯王の至徳なるゆえんである、と酈はいう。

周の武王もまた先祖のまつりを絶やさぬという思想をもち、殷の悪王紂を征伐してほろぼしたが、その後、古代の聖王の子孫をさがし出してしかるべく封じた。そこへゆくと秦はまことに悪虐である、と酈はいう。六国をほろぼしたが、その王孫たちに土地をあたえず、このため六国の祭祀はことごとく絶えた。天下の蒼生はこれをうらんでいる、と酈はいうのである。

（うらんでいるだろうか）

劉邦は頭のすみに脂（あぶら）しみのように小さな疑念がうかんだが、だまっていた。天下がうらんでいるとしなければ儒教の祭祀主義の論が立たないのである。論というのは核心にうそを置かねば成立しないものではあるまいか。

「いかにも、先生のいうとおりだ」

劉邦は疑念をのどの奥に押しこんで、さきを急がせた。

「そこで陛下はよろしく六国の王孫をさがし出すべきです。かれらのすべてに君主の印（いん）をお授けあそばすなら、六国の君臣、人民はことごとく陛下の徳をあおぎ、たれもがよろこんで天下のぬしとしてその座におつき遊ばすことをのぞむでしょう。強楚もまた弓を折り、盾（たて）を伏せて陛下に対し、えりを正してお仕え申すでありましょう」

「……そうか」

劉邦は大きく吐息をつき、酈の口から湧（わ）き出た言葉の雲の上に気分よく乗ってしまった。論というもののおそろしさであろう。論というのは一本の釘（くぎ）を抜くだけで蜃気（しんき）楼（ろう）のように消えはててしまうことを劉邦は知らなかったのである。

「なるほど、そういうようにすれば強楚などおそるるに足らんな」

劉邦は、楚軍の重囲を受けながら、そういう存在はいま酈が大蛤が気を吐くように吐きだした論の世界からみればじつに小さい問題のようにおもえてきた。

「すぐ六国の君主の印を刻ませる」

劉邦は人をよび、それを命じた。劉邦は王権をもっている。印は王権の具象化されたものであり、かれのそばには常時印を刻む職人がいた。

「夜を徹して刻め」

と命ずる一方、酈食其に対し、老先生にはご苦労であるがその印を持って六国に使いしてくれるか、といった。むろん酈は天下に儒教を布教したいという情熱で生きている。労は愉悦ともいうべきもので、たとえ山野に屍をさらしてもかまわないと思っていた。

酈が部屋を去ると、劉邦は急にひもじくなった。よろこびというものは消化をさかんにするものらしく、

「残肴でいい、持って来い」

と言い、皿が運ばれてくると、大肘を張って食いはじめた。

そこへひげのない張良が、足音をひそめて入ってきた。

「子房よ」

劉邦はよろこびを頒ちたかった。箸を動かしながら、先刻、酈が献策し、劉邦が採用した案をつぶさに伝えると、張良の顔色が変わっていた。

「大王の事業もこれでおしまいでございます」

劉邦は張良の才を信用している。張良がよろこばないのを見て、劉邦の語気もかぼそくなり、

「なぜ、しまいなのかな」

というと、張良は手をのばして劉邦の手から箸をとりあげ、それを小道具にして説きはじめた。

張良は、老荘家である。という以上に、現実についての認識が素直で、千年も前の先王の時代とは経済も文化も人の心もちがってしまっていることを平明に認める精神をもっていた。儒徒が尚んでいる古というのは夏といい殷といっても社会も小さく、王権の及ぶ範囲もわずかで、農業人口もすくなく、戦いの規模も小さい。人心は素直で、鬼神を信ずることが篤く、さらには王への服従心もつよかった。

すでに歴史は春秋戦国を経、人智は多様に発達し、社会の規模も殷の湯王や周の武王のころとはくらべものにならない。秦にほろぼされた六国の遺孫をさがし出して国

を回復させ、祭祀を復興させれば人心は喜悦するなどというのはお伽話にすぎない、と張良はいった。

「しかし、子房」

劉邦は、いった。

「遺孫どもはよろこぶではないか。わしとしては天下をよろこばせることによって楚を圧倒したいのだ」

「大王よ」

張良は、劉邦がまだ酈の論の魔術から醒めていないことにうんざりした。

「おおせの如く天下は大いによろこばさねばなりませぬ。しかし棚から餅が落ちてきたことで実際によろこぶのは六国の遺孫ぐらいのものでございましょう。逆に、悲しむ者がいます。幾万ともはかり知れませぬ」

「たれが悲しむのだ」

「陛下の幾万の士卒でございます」

といわれて、劉邦は頓悟した。が、張良はなおも言いかさねた。

「天下の游士」

という表現を張良はつかった。劉邦の配下のことである。かれら天下の游士は旧六国のうちのいずれかであるその故郷をはなれ、墳墓の山を離れ、血縁と別れて天下にただよい、劉邦に従って転戦している。

「その理由は、大王につき従うことによって一尺の土地でも得たいからです」

よほど奇人でないかぎり、そうであるにちがいない。

「ところが大王が酈生のすすめによって先王の道に倣われ、古韓を興し、古魏をたて、燕、趙、斉、楚それぞれの子孫を立てれば、かれら游士は大王をすてて故郷にもどり、それぞれの王に仕えるにちがいありません。たださえかれら游士は墳墓の地にもどりたいのです。かれらが散ってしまえば、大王はいったい誰とともに天下を取ろうとなさいますか」

「酈生め」

劉邦は立ちあがって咆えた。すんでのところでおれの事業が水の泡になるところであったわい、と言って側近をよび、印のことをきいた。すでに「趙王之印」といったたぐいの文字を彫りはじめているところであったので、すぐさま文字をすりつぶさせた。劉邦は楚の項羽に締めあげられて苦しさのあまり、わらしべのようなものを天下だとおもうほどに幻想をもってしまったのである。

張良を去らせたあと、すぐ酈食其をよばせた。かれはこの思想家を叱らず、せっか

くの献言であったが、取りやめた、といった。老儒者がおどろいて理由をきくと、

「夢を見ていたのだ」

と、いった。籠城というのは、ただひたすらに堪えるという日常であるため小さな事象やわずかな思いつきにも飛びつき、巨大な期待をかけてしまう。劉邦でさえ狐憑きになりやすい心理のなかにあった。

（とはいえ、酈生は、あれはあれで偉いやつだ）

と思うのである。一尺の土地も欲しがらず、天下にかれの考えている正義を布きたいというのは、人間の心のおもしろさではないか。

（張良もまた、おもしろい）

と、劉邦はおもう。あの年中風邪ばかりひいている男は、欲得を離れて劉邦を輔佐し、劉邦に天下をとらせることだけを楽しみにしている。私心がないために物もよく見え、さらには劉邦に直諫し、その浮きあがった足に抱きついて地につけさせてくれた。

（人はさまざまだ）

劉邦はおもった。

滎陽の町の市民こそ災難であった。にわかにこの町にやってきてここを楚との決戦の梃子の支点にしてしまったために士卒とともに籠城戦をたたかわざるをえなくなった。劉邦とは縁もゆかりもなかった。

この市民たちを慰撫するために、劉邦は毎日のように町の父老たちと会っている。坊(町内)ごとの代表として三人の父老がいるが、それらから選出されて滎陽全体を代表する三人の父老もいる。どの父老とも劉邦はきさくに会った。

「項羽はなにをするかわからない男だ」

と、劉邦はいつもかれらにいう。このおなじ黄河沿いの新安で項羽が旧秦軍を二十万も阬にしたということは、滎陽のひとびとはよく知っていた。もし滎陽城が項羽のものになれば市民のいのちはないかもしれず、劉邦にすればこの一事を繰りかえし説き、漢軍に協力することを要請するほかない。

(この町の連中が、いちばん哀れだ)

と、劉邦は思わざるをえなかった。この劉邦の気持が、父老たちによく通じていた。劉邦という王には徳がある、とひとびとは思った。この程度の憐憫の情をもつというだけで徳とされるというのは、殷の湯王や周の武王以来のこの大陸での伝統であった。首長たる者が、ただの人間がもつ恤りさえあればそれで民は満足するのである。民にとって、正規の王朝のほうが害であった。王朝ははげしく収奪する。あまりに収奪しすぎたときに草莽から反乱軍がたちあがるのだが、ふつう、王朝の軍——官軍——のほうが掠奪がすさまじく、反乱軍のほうが農民に密着しているためにおだやかである、というのが、公理のようになっていた。

項羽と劉邦のあらそいは反乱軍同士の争闘だが、項羽のほうが強勢であるためにその軍も官軍じみていて、掠奪がはなはだしかった。一方、弱いほうの劉邦の軍は右の公理における反乱軍にちかい。かれらは農民に裏切られると立つ瀬がなくなるために滎陽の町の者に対しても物柔らかであった。滎陽の父老たちはそのことをよく知っていて、

「大王の天下のために私どもは辛抱いたします」

と、つねに言っている。もっとも肚の底からいっているわけではなく、本心は、項羽も劉邦もこの世から消えてしまえ、ということであったろう。小地域のひとびとの世話をする父老という存在が、遠い伝説の世の政治形態に似ているのかもしれず、また老荘の徒が理想とする自然の世の政治に相通うものかもしれなかった。王とか侯があらわれ、さらに皇帝があらわれるようになって、争闘の規模が大きくなり、惨禍もはなはだしくなった。

劉邦は、城内の持場々々を見まわったことがない。そのことは将軍たちのなすべきことであり、大王みずからがそれをやると、将軍たちの士卒に対する恩威を横盗りすることになるからである。それに、この大陸での権威感覚がそれを許さなかった。王みずからが手足を汚して諸陣をまわると、あの王の器量はその程度のものかとかえって士卒が見くびるようになるのである。

が、劉邦もながい籠城で、気がおかしくなっていたのかもしれない。ある夜、馭者の夏侯嬰ひとりをつれて、城壁から城壁へとつたい歩いた。

誰何されると、

「大王におわすぞ」

と、夏侯嬰がいう。

ある方角の城楼にのぼり、やがて下の城壁上に降りるべく露天の階を一歩ずつさがっていたとき、暗くもあって、足をふみはずした。数段ころげ落ちてぶざまに四つン這いになったとき、

「女と狂れてばかりいるから、そうなるのだ」

という声がした。

「え？」

劉邦は、ときにそうなのだが、いい齢をして童子のようになってしまう。

「そんなにおれは狂れているか」

怒りもせず、相手を詮索もせず、大きな虚空のようになって、劉邦はいった。

「満城、餓えている」

と、その男はいう。よく見ると、その男は五、六尺むこうの旗棹の根もとでうずくまっているのである。頭上の望楼から突き出した篝火の火明りで、戎装していることがわかった。

「わしは漢王だぞ」

劉邦が念のためにいうと、相手は、わかっている、といった。駁者の夏侯嬰が近づいて松明をつきつけた。小男だった。

「お前、越人か」

劉邦はきいた。呉越には矮小な者が多い。

「ちがう。言葉のなまりを聴けばわかるだろう」

といって立ちあがった。

「なるほど、沛の町の者だな」

劉邦はおどろいた。

「ちがう。豊邑の者だ」

といって暗がりへ消えてしまった。豊邑はいうまでもなく劉邦の故郷そのものである。まさか小字の中陽里ではあるまい。中陽里なら劉邦も顔の見当がつくのである。

翌朝、劉邦は幼な友達の盧綰をよんだ。

「昨夜、紀信に会ったよ」

と、当てずっぽうながら、いった。沛付近出身の兵で、城内でしきりに劉邦の悪口をいっている者といえば紀信しかあるまい。

「豊邑の者だ、と言いおった。あのへんの奴らはおれという人間を好まぬらしい。君はべつだが」

「故郷にあっては陛下もごろつきか盗賊という印象しかございませんからな。陛下のおかげで私も評判が悪うございました」

盧綰も、ずけずけ言う。

「いまも悪かろう」

劉邦は遠くを見るような目をした。故郷の野や川がなつかしかった。

「左様」

盧綰はいった。

「一時はさんざんのようでございましたな。雍歯や王陵が陛下のことをずいぶん悪く言いましたからな」

「雍歯か」

劉邦は隣家の犬でもからかうような笑顔になった。

「あいつにすればやむをえなかったろう」

雍歯はむかしのごろつき仲間で、劉邦ぎらいで通った男であった。挙兵早々、豊邑を雍歯にまかせたところ、この劉邦ぎらいは陳勝の配下の周市という男に通じてしまい、豊邑を周市に献じて劉邦を裏切った。雍歯は豊邑を結束させるために劉邦の悪口をさんざんいったらしく、豊邑では劉邦といえば馬鹿で無節操で臆病者の小悪党という評価が土ぼこりにまで滲みとおっている。王陵もまたかつては郷党の顔役であった。劉邦が食いつめていたころ、飯を食わせてもらったり、かくまってもらったりしたのが王陵で、郷党のごろつきとしては一格も二格も上であった。王陵は劉邦が挙兵したとき、

――あの身の程知らずが。

と、驚き、笑止がり、子分どもや縄張りの農村に対し、あいつの手に付くな、とく

りかえし命じた。その後、劉邦の勢力がみるみる成長したことに、王陵ほど当惑した者もなかった。といって乱世にあっては大勢力に属さざるをえず、他に属して劉邦を敬遠しつづけた。しかしやがてその傘下に入った。

雍歯も入った。劉邦は滑稽なほどに器量の茫漠とした男で、雍歯にすらその憎しみを露にしなかった。天下がさだまってからまっさきに雍歯の功にむくい、什方侯に封じたのは多分に統御上の政略があったとはいえ、忍ぶという能力が劉邦の一特徴であったことがわかる。王陵にいたってはさらに優遇され、漢の柱石になり、二世皇帝の恵帝のときに右丞相になった。

以下のことも後年の話だが、劉邦は豊邑のひとびとだけは許さなかった。かれの寛容さと矛盾しているが、元来、執拗な性格をあわせ持ち、恨みを蔵すれば胆の中の石のように溶けることがない。のちに沛をなつかしんで、沛の父老に対し、

「万年、わが身が土に帰しても魂魄は沛を懐しむだろう。沛は永世に賦役を免ずる」

といったが、かんじんのうまれ故郷の豊邑については無視した。

――豊邑も、沛とおなじく特別の思召しを賜わりますように。

と、沛の父老が懇願したとき、劉邦は言った。人間、たれか故郷を思わぬ者があろう、わしにとって沛以上に豊邑はなつかしい、しかしその愛は憎しみに変わっている、

といってとりあわなかった。ただし沛の父老の再三の懇願で、のちに豊邑にも沛と同様の特典をあたえはしたが。

「紀信というあのちび公は、なぜ王陵や雍歯の配下でないのか」

と、盧綰に問うた。

元来、沛や沛付近の子弟は、王陵かさもなくば雍歯が募兵し、自然みなその配下になって漢軍に参加しているのである。

「紀信はたれの配下だ」

「たしか灌嬰でござったかな」

灌嬰は絹商人あがりで、甬道防ぎのために楚軍と果敢に戦ってきた男である。が、沛の男ではない。

「なぜ他郷の灌嬰の配下になったのか、調べてみてくれ」

と、盧綰にたのんだ。

紀信はたしかに豊邑の人だが、この動乱時代の最初から兵になったわけではなく、王陵や雍歯が募兵にきてもわずかな田畑を守って応ぜず、

「私には老父がいる。益体もない兵になれるか」

といって相変わらず土をひっ掻いて暮らしていた。ひとつにはこの世のどの他人も気に入らず、雍歯や王陵についても悪口ばかりいっていた。里の父老が心配し、

――お前は決して兵になるな。

紀信にも言い、募兵官がきても勝手に紀信の名を名簿からはずしてくれていた。父老にすれば紀信の性格で兵になれば上長の悪口をいう。首がいくつあっても足ることがあるまいということで配慮してくれたのである。

「百姓というのは天職だ。決して野心をもつな」

と、父老は紀信に言いきかせていた。

「おためごかしなことをいう」

紀信はその父老をさえ蔭ではげしく悪口をいっていた。

紀信には周苛という友人がいる。おなじく小柄だが、性格は重厚で、およそ他人の品評をするということがない。父老が周苛をも募兵名簿から外していたのは、紀信が軽挙して飛びださないように周苛に言いふくめていたからであった。

「紀信よ、お前はなぜ人の悪口をいうのだ」

と、あるとき、村はずれの沼のそばで草を刈りながら周苛がきいたことがある。

「そんなにおれは言うか」

紀信はいった。それにしても周苛は紀信にとってなにを言ってもうなずいてくれている存在であっただけに、その周苛がやや攻撃的に質問してきたことで、石が物でも言ったようにおどろいたのである。

「紀信よ、お前はこの世でたれよりも自分が好きなのか」

この日の周苛は多弁であった。この世で自分だけが好きだというなら世界中の他人を好むまい。周苛はそのようにおもった。

「お前はつまり、自分以外は認められないのだな」

と、周苛は言いかさねた。

「苛よ」

紀信は忿りをふくんでいった。

「おれの気質がわかっているはずだ。おれは、たれよりもおれ自身がきらいだ」

（こまったな）

周苛はおもった。好悪論では言葉のあそびになってしまう。

「別のことをきこう。つまり、お前は認められたいのか。世間のたれもがお前をかえりみないというのが腹立ちのもとなのだろう。たとえば父老でさえお前の才を認めぬ。死ぬまでこの里のこの田畑にお前をしばりつけておこうとしている。もとより父老の親切心からなのだが、お前は誤解をして父老をののしってばかりいる」

「わすれたか、おれに老いた父がいるのを。兵にならないのはおれみずから選んだことだ。周苛、お前は本来鈍(どん)で、眼前のおれの人間さえ見えてない」

「むろん、おれは鈍だ」

周苛はしばらく考えた。じつのところ周苛はそろそろ里をすてて兵になろうと思っているのだが、かといって紀信を置きすててゆくわけにはいかない。連れてゆくには絶えず毒煙を吐いている紀信の気質を矯(た)めさせるか、すくなくとも煙の出所(でどころ)を塞(ふさ)いでおかねばならないと思ったのである。

「ちょっときくが、劉邦さんを好きか」

と、周苛は水をむけてみた。

「きらいだ」

紀信はいったとき、はじめて鎌(かま)を持つ手をとめた。関心はあるらしい。

「なぜ、きらいだ」

「あいつはばかだからだな。しかし馬鹿もあれほど大きな馬鹿になると、大小の利口者が寄ってくるらしいな。そこへゆくと雍歯なんどは戦(いく)さに強いばかりで欲得だけでかたまっている。王陵は何だろう、小型の馬鹿かな。あるいは水溜(みずた)まりのような馬鹿だな。そこへゆくと劉邦は泗水が氾濫して野を浸しているような馬鹿だ。際限というものがない」

「それならば、劉邦さんを好きになりたいか」

と周苛がいったとき、紀信はふりかえって息を詰めたような顔になった。

（こいつは、劉邦さんが好きだな）

周苛はおもった。この世で誰かひとりだけ好きな者を作りたくてうずうずしているのがこの紀信のいらだちのもとではないか、とかねて思っていたのだが、あるいは中っているかもしれない。世間には孔子を好きな者もあれば、遠い昔の墨子のためなら生涯餓えてもいいと思っている者もいる。紀信がそういう教団に属していれば心の始末がついたかもしれないが、不幸にも文字を知らず、人を好きになりたいという気質だけがある。気質が目標の見つからぬままに黒煙を騰げて駈けまわっているのがこの男の悪口癖ではないかと思うのである。

紀信の父は病んでいた。やがて死んだとき、周苛は穴を掘った。穴のふちで紀信が顔中泥まみれになって哭いた。棺を埋めたあともこの男は塚を去らず、苫を寝床にし、周苛が組んでやった粗末な屋根の下で雨露をしのいだ。髪をくしけずらず、手足を洗わず、顔はたちまち垢だらけになった。

毎日、塚の土に顔を埋めるようにして哭いた。その孝心のあつさは、里のなかで評判になった。その評判が当の紀信の耳に入ったとき、顔色を変えて怒った。

「世間というのはつねに間違っている。おれのようにくだらぬ人間に孝心などあるか」

と、周苛をつかまえて、噂（うわさ）を立てる某々をののしった。

「孝心ではないのか」

周苛は、やっかいな男だ、とおもった。

「苛、おれの面（つら）を見ろ」

紀信は自分の右頬（みぎほお）をはげしくたたき、こいつを見ろ、こいつがおとなしくこの里のなかで百姓をして生涯を送るやつかどうか、一国一天下どころか、一郷もほしくはないが、せめてこの紀信が何者であるかを世間のやつらの前に現わしてみたい、そういう嫌（いや）らしいやつだ、そんなやつが孝心篤（あつ）いなどとなにを血迷って世間のやつらは言う、この面だ、みろ、と狂ったようにひっぱたきはじめた。

（狂ったか）

さすがの周苛も、おろおろしてしまった。紀信は、かたわらの石をつかんで持ちあげた。差しあげて、自分の頭へ落とし、さらに差しあげて自分の頭蓋（ずがい）を割ろうとした。

血が噴き出、ひたいから頬にかけて越人のくまどりのように赤く染めた。周苛はようやく石をうばいとったが、捨てておけば紀信は脳漿を流して死んだかもしれない。

紀信は、さらに哭いた。哭きながら、

「おれは病父のおかげで、この里にはりついていたのだ。もし病父が居なければおれのような男は兵になっていたろう。兵になって、つまらぬ流れ矢にあたって死んだろう。もはや病父は在さず、おれをとどめていた力がなくなった。それが悲しかったのだ。哭いたのはそれがゆえだ」

と、いった。

やがて周苛と紀信は劉邦の軍に参ずべく豊邑を出た。

ちょうど劉邦が彭城（いまの徐州）で大敗して沼沢をさまよっているときで、そういう敗将を見つけることはなんとも困難だった。餓えて諸方を流浪するうち、劉邦が滎陽城にこもったということをきき、籠城に参加したのである。

たれがみても旗色のわるい側に従軍するなど、愚かといえばそうにちがいなかった。その上、同郷の王陵や雍歯の手につけば優遇してもらえたであろうが、それをきらって灌嬰についた。灌嬰の軍は甬道をまもる実戦部隊であるため、毎日のように矢の雨の中で飛びまわった。交替のときだけ滎陽の本城に帰り、望楼で寝るのである。その夜、劉邦が出くわしたのは、紀信が前日、前線からもどって休養していたときであった。

盧綰(ろわん)は、むろん紀信の顔など知らない。この日、かれは配下にさがさせず、灌嬰にことわってみずから城壁や望楼をまわってさがした。そのさがし方も素朴で、

——紀信というやつは、どこにいる。常日頃、陛下の悪口をいっている男だ。

といってまわったため、たちまち城壁じゅうにひろまった。盧綰がある望楼に近づくと、ひとりの兵が降りてきて、

「私です」

と、いった。盧綰の目からみてさほどに小男のように思えないのは、顔が俎(まないた)のように大きいせいかもしれない。じつは周苛(しゅうか)であった。身代わりになってもいいと覚悟して名乗り出たのである。紀信は幸いにも今朝から前線の甬道に入っている。周苛は、もしあの男がひっぱられれば尊貴の者の前でどれほど毒づくかもしれず、そうなれば当然、斬刑(ざんけい)に処せられる、とおもった。ともかくも名乗って出、悪口癖は紀信の病気であること、その魂は氷のようにすきとおって純であること、入りくんではいても陛下への随順心はたれよりもつよいことなどを開陳するつもりであった。その上で殺す

といわれるならまず自分が殺されようと思っていた。戦国の沸騰《ふっとう》した社会のなかで形成された自然の倫理のなかで友情という奇妙なものがあり、倫理というより、ときに宗教感情のようにはげしいものであった。

周苛は盧綰によって縄打たれ、劉邦の前にひき出された。おどろいたのは劉邦のほうで、すぐ縛《いまし》めを解かせ、座をあたえて、

「退屈しのぎによんだのだ」

といった。

「お前がわしの悪口をどのように言っているのか聴きたかっただけだ。ところで、沛《はい》県の豊邑《ほうゆう》の人間だそうだな」

(劉邦というのは、こういう声か)

周苛は夢の中にいるように思考がぼんやりしてしまっている。劉邦の顔は知っているが咫尺《しせき》で見たのは最初であり、まして声をはじめてきいた。林の中で遠いほら貝の音《ね》を聴くように、ふしぎな魅力があった。

「豊邑の話をしてくれ」

といって、周苛の里《り》をきいた。劉邦はその里のそばの小川も知っていたし、里の門のそばの土橋も知っていた。おどろいたことに土橋のふちに実生《みしょう》ではえた小さな櫨《はぜ》の

木までおぼえていた。

「あの里は、元来、優しい人ばかりいるのだ」

と、劉邦はいった。あの櫨はふれるとかぶれるのだが、せっかく鳥がこの里に実をおとして行ったのだからといって里人は伐ろうとしないのである。

「しかしわしにとってはつらい土地だった。みな悪口をいっていたろう」

「……陛下の」

周苛は重い口をひらいた。

「悪口を子守唄のようにきかされて育ったのです」

「この大乱以前のことだな」

「乱勃発以後もそうでございます」

むろん乱勃発以後は、多分に創作された悪口を雍歯や王陵が言いふらしたのである。

「お前自身がいう悪口は、どういうものだ」

「陛下」

周苛は不意に涙をあふれさせた。感情の整理がつかぬまましばらくだまっていたが、やがて自分は紀信ではありません、紀信はいま楚軍と戦っております、私は周苛という者で、おそれながら私と紀信との関係は陛下と盧綰どののごとくでございます、すでに死は覚悟しております、その前に事情をお聴きくださいますか、といった。

退屈していたときでもあり、劉邦は時間をかけてきいた。

聴きおわると劉邦は大きな掌をあげ、卓子を搏ち、

「わかった」

と、いった。

劉邦はただちに周苛を抜擢し、親衛隊の長にしようとしたが、周苛はことわった。ありがたすぎることでございますが、抜擢されれば紀信を出しぬいたことになります、いままでどおりの身分でよろしゅうございます、といって辞し去った。劉邦の胸に、風に似たものが吹きぬけたような印象がのこった。

(周苛があれほどのやつなら、紀信もきっとおもしろい男にちがいない)

と思い、数日してふたたび盧綰をやった。

盧綰は城壁の上で、紀信に会った。

(なんと、いやなやつだ)

と思ったのは、革のすりきれた官給の粗末な戎服を着て、一堆の芥のようにうずくまり、目だけを光らせて、不必要に笑っているのである。質問にも、ろくに答えなかった。

「陛下が周苛をおよびになって話されたことは、周苛から聞き及んでおろう。一方の将軍たるわしみずからお前のような卒伍の者のもとに来ておる。申すまでもなく陛下のありがたき思召しによるものだ。もっとつつしまぬか」

「おそれながら」

といったのは、傍らの周苛のほうである。

「この紀信めは、これでも口をひらくことを堪えに堪えておりまする」

堪えているだけでもういいやつだと思ってやってほしい、と暗に言うのである。あごを緩めさせればどのように盧綰を罵倒するか。

盧綰は、いまからいうことは大王の御言葉である、として、宮殿にきて中涓（王の身辺の雑用をする役人）をつとめないか、といった。ただし、周苛に対してだけである。劉邦は紀信にも興味をもったが、内廷には秘密が多く、口のうるさい男を置くわけにはいかない。

周苛は、礼を言い、しかしいまのままでいい、といってことわった。

「本心か」

盧綰はいった。中涓は身分こそ高くないが、たえず劉邦の目にふれているため、ときに将軍に抜擢されることもありうる。周苛はうれしかったが、紀信をこのままにして自分だけが栄達するわけにいかない、といった。

盧綰はいったん劉邦のもとにもどり、もう一度やってきた。

「陛下があらためておおせあるには、それほどにいうならいまのままでいよ、ということだ。ただし両人とも中涓の心得でいてよろしい。ということはいつでも内廷に入ってきて客の接待などをしてかまわない、つまりはいつでも陛下のおそば近くへ行く資格がある、ということだ」

この旨、盧綰は灌嬰につたえた。灌嬰はこの両人が気のむいたときに漢王に拝謁できるという資格をもった以上、下士にしておくわけにゆかず、一挙に自分の副司令官格にひきあげた。

以後、両人は灌嬰の兵をあずかり、甬道の守備隊長として楚軍と戦った。兵たちの多くが流民や野盗のあがりとはいえ乱にあることが古く、戦いの手だれになっている。紀信・周苛はいわば素人にちかかったが、しかし紀信の機敏な感覚は防戦に役立ち、周苛の重厚さは、よく兵を統御した。

桐の花が咲くころ、滎陽城の籠城も極限にきた。

漢軍の強味は、北方の関中の穀倉地帯をおさえていることであった。それ以上の強味は関中に蕭何がいることであったろう。蕭何は劉邦に代わって関中の人心をよく慰撫し、その物資や兵員を黄河づたいではるかに滎陽城に運んでいた。籠城の初期は、それで滎陽はうるおった。滎陽の父老などは、

——滎陽がこのように繁昌したことはかつてなかった。

といった。籠城の中期以後となると、項羽が蕭何の兵站線をもふさいだため、滎陽城の食糧は甬道を通じて敖倉から運ばれるもののみになり、後期には、それも項羽によって断たれた。

(こんな籠城は、なんの役にも立たない)

と、早い時期から思っていたのは、張良であった。

籠城戦は、いずれ巨大な援軍が来るという条件と期待のもとにおこなわれるもので、目下の漢軍の状態はただ穴ぐらに逃げこんだけものにすぎず、穴の口を項羽にふさがれて衰弱死を待つだけの体になっている。

(だいたい、漢王がここに籠っていることからしてまちがっている)

そのことは、最初の段階こそ士気をたかめることに役立った。が、いまとなれば漢王みずからが好んで雪隠詰めになっているにひとしい。

張良は、まず机上の案を考えた。

劉邦を関中へやり、その地および漢中、巴蜀から大いに兵を募り、みずから援軍をひきいてこの滎陽を項羽の重囲から解放することである。

滎陽の手もちの食糧は尽きようとしている。兵員を五分ノ一に減らせば劉邦が救援にくるまで食いつなげるにちがいない。五分ノ四の兵力は、なにか魔法でもって蒸発させなければならない。魔法といえば劉邦がこの城から消えることも、超自然の力を必要とする。

「これは、夢物語ですが」

と、張良は劉邦に献策した。

「しかしこの夢を実現させないかぎり、漢軍はこの滎陽で自滅するほかありません」

「どうすればよいか」

「陳平は奇策の人です。かれにご相談なさるほかないでしょう。陳平がもし策を考えつけば、一言半句の修正もせずに採用なさることです」

張良は陳平の人柄を好まなかった。が、奇術家のようなあの男の才能をそれなりに買うようになっていた。奇術は、それ自体の論理で完結されている。他から喙を容れれば奇術が成立しないことも張良は知っている。

陳平が、ふたたび劉邦の幕営の主役として登場する。

劉邦は自分の身の始末をふくめていっさいを陳平にまかせた。

(この術には、死士が最小限、二人は要る)

死士のうちの一人が、奇術のたねになる。たねが死ぬことによって奇術が展開するのだが、陳平はまず奇術のたねになる男を劉邦の身辺で物色した。

(盧綰(ろわん)でもむりだな)

と、おもった。文武の大小の官を見わたしたところ、張良のいう一尺の土地でも得たがる欲得ずくの連中ばかりで、虫のようにこの滎陽城頭で死ぬという男は居そうになかった。

ただ周苛(しゅうか)がいる。陳平は紀信・周苛の一件を耳にしていたが、人(にん)としては周苛しか知らない。周苛だけがときどき劉邦の内廷にやってきて、そのあたりを掃除したりしているのである。

ある日、陳平は、周苛をよんだ。奇術のすべては言わなかったが、その一端を洩(も)らして、ひきうけてくれるか、ときいた。

周苛は頭を垂れ、即答しなかった。

(こいつ、逃げる気か)

陳平は打ちあけてしまったことを後悔した。が、やがて周苛は笑顔になり、

「いいお話だと思います。ただ紀信がどうおもいますか」

紀信に相談せねば答えられない、という。周苛がその持場に戻ろうとするのを陳平はあわててとめた。この極秘のたねをやたらと陣中で洩らされてはこまるのである。

「紀信をここへよぼう。いや、ここではなく陛下のもとによぼう」

と、いった。劉邦の眼前で話をしたい。もし紀信がかぶりを振れば守秘の必要上監禁する、というところまで陳平は頭を旋回させていた。

紀信が甬道(ようどう)で兵を指揮していると、劉邦の上使がやってきた。

「このわしに、か」

というのがやっとで、あとは目まいがした。が、そのように感激する自分をあさましく思う気分が他方にある。そのほうの紀信が、

「ばかをいえ」

と、上使にどなった。

「目の前で楚兵がよじ登って来ようとしているのだ。用があるなら交替したあとに来い」

夜になった。紀信が交替して城壁の上にいると、再び上使がやってきた。こんどの紀信は、おとなしかった。戎服のまま上使に同行した。下腹から臓腑が溶けたように力がなくなり、脚の骨がふるえた。

(なんということだ)

胸中、くりかえした。

(劉邦など、なんだ)

思おうとしたが、言葉が途中で蒸発してしまう。紀信は、劉邦という人物についての自分の歴史を思おうとした。豊邑にいるころ、ひとがあまりに劉邦の悪口ばかりをいうために劉邦びいきになった。

当初はひいきというよりも、せっかく豊邑から出た人間の悪口をいうことはあるまい、という程度の感想だったが、雍歯が一時豊邑一帯を占拠して魏と通じ独立の気勢を示し、やがて劉邦と戦ったとき、狂おしいほどに劉邦びいきになった。魏というような他国となぜ通じねばならないか、豊の出である劉邦を豊の人々はなぜ敵視せねばならないかと思うと、豊の連中のたれもが憎くなった。もっとも当時、紀信は農夫にすぎない。

滎陽の籠城戦に参加してからは、兵としてあれほど働きながら、当の劉邦に対しては拗ねた思いでいた。

——おれのような劉邦好きが卒伍の間にいるということを劉邦は知るまい。

と思うと、劉邦のすべてを罵りたくなった。むろん劉邦の側近、謀臣、将軍たちのすべてが気に入らなかった。あいつらは欲得で働いているだけだ、と思い、そう思うと文武の高官のすべてが盗賊のように見えてきた。その盗賊を擁して黄色い天蓋の車に乗っている劉邦までが憎くなり、蔭口ながらあらゆる悪態をついてきた。が、それらは劉邦好きが昂じきって内攻し、こどものひきつけのように自家中毒をおこしてしまったことに似ているのではあるまいか。

(そういうことだ)

ということも、紀信はわかっている。

劉邦は、多くの密告者を持っている。それらの一人が、この紀信という無名の下士の蔭口について劉邦の耳に入れ、それについて劉邦が紀信に関心を示したということをきいたとき、紀信はあやうく昏倒しそうになった。うれしかったのである。自分のような者について劉邦が話題にしたというだけでも、紀信にとって戦慄すべき事態であった。その結果、中涓の処遇をあたえられた。以後、周苛は内廷に出入りしたが、紀信はその特権を一度もつかったことがなく、ひとりで鬱懐していた。鬱懐こそ紀信にもっともふさわしい精神の姿勢ではなかったか。ところが、上使がいま自分を劉邦のもとに連れてゆくのである。

ついに、内廷に至った。

そこに、陳平がいた。ところがそのかたわらに周苛もいたのである。

「周苛、おれはいつ烹られるのかね」

と、紀信はやってしまった。

そのとき、劉邦が入ってきた。後年、儒者が儀礼をこしらえて、劉邦の出入りも荘重になったが、この時期は隣家のおやじでも入ってきたようなぐあいであった。それでも紀信は体がふるえてしまった。

「紀信。以前、城壁の上で遭ったな」

と、劉邦がいうと、紀信はそっぽをむいた。まともに平伏すればうれしさで気が狂ってしまうかもしれない。

(こいつは、骨がらみの逆らいやで、ついに使いものにならんかもしれんな)

劉邦でさえ、紀信の顔つきや所作を見ておもった。陳平はなおさらのことで、この男に秘謀をうちあけていいか、迷った。周苛の目を見た。周苛の目は、こういう男なのです、信頼できます、というふうにうなずいた。

周苛は御史大夫になり、滎陽城の最高司令官に任ぜられた。

というについては、からくりがある。この城から劉邦が逃げ、次いで将軍たちや文官が逃げ、さらに現兵力のうち五分ノ四が逃げたあと、周苛がのこって残留軍を指揮するのである。残留軍は、滎陽およびその近郊の出身者が多かった。ただし劉邦らが脱出に成功すると同時に、周苛は滎陽の指揮権をにぎる。要するに置きざりされる部隊の長で、死は約束ずみの役目であった。

周苛には、二人の将軍がつけられた。ひとりは樅公と言い、おだやかでまじめすぎるほどの人物である。いまひとりは魏王豹であった。

魏王豹は、かつての六国のひとつの魏の公子のひとりであった。兄の咎とともに秦末の乱に乗じて魏の再興をはかり、咎はよく戦ってのち秦の章邯将軍に降伏し、焼身の自殺をとげた。豹はまことに策が多く、人間としての実が薄く項羽と劉邦を手玉にとって曲芸のようにこの乱世をわたってきた。はじめは楚に亡命してその保護をうけ、楚のうしろ楯で魏の地を回復した。のち、劉邦が項羽の留守中の彭城に快進撃してこれをおとしたとき、豹は劉邦に寝返った。その後、劉邦が大敗して滎陽城に入ると、故郷に帰ると称して黄河の渡し場を占拠してそむいた。劉邦は韓信に兵をあたえてとらえさせ、滎陽につれて来させた。劉邦のおもしろさはこれほど反覆常ない魏王豹を始末せずにそのまま用いたことであった。

（こういう男とともに滎陽は守れない）

と周苛はおもい、樅公と相談し、果断にも斬ってしまった。周苛が死守部隊の長になる資質は十分にあったといっていい。

紀信は、劉邦そのものになった。

替玉であった。替玉になるには背がひくすぎたが、背丈をごまかすためには車の床に台を置いて立てばいい。

この替玉には、兵二千が付けられることになった。ただし、婦人を兵に化けさせるのである。陳平はこの奇術に熱中した。城内の婦人たちはみないやがったが、漢軍が所蔵する財貨を一人ずつにあたえ、当日まで十分に食事をとらせることによって彼女らを釣った。

劉邦である紀信は、無口になっていた。かれは事がおわったあと婦人たちが無事逃げられる算段ばかりを考えていた。かれは庫をひらき、婦人たちにあたえる財宝をさらにふやした。逃げるときに財宝を捨てながら走れ、追跡する楚兵がそれを拾うことで手間どるだろう、と彼女らに教えた。紀信が庫を勝手にひらいたことで、陳平は叱った。

「陳平」

紀信は手をのばして陳平の頭をおさえた。土下座せよ、という。自分は紀信ではない、漢王だぞ、というのである。陳平は、狂ったかとおもった。

「正気だ」

紀信はいった。漢王としてうやまわれなければどうして漢王としてふるまえるか、という。

いよいよ劉邦の脱出の日がきまった。

その日、同時に紀信が劉邦として城を出、項羽に降伏するのである。

「劉邦よ、たのむぞ」

と、当日、ほんものの劉邦は農夫に変装していたが、内廷の門前で紀信の劉邦と別れるとき、そのように言った。紀信はすでに劉邦の黄色い天蓋の車に乗っていた。車上から手をのばして、

「陛下よ、豊邑の人間のすべてが劉邦ぎらいではなかったことをお忘れなく」

と、紀信にすればかつてないほどに感情の激しない声音でいった。

「お前は、わしが好きであったのだな」

「でもなさそうだ」

紀信は、いつものかん高い声にもどった。

「人の一生というのは、戸の隙間から、白馬の駈けすぎるのを見るほどにみじかいという。里の父老がよく言っていた。こういう趣向で死ぬるとは、まことに快とすべきではないですか」

深夜、紀信は女兵二千とともに滎陽城の東門へ行った。楼上には、友人の周苛将軍がいる。周苛は紀信が成功したところを見はからって、楼台から火箭を揚げるのである。それを反対側の西門で待機している劉邦らが見ると同時に脱出する。陳平の奇術はそのようになっていた。

東門が、ひらかれた。

紀信が、車輪をひびかせて突出した。漢王の冠をつけた紀信が車台の右寄りに立っている。車台の左には、漢王であることのしるしとして犛牛のしっぽを赤く染めた旗のような装飾がなびいていた。

そのあとから、婦人が化けた兵二千が兵器をもたずにつづいた。

「予は漢王であるぞ。城中の糧が尽きたによって降伏する」

と、紀信は叫んだ。

楚兵は最初戸惑ったが、やがて事態がわかるといっせいに「万歳」を叫びはじめた。たがいに抱きあって踊る者もあり、楚兵にとってもこの戦いがいかにつらかったかが紀信にもわかった。

攻囲戦はおわった。そのよろこびは万歳の声とともに楚軍ぜんたいに伝播(でんぱ)してゆき、津波のようにとどろいた。

各部隊は持場を放棄し、東門へあつまりはじめた。そのすきに西門から劉邦は張良(ちようりよう)、黥布(げいふ)、陳平ら十数騎とともに脱出した。

陳平の奇術は成功した。劉邦らが逃げきったと思われるころに、他の将軍たちも部隊をひきいて逃げ、明け方近くには城市は周苛とその残留部隊だけになった。

紀信の車は、楚軍の騎兵にかこまれて進んだ。すでに女兵は逃げ散ってひとりも従っていなかった。楚軍の前線の兵は、たれも劉邦の顔を知らなかった。紀信は見やぶられることなく進め、明け方ちかくになってようやく項羽の軍門の前に達した。その軍門の衛士たちによって、ようやくにせものであることが見破られた。

「なんだ、おまえは」

項羽は、目の前にひきだされた紀信を見て、逆上してしまった。紀信も項羽をはじ

めて見、その豪邁な人相と体格にあきれ、

（これではとても漢王は敵わない）

と思い、そうおもうと劉邦が哀れになり、同時に項羽への憎しみで血が煮えたってしまい、

「だまされたか、項羽」

とさけび、噴きあげるようにののしった。しまいには語気のみで意味にもならぬ罵声をあびせた。

「焼き殺せ」

項羽は、そのあたりの薪という薪をあつめさせ、縛った紀信をその山の上にほうりあげて火をつけさせた。燃えあがる火の中で紀信は項羽への罵りをやめず、叫びつづけていたが、やがて灰になった。

周苛将軍がまもる滎陽城はこのあと相当な期間、楚軍の力攻に堪えた。ひとつには項羽も多忙で、滎陽城にかかりきりになっていられなかった。昌邑（山東省）の人彭越が遊撃軍として楚の補給線を断ったために滎陽城をひとまず措いてそのほうにむかわざるをえなかった。しかも彭越軍はゲリラであったために鎮圧に手間どり、そのあ

いだ滎陽城の寿命がのびた。

が、やがて滎陽城は陥ちた。

周苛が生け捕りにされて項羽の前にひき出された。項羽はこの周苛がさきの紀信と友達であったことを侍者からきかされて知った。かつ眼前の周苛の面魂のよさにおどろき、

「わしの将軍にならぬか」

と、いった。多くの場合、生け捕りの将をいきなり殺してきたこの男としては、めずらしいことであった。さらに条件もはずんだ。上将軍にし、万戸侯に封じてやろう、という。

が、周苛は紀信の霊が憑依ったように咆えた。

「たれが、お前のような者の」

と言い、漢王はかならず勝つのだ、お前こそ漢に降伏せよ、いのちが惜しくばいまのうちに漢王の前に出てゆけ、と叫んだ。当の劉邦は敗亡してほそぼそと再興の緒についたばかりのころである。

項羽は激怒し、周苛を烹殺してしまった。


（下巻につづく）

「司馬遼太郎記念館」への招待

司馬遼太郎記念館は自宅と隣接地に建てられた安藤忠雄氏設計の建物で構成されている。広さは、約2300平方メートル。2001年11月に開館した。

数々の作品が生まれた自宅の書斎、四季の変化を見せる雑木林風の自宅の庭、高さ11メートル、地下1階から地上2階までの三層吹き抜けの壁面に、資料本や自著本など2万余冊が収納されている大書架、……などから一人の作家の精神を感じ取っていただく構成になっている。展示中心の見る記念館というより、感じる記念館ということを意図した。この空間で、わずかでもいい、ゆとりの時間をもっていただき、来館者ご自身が思い思いにしばし考える時間をもっていただきたい、という願いを込めている。　（館長　上村洋行）

利用案内

所在地　大阪府東大阪市下小阪3丁目11番18号　〒577-0803
TEL　06-6726-3860，06-6726-3859（友の会）
HP　http://www.shibazaidan.or.jp
開館時間　10:00〜17:00（入館受付は16:30まで）
休館日　毎週月曜日（祝日・振替休日の場合は翌日が休館）
特別資料整理期間（9/1〜10）、年末・年始（12/28〜1/4）
※その他臨時に休館することがあります。

入館料

	一般	団体
大人	500円	400円
高・中学生	300円	240円
小学生	200円	160円

※団体は20名以上
※障害者手帳を持参の方は無料

アクセス　近鉄奈良線「河内小阪駅」下車、徒歩12分。「八戸ノ里駅」下車、徒歩8分。
Ⓟ5台　大型バスは近くに無料一時駐車場あり。但し事前にご連絡ください。

記念館友の会　ご案内

友の会は司馬作品を愛し、記念館を支えてくださる会員の皆さんとのコミュニケーションの場です。会員になると、会誌「遼」（年4回発行）をお届けします。また、講演会、交流会、ツアーなど、館の行事に会員価格で参加できるなどの特典があります。

年会費　一般会員3000円　サポート会員1万円　企業サポート会員5万円
お申し込み、お問い合わせは友の会事務局まで
TEL 06-6726-3859　FAX 06-6726-3856

司馬遼太郎著

梟の城

直木賞受賞

信長、秀吉……権力者たちの陰で、凄絶な死闘を展開する二人の忍者の生きざまを通して、かげろうの如き彼らの実像を活写した長編。

司馬遼太郎著

風神の門（上・下）

猿飛佐助の影となって徳川に立向った忍者霧隠才蔵と真田十勇士たち。屈曲した情熱を秘めた忍者たちの人間味あふれる波瀾の生涯。

司馬遼太郎著

国盗り物語（一〜四）

貧しい油売りから美濃国主になった斎藤道三、天才的な知略で天下統一を計った織田信長。新時代を拓く先鋒となった英雄たちの生涯。

司馬遼太郎著

新史 太閤記（上・下）

日本史上、最もたくみに人の心を捉えた〝人蕩し〟の天才、豊臣秀吉の生涯を、冷徹な史眼と新鮮な感覚で描く最も現代的な太閤記。

司馬遼太郎著

関ヶ原（上・中・下）

古今最大の戦闘となった天下分け目の決戦の過程を描いて、家康・三成の権謀の渦中で命運を賭した戦国諸雄の人間像を浮彫りにする。

司馬遼太郎著

城塞（上・中・下）

秀頼、淀殿を挑発して開戦を迫る家康。大坂冬ノ陣、夏ノ陣を最後に陥落してゆく巨城の運命に託して豊臣家滅亡の人間悲劇を描く。

司馬遼太郎著 **覇王の家**（上・下）

徳川三百年の礎を、隷属忍従と徹底した模倣のうちに築きあげていった徳川家康。俗説の裏に隠された〝タヌキおやじ〟の実像を探る。

司馬遼太郎著 **燃えよ剣**（上・下）

組織作りの異才によって、新選組を最強の集団へ作りあげてゆく〝バラガキのトシ〟――剣に生き剣に死んだ新選組副長土方歳三の生涯。

司馬遼太郎著 **峠**（上・中・下）

幕末の激動期に、封建制の崩壊を見通しながら、武士道に生きるため、越後長岡藩をひいて官軍と戦った河井継之助の壮烈な生涯。

司馬遼太郎著 **花神**（上・中・下）

周防の村医から一転して官軍総司令官となり、維新の渦中で非業の死をとげた、日本近代兵制の創始者大村益次郎の波瀾の生涯を描く。

司馬遼太郎著 **胡蝶の夢**（一～四）

巨大な組織・江戸幕府が崩壊してゆく――この激動期に、時代が求める〝蘭学〟という鋭いメスで身分社会を切り裂いていった男たち。

司馬遼太郎著 **果心居士の幻術**

戦国時代の武将たちに利用され、やがて殺されていった忍者たちを描く表題作など、歴史に埋もれた興味深い人物や事件を発掘する。

司馬遼太郎著　馬上少年過ぐ

戦国の争乱期に遅れた伊達政宗の生涯を描く表題作。坂本竜馬ひきいる海援隊員の、英国水兵殺害に材をとる「慶応長崎事件」など7編。

司馬遼太郎著　人斬り以蔵

幕末の混乱の中で、劣等感から命ぜられるままに人を斬る男の激情と苦悩を描く表題作ほか変革期に生きた人間像に焦点をあてた7編。

司馬遼太郎著　歴史と視点

歴史小説に新時代を画した司馬文学の発想の源泉と積年のテーマ、〝権力とは〟〝日本人とは〟に迫る、独自な発想と自在な思索の軌跡。

司馬遼太郎著　アメリカ素描

初めてこの地を旅した著者が、「文明」と「文化」を見分ける独自の透徹した視点から、人類史上稀有な人工国家の全体像に肉迫する。

司馬遼太郎著　草原の記

一人のモンゴル女性がたどった苛烈な体験をとおし、20世紀の激動と、その中で変わらぬ営みを続ける遊牧の民の歴史を語り尽くす。

司馬遼太郎著　司馬遼太郎が考えたこと　1　―エッセイ 1953.10～1961.10―

40年以上の創作活動のかたわら書き残したエッセイの集大成シリーズ。第1巻は新聞記者時代から直木賞受賞前後までの89篇を収録。

司馬遼太郎著

司馬遼太郎が考えたこと　2
—エッセイ 1961.10～1964.10—

新聞社を辞め職業作家として独立、『竜馬がゆく』『燃えよ剣』『国盗り物語』など、旺盛な創作活動を開始した時期の119篇を収録。

司馬遼太郎著

司馬遼太郎が考えたこと　3
—エッセイ 1964.10～1968.8—

「昭和元禄」の繁栄のなか、『国盗り物語』『関ケ原』などの大作を次々に完成。作家として評価を固めた時期の129篇を収録。

司馬遼太郎著

司馬遼太郎が考えたこと　4
—エッセイ 1968.9～1970.2—

学園紛争で世情騒然とする中、『坂の上の雲』の連載を続けながら、ゆるぎのない歴史観をもとに綴ったエッセイ65篇を収録。

司馬遼太郎著

司馬遼太郎が考えたこと　5
—エッセイ 1970.2～1972.4—

大阪万国博覧会が開催され、日本が平和と繁栄を謳歌する時代に入ったころ。三島割腹事件について論じたエッセイなど65篇を収録。

司馬遼太郎著

司馬遼太郎が考えたこと　6
—エッセイ 1972.4～1973.2—

田中角栄内閣が成立、国中が列島改造ブームに沸く中、『坂の上の雲』を完結して「国民作家」と呼ばれ始めた頃のエッセイ39篇を収録。

司馬遼太郎著

司馬遼太郎が考えたこと　7
—エッセイ 1973.2～1974.9—

「石油ショック」のころ。『空海の風景』の連載を開始、ベトナム、モンゴルなど活発に海外を旅行した当時のエッセイ58篇を収録。

池波正太郎著

真田太平記（一〜十二）

天下分け目の決戦を、父・弟と兄とが豊臣方と徳川方とに別れて戦った信州・真田家の波瀾にとんだ歴史をたどる大河小説。全12巻。

池波正太郎著

忍者丹波大介

関ケ原の合戦で徳川方が勝利し時代の波の中で失われていく忍者の世界の信義……一匹狼となり暗躍する丹波大介の凄絶な死闘を描く。

池波正太郎著

おとこの秘図（上・中・下）

江戸中期、変転する時代を若き血をたぎらせて生きぬいた旗本・徳山五兵衛——逆境をはねのけ、したたかに歩んだ男の波瀾の絵巻。

池波正太郎著

闇の狩人（上・下）

記憶喪失の若侍が、仕掛人となって江戸の闇夜に暗躍する。魑魅魍魎とび交う江戸暗黒街に名もない人々の生きざまを描く時代長編。

池波正太郎著

雲霧仁左衛門（前・後）

神出鬼没、変幻自在の怪盗・雲霧。政争渦巻く八代将軍・吉宗の時代、狙いをつけた金蔵をめざして、西へ東へ盗賊一味の影が走る。

池波正太郎著

編笠十兵衛（上・下）

幕府の命を受け、諸大名監視の任にある月森十兵衛は、赤穂浪士の吉良邸討入りに加勢。公儀の歪みを正す熱血漢を描く忠臣蔵外伝。

山本周五郎著
樅ノ木は残った
毎日出版文化賞受賞（上・中・下）

「伊達騒動」で極悪人の烙印を押されてきた原田甲斐に対する従来の解釈を退け、その人間味にあふれた新しい肖像を刻み上げた快作。

山本周五郎著
虚空遍歴（上・下）

侍の身分を捨て、芸道を究めるために一生を賭けて悔いることのなかった中藤冲也――苛酷な運命を生きる真の芸術家の姿を描き出す。

山本周五郎著
ながい坂（上・下）

下級武士の子に生れた小三郎の、人生という〝ながい坂〟を人間らしさを求めて、苦しみつつも着実に歩を進めていく厳しい姿を描く。

山本周五郎著
さぶ

ぐずでお人好しのさぶ、生一本な性格ゆえに不幸な境遇に落ちた栄二。二人の心温まる友情を描いて〝人間の真実とは何か〟を探る。

山本周五郎著
正雪記（上・下）

染屋職人の倅から、〝侍になる〟野望を抱いて出奔した正雪の胸に去来する権力への怒り。超大な江戸幕府に挑戦した巨人の壮絶な生涯。

山本周五郎著
栄花物語

非難と悪罵を浴びながら、頑なまでに意志を貫いて政治改革に取り組んだ老中田沼意次父子を、時代の先覚者として描いた歴史長編。

藤沢周平著

用心棒日月抄

故あって人を斬り脱藩、刺客に追われながらの用心棒稼業。が、巷間を騒がす赤穂浪人の動きが又八郎の請負う仕事にも深い影を……。

藤沢周平著

密　謀（上・下）

天下分け目の関ケ原決戦に、三成と密約がありながら上杉勢が参戦しなかったのはなぜか？　歴史の謎を解明する話題の戦国ドラマ。

藤沢周平著

たそがれ清兵衛

その風体性格ゆえに、ふだんは侮られがちな侍たちの、意外な活躍！　表題作はじめ全8編を収める、痛快で情味あふれる異色連作集。

藤沢周平著

天保悪党伝

天保年間の江戸の町に、悪だくみに長けるが、憎めない連中がいた。世話講談「天保六花撰」に材を得た、痛快無比の異色連作長編！

藤沢周平著

橋ものがたり

様々な人間が日毎行き交う江戸の橋を舞台に演じられる、出会いと別れ。男女の喜怒哀楽の表情を瑞々しい筆致に描く傑作時代小説。

藤沢周平著

消えた女
—彫師伊之助捕物覚え—

親分の娘おようの行方をさぐる元岡っ引の前で次々と起る怪事件。その裏には材木商と役人の黒いつながりが……。シリーズ第一作。

項羽と劉邦（中）

新潮文庫　し－9－32

昭和五十九年九月二十五日　発行
平成十七年七月三十日　六十八刷改版
平成二十三年四月二十日　八十二刷

著者　司馬遼太郎

発行者　佐藤隆信

発行所　株式会社新潮社

郵便番号　一六二―八七一一
東京都新宿区矢来町七一
電話　編集部(〇三)三二六六―五四四〇
読者係(〇三)三二六六―五一一一
http://www.shinchosha.co.jp

価格はカバーに表示してあります。

乱丁・落丁本は、ご面倒ですが小社読者係宛ご送付ください。送料小社負担にてお取替えいたします。

印刷・大日本印刷株式会社　製本・憲専堂製本株式会社

ISBN978-4-10-115232-5　C0193